TOME 5

Abussos

DANS LA MÊME COLLECTION

Déjà parus :

Les héritiers d'Enkidiev, tome 1 – Renaissance
Les héritiers d'Enkidiev, tome 2 – Nouveau monde
Les héritiers d'Enkidiev, tome 3 – Les dieux ailés
Les héritiers d'Enkidiev, tome 4 – Le sanctuaire

À paraître bientôt :

Les héritiers d'Enkidiev, tome 6 – Nemeroff

* * *

À ce jour, Anne Robillard a publié plus d'une trentaine de romans, dont la saga à succès des *Chevaliers d'Émeraude*, sa suite, *Les héritiers d'Enkidiev*, la série culte *A.N.G.E.*, *Qui est Terra Wilder ?*, *Capitaine Wilder* et *Les Ailes d'Alexanne* ainsi que plusieurs livres compagnons et une BD.

Ses œuvres ont maintenant franchi les frontières du Québec et font la joie de lecteurs partout dans le monde.

Pour obtenir plus de détails sur ces autres parutions, n'hésitez pas à consulter son site officiel et sa boutique en ligne :

www.anne-robillard.com
www.parandar.com

ANNE ROBILLARD

LES HÉRITIERS D'ENKIDIEV

TOME 5

Abussos

Catalogage avant publication de Bibliothèque et Archives nationales du Québec et Bibliothèque et Archives Canada

Robillard, Anne

Les héritiers d'Enkidiev
Sommaire : t. 5. Abussos.

ISBN 978-2-923925-08-0 (v. 5)

I. Titre. II. Titre: Abussos.

PS8585.O325H47 2009 C843'.6 C2009-942695-1
PS9585.O325H47 2009

WELLAN INC.
C.P. 57067 – Centre Maxi
Longueuil, QC J4L 4T6
Courriel : info@anne-robillard.com

Couverture et illustration: Jean-Pierre Lapointe
Mise en pages: Claudia Robillard
Révision: Annie Pronovost

Distribution: Prologue
1650, boul. Lionel-Bertrand
Boisbriand, QC J7H 1N7
Téléphone : 450 434-0306 / 1 800 363-2864
Télécopieur : 450 434-2627 / 1 800 361-8088

Dépôt légal - Bibliothèque et Archives nationales du Québec, 2012
Dépôt légal - Bibliothèque et Archives Canada, 2012

« On peut conquérir des milliers d'hommes dans une bataille, mais celui qui se conquiert lui-même, lui seul est le plus noble des conquérants. »

— Le Dalaï Lama

ENKIDIEV

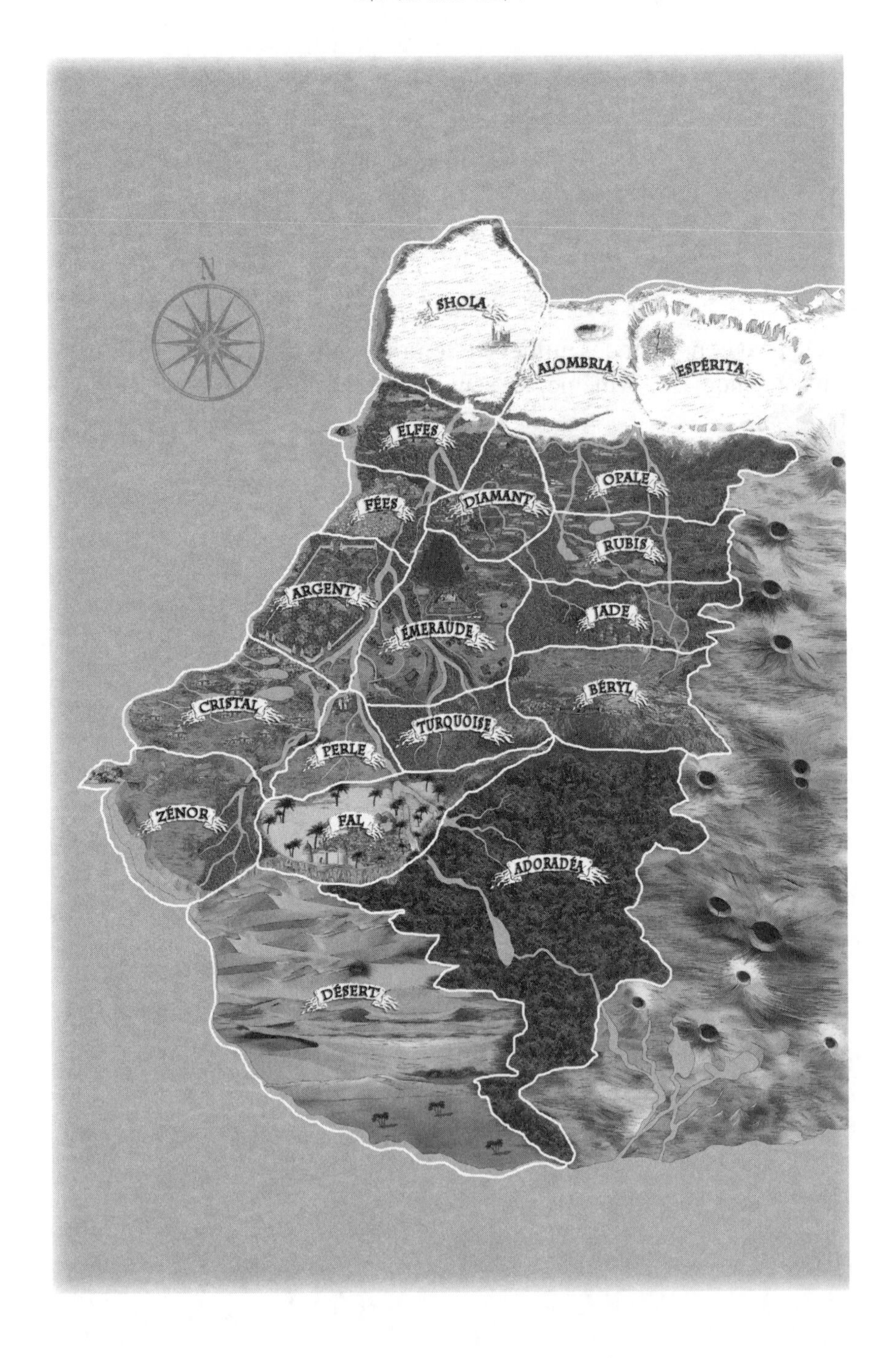
N
SHOLA
ALOMBRIA
ESPÉRITA
ELFES
OPALE
FÉES
DIAMANT
RUBIS
ARGENT
JADE
ÉMERAUDE
CRISTAL
BÉRYL
TURQUOISE
PERLE
ZÉNOR
FAL
ADORADÉA
DÉSERT

ENLILKISAR

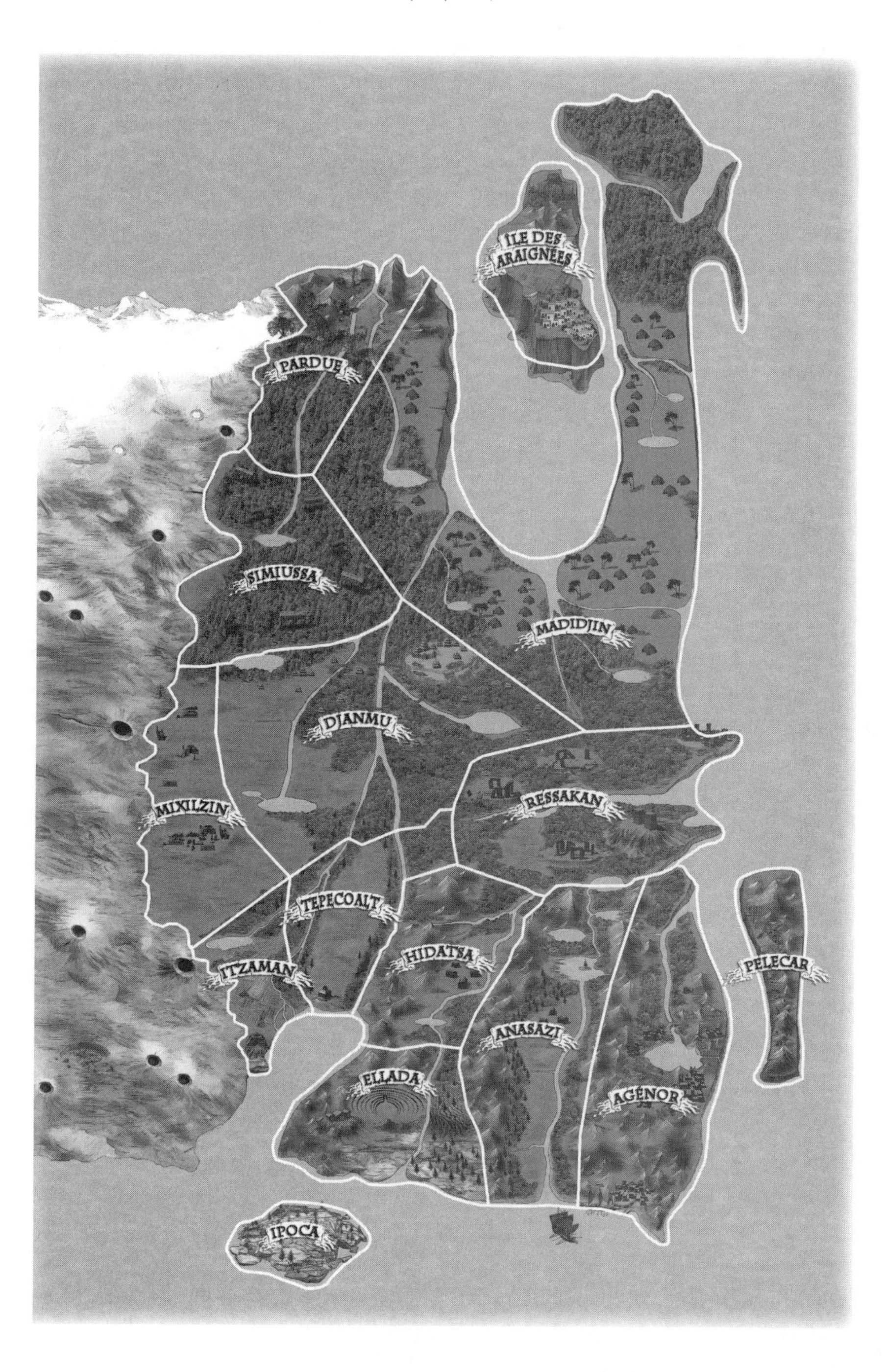

ÎLE DES ARAIGNÉES
PARDUE
SIMIUSSA
MADIDJIN
DJANMU
RESSAKAN
MIXILZIN
TEPECOALT
HIDATSA
ITZAMAN
PELECAR
ANASAZI
ELLADA
AGÉNOR
IPOCA

1

UN NOUVEAU PENSIONNAIRE

L'arrivée de Mann dans le sanctuaire des Sholiens avait eu le même effet que l'intrusion d'un prédateur dans une bergerie. Dès les premières secondes, l'énergie fébrile de l'ancien soldat avait rapidement surchargé le système nerveux fragile des moines. Hawke et Briag s'étaient empressés d'emmener Mann dans la chambre la plus éloignée de la salle de recueillement, mais le pauvre homme continuait de murmurer des phrases incompréhensibles en se triturant les doigts.

Hawke fit asseoir l'ex-Chevalier sur un tabouret et recula devant l'entrée, d'une part pour l'empêcher de retourner dans le couloir et, d'autre part, pour envelopper la pièce d'une force apaisante. Il était toutefois difficile de se concentrer à quelques pas d'un magicien si perturbé qu'il tremblait de tous ses membres. Quant à Briag, au lieu d'aider Hawke à contenir l'agitation de l'augure, il observait Mann, désarçonné par son comportement.

Le grand maître surgit alors derrière Hawke et le contourna. S'il était le plus ancien des Sholiens, Isarn n'affichait guère les signes de la vieillesse que l'on retrouvait chez les humains, ni sur ses traits, ni dans sa démarche. Seuls ses yeux brillaient de sagesse.

– Le connaissez-vous ?

– Il s'appelle Mann, répondit Hawke. Il a servi dans l'armée de Wellan d'Émeraude.

Isarn plaça ses mains sur les épaules du devin, qui se calma immédiatement.

– Dites-moi ce qui vous effraie à ce point, sire Mann ? demanda le doyen.

– Nous sommes tous en danger...

– Ici ?

– Partout...

– Vous connaissez l'avenir, n'est-ce pas ?

– J'ai reçu ce don par accident...

– Dans la vie, rien n'arrive pour rien. Si vous avez reçu ce cadeau des dieux, c'est qu'ils vous croyaient capable de vous en servir.

– C'est une véritable malédiction...

– Racontez-moi d'abord ce que vous avez vu, puis je vous ferai une proposition qui pourrait vous rendre l'existence beaucoup plus douce.

Isarn fit quelques pas en arrière et donna au visiteur le temps de prendre plusieurs inspirations afin d'organiser ses pensées.

– Une grande guerre se prépare, annonça Mann.

– Entre les dieux ? voulut savoir Isarn.

L'augure secoua la tête.

– Entre les hommes.

– L'Empereur Noir a pourtant été vaincu.

– Il ne s'agit pas de lui, mais du Roi Onyx.

– A-t-il l'intention d'attaquer les habitants du nouveau monde ? s'inquiéta Hawke.

– Non. Ceux d'Enkidiev.

– Je ne comprends pas... balbutia Briag.

– Laissez-le parler, recommanda Isarn.

– À la tête d'une grande armée, il exigera qu'on le proclame empereur, mais les Chevaliers d'Émeraude refuseront.

– Est-il déjà arrivé que tes prédictions ne se réalisent pas ? demanda Hawke.

– Je n'en sais rien, puisque je vis seul dans la forêt de Jade.

– L'avenir est sans cesse en mouvement, leur rappela Isarn. Il est toujours possible de changer le cours des événements.

– Le Roi Onyx est malheureusement un homme inflexible, soupira Hawke.

– Ce n'est peut-être pas sur lui qu'il faut agir. Nous nous pencherons sur cette situation plus tard. Pour l'instant, il est plus urgent de rassurer ce jeune homme. Laissez-moi seul avec lui.

Voyant que Briag ne bougeait pas, Hawke lui agrippa la manche et le tira dans le corridor. Isarn prit place sur un tabouret devant Mann.

– Contrairement à ce que pensent la majorité des hommes, n'est pas prophète qui le désire, commença le vieil homme. Il faut posséder des prédispositions ataviques en la matière.

– C'est-à-dire ?

– Vos parents vous ont-ils parlé de vos origines, Mann ?

– C'étaient des paysans d'Argent sans histoire.

– Sont-ils encore de ce monde ?

– Personne ne m'a annoncé leur décès et je ne suis jamais retourné chez moi après mon admission dans l'Ordre d'Émeraude.

– Comment s'appellent-ils ?

– Ailani et Yahto.

Un sourire rassuré illumina le visage d'Isarn.

– Ta réponse confirme mes doutes.

– Vous les connaissez ? s'étonna l'augure.

Le doyen garda le silence, mais Mann sentit une puissante énergie émaner de lui. Quelques instants plus tard, deux moines aux longs cheveux blonds pénétrèrent dans la pièce. L'Argentais reconnut sa mère et son père.

– Mais comment est-ce possible ? s'étrangla le devin.

Ailani et Yahto serrèrent leur fils adulte dans leurs bras sans masquer leur joie.

– Lorsque le sorcier Asbeth a détruit Alombria, la plupart des Sholiens qui prenaient soin des enfants de l'Empereur Amecareth ont péri avec eux, expliqua Isarn. Toutefois, certains, dont tes parents, ont survécu et se sont fondus dans la population du continent. C'est le magicien Elfe Hawke qui nous a ramenés de la mort et qui nous a aidés à construire ce sanctuaire. Dès qu'il a été terminé, nous nous sommes mis à la recherche des rescapés.

Mann regardait ses parents d'un air ébahi.

– Vous avez abandonné la ferme ?

– Nous nous y étions mis à l'abri par nécessité, lui dit Yahto. Notre véritable place est ici.

– Pourquoi ne m'avez-vous rien dit ?

– Pour te protéger, tenta de l'apaiser Ailani. Parce qu'ils sont différents, les Sholiens ne sont pas très bien vus à Enkidiev.

– Je suis...

– Un Sholien, attesta Isarn. C'est pour cette raison que tu as autant de facilité à percevoir le destin de tous et chacun. Toutefois, pour utiliser correctement ce don, il aurait fallu que tu sois formé par un maître.

– Tout ce que je sais, je l'ai appris de Liao, le gardien du savoir ancien.

– Je ne connais aucun Sholien qui porte ce nom.

– C'était un Jadois âgé de milliers d'années, victime lui aussi de la magie d'Anthel.

Même s'il se doutait que le doyen connaissait déjà l'histoire du monde, Mann lui raconta ce qu'il avait appris sur Lynotrach, Prince de Rubis et premier Roi d'Émeraude. Cet homme brutal avait la malencontreuse habitude de régler ses différends à coups d'épée et il ne tolérait pas que quelqu'un le surpasse en force ou en intelligence. Il avait donc choisi pour son royaume un magicien inculte et cruel qui s'appelait Anthel.

Un jour, un jeune homme nommé Corindon, doté d'un grand talent, est arrivé à la cour de Lynotrach, demandant à devenir l'apprenti du magicien d'Émeraude. Malheureusement pour Corindon, il était cent fois plus puissant qu'Anthel. Alors, après avoir démontré publiquement qu'il pouvait influencer le temps, déplacer des objets très lourds sans les toucher et faire apparaître le feu dans ses mains, il a été emprisonné et mis à mort. Du corps du condamné, Anthel a extrait sa magie, qu'il a enfermée dans un coffret en porphyre pour s'en emparer plus tard. Il ignorait que l'énergie libérée par Corindon était meurtrière, destinée à occire tous les mages noirs qui oseraient forcer l'écrin de pierre.

– Parce que mon cœur et mes intentions étaient purs, lorsque j'ai ouvert le coffret, ce n'est pas la mort qui m'a frappé, mais la vie éternelle et la faculté de voir l'avenir.

– Tu es donc victime d'un maléfice, comprit Ailani.

– Et je ne peux même pas me donner la mort pour m'en libérer.

– Alors, il te faudra apprendre à utiliser ton talent à bon escient, réitéra Isarn. Je t'invite à rester au sanctuaire, où nous t'aiderons à maîtriser ce magnifique don.

* * *

Pendant qu'Isarn achevait de convaincre Mann d'accepter l'hospitalité des Sholiens, plus loin dans le sanctuaire, Hawke et Briag s'étaient enfermés dans une autre petite salle de prière.

– Pourquoi le Roi Onyx s'en prendrait-il à ses propres sujets ? explosa le plus jeune.

– Je n'en sais rien, Briag. Si nous avions la capacité de voir au-delà du moment présent, comme Mann, sans doute pourrions-nous comprendre ce qui le pousserait à faire un geste pareil.

– Il est de notre devoir d'empêcher cette guerre d'éclater.

– Je suis d'accord avec toi, mais je ne sais pas trop comment nous pourrions nous y prendre.

– Maître Isarn a dit que nous pouvions changer le cours des événements. C'est aussi de notre survie qu'il s'agit, Hawke.

– Nous n'en savons rien. Je t'en prie, calme-toi.

Briag se mit à faire les cent pas devant son ami. Ce dernier se mit en travers de son chemin et lui saisit les bras.

– Je ne veux pas mourir une seconde fois, Hawke.

– Je ne laisserai jamais personne te faire de mal. Tu le sais bien, pourtant.

L'Elfe le força à s'asseoir avec lui en tailleur et à ralentir sa respiration.

– Explique-moi pourquoi Abussos nous a demandé de protéger le palais de l'homme qui risque de tous nous détruire ? s'enquit le Sholien sur un ton apaisé.

– Pourquoi me poses-tu toujours des questions pour lesquelles je n'ai aucune réponse ?

– Je vois dans tes yeux que tu le sais.

– Abussos est très inquiet, car Onyx refuse son rôle de pacificateur.

– Un pacificateur ? Ton ancien compagnon d'armes vient de nous dire qu'il sera à la tête d'une grande armée qui attaquera Enkidiev !

– Je n'y comprends rien, moi non plus.

– Comment pourrions-nous forcer le Roi Onyx à accepter son véritable destin ?

– Nous ?

– Tu dois savoir ce qu'il faut dire pour le convaincre. Tu l'as connu jadis, quand il n'était qu'un simple magicien.

– Premièrement, aucune parole n'a d'influence sur un homme qui a choisi de se boucher les oreilles. Deuxièmement, je n'irai pas à l'encontre des souhaits d'Abussos.

– Dans ce cas, demande-lui conseil !

– Ce n'est pas moi qui l'ai invoqué lorsqu'il s'est adressé à moi. C'est lui qui décide de nos rencontres.

– L'as-tu déjà appelé dans tes prières ?

– Non... puisque je suis en réalité un Elfe et non un Sholien. Je ne me croyais pas digne de me trouver en sa présence.

– Je t'en conjure, tu dois essayer.

– Si cela peut te rassurer, je le ferai. Promets-moi, à ton tour, de cesser de parler de cette menace. Nous ne devons d'aucune manière alarmer les habitants du sanctuaire.

– Je te le promets.

Briag aida son compagnon à se lever, et ils quittèrent la pièce ensemble.

– Tu pourrais commencer à l'implorer maintenant, chuchota le Sholien.

– Un mot de plus et je te projette dehors sous la pluie, grommela Hawke.

Ils se séparèrent devant la salle de recueillement. Hawke s'arrêta sur le seuil en se demandant s'il pouvait vraiment adresser une requête semblable à un dieu.

– Hawke ! l'interpela Isarn.

– Vous n'êtes plus avec Mann, s'inquiéta l'Elfe.

– En ce moment, ce dont il a le plus besoin, c'est du réconfort que peuvent lui apporter ses parents, Ailani et Yahto. Ceux-ci l'ont ramené dans leur chambre.

– Ce sont ses parents ? Je ne m'en serais jamais douté.

– Bien d'autres secrets te seront révélés en temps et lieu, Hawke. Je suis venu te demander de m'assister dans la rééducation magique de Mann.

– Moi ?

– Ne réplique surtout pas que tu n'es pas un Sholien de naissance. Cela n'a aucune importance. Tu as appris tout ce que nous savons et, mieux encore, Mann est un de tes anciens compagnons. Il aura confiance en toi.

– Je vous obéirai, évidemment, vénérable Isarn.

– Voilà qui me fait plaisir. Allez, va te recueillir.

Le doyen poursuivit sa route, abandonnant l'Elfe à ses pensées affolées.

2

RÉVÉLATIONS

Assis au bout du quai d'Irianeth, les pieds pendant dans le vide, Onyx regardait le soleil se lever au-dessus des flots. Ayant élevé presque seul ses quatre fils à partir du berceau, il avait appris à se lever très tôt. La plupart de ses amis raffolaient des couleurs du couchant, mais Onyx préférait les douces teintes de l'aurore. Son esprit hyperactif ne lui accordant aucun répit, il n'avait plus sommeil. Depuis qu'il s'était exilé de son palais, il ne cessait de penser à sa situation. « Comment en suis-je arrivé là ? » se demandait-il depuis plusieurs jours.

À l'époque où il n'était qu'un simple soldat, il croyait que tous ses problèmes seraient réglés une fois qu'il se serait approprié le trône d'Émeraude. Les premières années de son règne lui avaient d'ailleurs procuré beaucoup de satisfaction. Puis, la maladie l'avait terrassé et alité pendant de longues années. Son ami Hadrian lui avait permis de recouvrer la santé, mais une fois guéri, Onyx avait découvert que tout avait changé autour de lui.

Il lui était né une fille, qu'il adorait, mais durant ces quinze longues années, ses fils étaient devenus des hommes. Le fossé qui s'était creusé entre le père et ses enfants était beaucoup plus profond qu'il l'avait d'abord cru. Atlance, Fabian et

Maximilien étaient désormais des étrangers qui refusaient de lui obéir. Lui-même élevé par un père strict et autoritaire, Onyx n'avait pas su regagner le cœur et la confiance de ses héritiers, et ils avaient tous quitté le nid. Ce qui le blessait encore plus, c'était que son épouse lui reprochait leur départ.

Pour comble de malheur, sa fille venait d'être enlevée par un dieu rapace qui en voulait à Onyx de l'avoir incarné auprès des Tepecoalts, alors qu'en réalité, ce peuple l'avait fait prisonnier. C'était la grande prêtresse qui l'avait confondu avec Azcatchi ! Depuis le rapt de Cornéliane, rien n'allait plus. Onyx avait été incapable de la retrouver et sa femme l'avait repoussé. Il s'était même retrouvé mêlé à la théorie farfelue du jeune Wellan sur la présence de dieux dans le monde des humains.

– Moi, un dieu... grommela-t-il. Comme si c'était possible...

Onyx tenta de se rappeler ce que lui avait raconté le jeune homme à leur dernière rencontre. S'appuyant sur sa propre traduction de vieux ouvrages en venefica, ceux-là même qu'Onyx était en train de lire, Wellan prétendait que Lessien Idril et Abussos avaient eu d'autres enfants qu'Aiapaec et Aufaniae. Onyx savait que le fils de Kira était en fait l'ancien commandant des Chevaliers d'Émeraude, un érudit notoire.

– Il ne m'aurait jamais dit ça s'il ne le croyait pas lui-même... soupira Onyx.

Ces livres, écrits par des Sholiens, soutenaient que Lassa, Napalhuaca, Kaliska et lui-même étaient les fils et les filles des dieux fondateurs. S'il ne s'était pas métamorphosé deux fois en loup, Onyx aurait probablement chassé cette idée de son esprit à tout jamais, mais les gens normaux ne se transformaient pas spontanément en animaux. Wellan avait aussi ajouté que les enfants d'Abussos naissaient lors de phénomènes atmosphériques particuliers. Puisqu'il n'avait pas vraiment écouté les explications de l'adolescent la première fois, Onyx décida de retourner à Émeraude pour en avoir le cœur net.

Il se dématérialisa et réapparut au pied du grand escalier. Malgré l'heure matinale, plusieurs des servantes étaient déjà au travail. L'une d'elles s'arrêta et fit des courbettes devant lui.

– Contente que vous soyez de retour, sire.

– Oui, bien sûr...

Onyx utilisa ses facultés magiques pour repérer celui qu'il cherchait. Il ne fut pas surpris de sentir sa présence dans la bibliothèque. Il grimpa les marches quatre à quatre et entra dans cette vaste salle, où il avait lui aussi passé beaucoup de temps depuis sa venue au monde, plus de cinq cents ans auparavant. Il marcha sans faire de bruit jusqu'à la table où le jeune homme semblait être resté toute la nuit. Les yeux à demi clos, Wellan s'entêtait à traduire un autre paragraphe du livre ouvert devant lui, malgré son évidente fatigue.

– Répète-moi ce que tu m'as dit l'autre jour, ordonna Onyx.

Wellan sursauta et laissa tomber sa plume.

– Mais où étais-tu passé ? s'exclama l'ancien commandant. Tout le monde te cherche.

– Même les rois ont le droit de s'isoler afin de réfléchir. Redis-moi ce passage sur les signes dans le ciel qui annoncent la naissance d'un dieu parmi les humains.

– Cela ne concernait pas les divinités en général, mais les enfants des dieux fondateurs. Lorsque Lassa a pris son premier souffle, des milliers d'étoiles filantes ont illuminé la nuit. Pour Kaliska, c'était une magnifique aurore boréale. Je viens aussi de découvrir que Lazuli, pas mon frère, mais mon père, est né lors de l'apparition d'un arc-en-ciel si brillant que les yeux humains ne pouvaient pas en supporter la vue.

– Et je suis né pendant le pire orage qu'ait connu Émeraude...

– Es-tu en train de me dire que tu crois maintenant les affirmations de cet auteur, Onyx ?

– Peut-être. Combien d'enfants Lessien Idril et Abussos ont-ils eu de cette façon ?

– Apparemment, ils ont lancé la foudre sept fois.

– Lazuli, Aiapaec, Aufaniae, Lassa, Kaliska et moi, ça fait six.

– Les dieux dragons sont jumeaux, alors ça fait plutôt cinq.

– Qui sont les deux autres ?

– Napalhuaca et Nayati.

Cette réponse laissa Onyx bouche bée.

– Lorsque la foudre frappe la femme qui donne naissance à un dieu, celui-ci lui chuchote son véritable nom, continua Wellan, comme s'il ne s'était pas rendu compte de l'état de choc dans lequel il venait de plonger le roi. Les mères qui sont plus sensibles aux énergies célestes l'entendent et décident de le donner à leur nouveau-né. En fait, il n'y a que celle de Lazuli qui a choisi pour lui son nom divin. Quant à Napalhuaca, elle aurait dû s'appeler Napashni.

– Mais elle habite de l'autre côté des volcans ! protesta le souverain.

– Les éclairs frappent là où ils le peuvent.

– Il y a des millions d'habitants à Enlilkisar ! Pourquoi a-t-il fallu que je tombe sur elle quand j'y suis allé ?

– À mon avis, c'est sûrement parce vous êtes tous magnétisés les uns par les autres.

– Mais je n'ai jamais éprouvé d'attirance pour Lassa et encore moins pour ta sœur.

– C'était inutile, puisque vous habitez le même château.

Onyx se mit à tourner en rond au milieu de la salle en réfléchissant. Il se rappela alors l'épisode du kulindros qui lui avait permis de retourner dans le passé. Il avait en effet ressenti un certain attendrissement lorsqu'il avait trouvé Lazuli sur la plage...

– Notre âme le sait quand on a affaire à une personne avec laquelle on a un lien de sang, confirma Wellan, qui suivait le cours de ses pensées.

– Si nous sommes vraiment des dieux, pourquoi nos vénérables parents ne sont-ils jamais venus nous l'annoncer ?

– C'est bien là le plus grand de tous les mystères que recèlent les livres anciens. Je ne le sais toujours pas.

– Qui est le septième enfant ?

– L'auteur ne mentionne Nayati qu'une seule fois pour dire qu'à sa naissance, un énorme halo s'est formé autour du soleil. Puis, plus rien.

– Il doit être quelque part dans notre monde.

– Pas nécessairement, puisque Aiapaec et Aufaniae n'y sont pas non plus.

– Et Lazuli ?

– Apparemment, il est mort de chagrin... mais c'est plutôt difficile à vérifier.

– As-tu découvert dans quel but les dieux fondateurs ont conçu ces enfants ?

– Pas encore, mais je n'en suis qu'au début de mes traductions.

– Merci, Wellan.

Onyx se dématérialisa afin de retourner dans sa petite maison d'Irianeth. Il avait empilé les livres anciens sur une des couchettes, car il n'avait pas encore eu le temps de tous les lire. Il poursuivit sa lecture jusqu'à ce qu'il fasse sombre dans son abri. Il sortit alors dehors et vit que le soleil se couchait au-delà des pics de l'Ouest. Il fit magiquement venir à lui sa nourriture, empruntée directement dans les cuisines de son palais, et s'assit sur le sol pour manger.

Tout en mâchant lentement le poulet, Onyx regarda les étoiles s'allumer une à une au firmament. Plus il se penchait sur cet intrigant récit, moins il lui semblait clair. Il comprenait pourquoi Lessien Idril et Abussos avaient créé les jumeaux dragons, mais à quoi devaient servir les autres ? Lassa et Kaliska étaient sans doute déjà au courant des trouvailles de Wellan, mais Napalhuaca en avait-elle eu vent grâce à sa faculté d'écouter ce qui se passait dans l'éther ? Onyx expédia les restes de son repas à Émeraude et descendit jusqu'au bord de l'eau pour se laver les mains. « Je ne pourrai pas dormir sans en avoir le cœur net », décida-t-il.

À l'aide de son vortex, le Roi d'Émeraude se déplaça successivement dans le Désert, au pied des volcans, à Itzaman et finalement dans le village des Mixilzins en flanc de montagne. Faisant appel à sa mémoire, il localisa le petit palais de la princesse et y marcha résolument. Les sentinelles étaient postées plus bas, puisque aucun ennemi n'aurait pu arriver des sommets. Elles surveillaient plutôt les vallées tout en bas. Alors, personne n'empêcha l'intrus d'entrer dans l'habitation où une lampe à l'huile achevait de brûler.

À son grand étonnement, Onyx découvrit que Napalhuaca dormait seule dans la pièce. Où étaient sa fille et ses autres enfants ? Et ses nombreux maris ? Il s'agenouilla près d'elle et n'eut pas le temps de la secouer pour la réveiller. Dans un geste rapide, la guerrière se redressa en appuyant la lame de son poignard sur la gorge du visiteur.

– Du calme ! s'exclama l'Émérien en saisissant le poignet de la Mixilzin.

– Onyx ? s'étonna Napalhuaca en reconnaissant sa voix.

– Baisse cette arme tout de suite.

– Seulement si tu m'assures que tu as de bonnes intentions.

– Je ne serais pas surpris que nous ayons des définitions différentes de cette expression...

– J'ai toujours de la difficulté à saisir le sens de tes paroles, avoua Napalhuaca en déposant la lame sur sa couche.

– Ne t'en fais pas avec ça. Je ne me comprends pas toujours moi-même.

Onyx remarqua qu'elle ne portait ni son diadème, ni ses bijoux. En fait, elle était nue et ses longs cheveux noirs couvraient sa poitrine.

– Pourquoi arrives-tu ici en pleine nuit ?

– Y a-t-il vraiment un bon moment dans la journée pour se torturer l'esprit ?

– Tu es troublé ?

– Comme personne ne l'a jamais été avant moi.

Il lui relata ce que Wellan lui avait dit. Napalhuaca ne sourcilla pas, jusqu'à ce qu'il arrive à la partie du récit qui la concernait.

– Je ne suis pas une déesse, mais la fille d'Intimanco, affirma-t-elle fièrement.

– Je suis soulagé de voir que je ne suis pas le seul à avoir cette réaction.

– Ce n'est qu'une fable, rien de plus. Tu n'avais pas besoin de franchir toute cette distance pour me la raconter.

– Ton père t'a-t-il raconté le jour de ta naissance ? S'est-il produit des événements étranges, ce jour-là ?

Napalhuaca plissa le front en fouillant dans sa mémoire.

– Il a dit que des fontaines lumineuses ont jailli des nuages au-dessus d'Enlilkisar. Il prétend que c'était pour indiquer que j'aurais des dons spéciaux.

Lors de sa première vie, Onyx avait entendu parler de ce curieux phénomène qui n'avait été observé qu'une seule fois par des marins de Zénor. Au lieu de tomber, ces éclairs s'élevaient vers le ciel comme des bouquets de rameaux, pour disparaître aussitôt.

– Moi, je suis né pendant un terrible orage qui a fait trembler la terre et incendié des villages entiers, confessa-t-il.

– Ce ne sont que des coïncidences, j'en suis certaine.

Le visage d'Onyx n'était qu'à quelques centimètres de celui de la jeune femme, qui recommençait à se sentir puissamment attirée vers lui.

– Si ce que dit ton ami est vrai, tu serais mon frère, poursuivit-elle.

– Il y a une bien trop grande différence d'âge entre nous, Napalhuaca. J'ai plus de cinq cents ans.

– Tu es donc venu jusqu'ici pour te moquer de moi, se détendit-elle.

– Malheureusement, non.

Il lui conta les grandes lignes de sa vie, et elle s'étonna d'apprendre que son âme avait survécu aussi longtemps dans ses armes.

– Et ne va surtout pas me dire qu'il n'y a que les dieux qui peuvent faire cela, l'avertit-il.

– C'est pourtant évident. Personne ne peut vivre aussi longtemps.

Napalhuaca approcha très lentement ses lèvres de celles d'Onyx, lui donnant suffisamment de temps pour s'esquiver s'il n'avait pas envie de ce baiser. Mais il n'en fit rien. Il se laissa embrasser, les yeux fermés, en ressentant cruellement l'absence de désir de son épouse à son égard. Lorsque la guerrière recula, il baissa la tête en silence.

– Tu n'éprouves rien pour moi, déplora Napalhuaca.

– Ce n'est pas ça...

– Un homme normal ne refuserait pas les avances d'une princesse Mixilzin. Il n'y a qu'un dieu pour y résister.

Onyx releva vivement la tête et aperçut le sourire taquin de la jeune femme.

– Maintenant, c'est toi qui te moques de moi, remarqua-t-il.

– Il n'y a qu'une façon de savoir la vérité à mon sujet, Onyx. C'est de la demander à mon père. Mais pas à cette heure de la nuit.

– Le soleil ne se lèvera pas avant plusieurs heures.

– Je connais une façon d'occuper ce temps.

– Pas avec ma sœur...

– Nous ne savons même pas si c'est vrai.

Le souverain fit apparaître une amphore et deux coupes d'argent.

– J'ai une meilleure idée, indiqua-t-il.

Il versa le vin et lui tendit l'un des récipients ornés de pierres précieuses.

– Qu'est-ce que c'est ?

– Le nectar des dieux, affirma Onyx avec un sourire espiègle.

Napalhuaca y trempa d'abord les lèvres.

– Je n'ai jamais goûté une boisson aussi délicate...

Elle avala le reste et tendit la coupe à son compagnon.

– Encore !

Ils burent ainsi tout le vin puis, amortis, ils s'allongèrent l'un près de l'autre et s'endormirent. Au matin, voyant que sa mère ne se présentait pas au premier repas de la journée, Ayarcoutec s'aventura dans sa maison de pierre coiffée de chaume et s'étonna de la trouver en compagnie d'un homme.

– Maman... chuchota-t-elle en la secouant.

– Qu'y a-t-il, mon petit rayon de soleil ?

– Il y a quelqu'un couché près de toi... Es-tu en danger ?

– Non. C'est le Roi Onyx.

– Il est revenu ? Il va devenir ton mari ?

– Non. Il avait seulement besoin de se confier.

– Je ne comprends pas.

– Nous en reparlerons plus tard, d'accord ? Va t'entraîner.

– Oui, maman.

Ayarcoutec quitta le petit palais en gambadant. Napalhuaca attendit qu'elle ait franchi la porte avant de se pencher sur Onyx et de l'embrasser. Il battit des paupières et chercha à s'orienter.

– Ne me dis pas que tu as oublié ce que nous avons fait cette nuit, fit-elle avec un air désolé.

Le Roi d'Émeraude se redressa d'un seul coup. « Je porte pourtant tous mes vêtements », se rassura-t-il intérieurement.

– Nous avons bu du vin, poursuivit la guerrière.

– Mais oui, je m'en souviens...

– Avant de repartir dans ton pays, tu devras m'expliquer où je peux en trouver.

– Je n'ai vu de vigne nulle part à Enlilkisar. Or pour faire du vin, il faut d'abord faire pousser du raisin dans les meilleures conditions possibles.

– Montre-moi.

– Chaque chose en son temps, Napalhuaca. Je suis resté avec toi afin de parler à ton père.

– Je ne l'ai pas oublié.

Elle se leva, enfila une tunique noire aux motifs géométriques orange et rouges et marcha vers la sortie.

– Qu'est-ce que tu attends ? le piqua-t-elle.

Il bondit sur ses pieds avec l'agilité d'un Pardusse.

– Tu n'arriveras pas à me faire croire que tu as plus de cinq cents ans, murmura-t-elle avec un air rieur.

Napalhuaca le conduisit jusqu'au grand palais, où habitait le chef de la tribu. Intimanco était assis devant un feu, entouré de ses esclaves et des maris de la princesse.

– Père, est-ce un moment opportun pour vous adresser une requête ? demanda sa fille.

– S'agit-il d'un sujet touchant tout le peuple ?

– Non, c'est personnel.

Intimanco étudia les traits de son aînée, puis chassa son entourage et invita la guerrière à s'asseoir. Elle lui obéit aussitôt, indiquant à Onyx, d'un geste de la main, d'en faire autant.

– Onyx aimerait en savoir davantage au sujet des fontaines lumineuses que vous avez observées au moment de ma naissance.

Une profonde tristesse voila le visage du vieil homme.

– Je savais que ce jour finirait par arriver, s'attrista-t-il. Je voulais te dire la vérité quand tu étais petite, mais ta mère m'en a empêché. Selon elle, il était plus important que tu sois heureuse parmi nous.

– Quelle vérité ? s'inquiéta Napalhuaca.

– Ta mère a eu plusieurs maris, mais j'étais son préféré. C'est pour cette raison qu'elle m'a proclamé chef des Mixilzins. Nous éprouvions beaucoup d'affection l'un pour l'autre, mais nous étions incapables de concevoir des enfants ensemble.

– Mais... s'étrangla la princesse.

– Nous avons prié les dieux de nous venir en aide et ils nous ont entendus. Au milieu de la saison des pluies, l'année où tu es née, de violents orages se sont abattus sur Enlilkisar. Nous étions assis dans notre maison, à attendre que la pluie s'arrête, quand ta mère m'a dit qu'elle entendait pleurer un bébé. Voyant que je ne bougeais pas, elle est sortie dans la tempête. Je l'ai rappelée, mais elle n'est pas revenue, alors j'ai tenté de la rattraper. C'est à ce moment que j'ai vu les fontaines lumineuses qui jaillissaient vers le ciel au-dessus des nuages. Ta mère m'est apparue dans la tourmente, pliée en deux. Je l'ai soulevée dans mes bras et je l'ai ramenée dans la maison. Son ventre était gonflé comme un ballon. J'ai pensé qu'elle réagissait violemment à la morsure d'un serpent, car elle se tordait de douleur. Mais quelques minutes plus tard, sans que nous comprenions comment, elle mettait une petite fille au monde.

– Je suis la fille d'un serpent ? s'horrifia Napalhuaca.

– Non, ma petite princesse. Tu as été conçue par la foudre elle-même.

– Comme...

Le reste de la phrase ne franchit pas ses lèvres.

– Qui le sait ? demanda Onyx.

– Personne, affirma Intimanco. Après la saison des pluies, nous l'avons présentée au peuple comme enfant légitime de notre union.

– Si je ne suis pas Mixilzin, que suis-je ?

– Tu es sortie du corps de ma femme, Napalhuaca. Cela suffit à faire de toi l'une des nôtres.

La guerrière se releva en tremblant et s'éloigna du palais.

– Est-ce toi qui l'as poussée à me demander ces choses ? demanda Intimanco à Onyx.

– Je suis dans la même situation qu'elle...

Onyx se remit sur pied, baissa légèrement la tête pour saluer le chef et partit à la recherche de sa sœur céleste. Il la trouva à l'autre bout du village, là où s'étendaient les jardins suspendus. Les semailles n'étaient pas encore commencées, alors ils étaient déserts.

– Aurais-tu préféré ne jamais l'apprendre ? s'enquit Onyx en s'arrêtant quelques pas derrière la jeune femme.

– Je veux continuer de vivre comme si tu ne m'avais jamais parlé de cette possibilité, répondit-elle sans se retourner. Pars et ne reviens jamais.

Il comprenait ce qu'elle ressentait et, puisqu'elle lui ressemblait, il savait qu'elle avait besoin d'être seule pour réfléchir. Sans ajouter un mot de plus, il se dématérialisa.

3

INDICES

Après avoir scruté la grande cour du Château d'Émeraude ainsi que ses murailles, puis avoir épluché tous les livres de la bibliothèque au sujet des dieux tigres, Hadrian décida d'aller réfléchir dans sa propre tour, au Royaume d'Argent. Son père lui avait enseigné qu'aucun mystère ne résistait à un homme qui savait se servir de sa tête. Il alluma donc un feu dans l'âtre et approcha du foyer son fauteuil préféré pour analyser une fois de plus l'incident. Il était évident que le ravisseur avait emprunté un vortex pour atteindre la forteresse, et les lois qui géraient ces passages magiques étaient les mêmes pour toutes les créatures surnaturelles : on ne pouvait les utiliser que pour se rendre à un endroit où on était déjà allé. Puisque les habitants du palais n'avaient jamais rapporté la présence d'un tel fauve dans la grande cour, ce dernier avait donc préalablement visité l'endroit sous une forme humaine. Cela voulait aussi dire que l'enlèvement de Jenifael avait été prémédité.

Hadrian se demanda ensuite qui aurait intérêt à faire disparaître la fille de la déesse du feu. Le panthéon félin, sans aucun doute. Mais ces divinités avaient la réputation d'agir de manière plus subtile. Le tigre avait ravi Jenifael devant des centaines de témoins. En découvrant les véritables motifs de l'animal, sans doute serait-il plus facile de deviner où il avait emmené sa proie.

Pour se dégourdir les jambes, l'ancien roi sortit de sa tour et marcha vers la rivière Mardall. Des sifflements aigus s'élevèrent de la forêt, mais Hadrian ne s'en alarma pas. Il avait reconnu les cris de joie de sa jument-dragon. Staya galopa entre les arbres et s'approcha de son maître à vive allure, jusqu'à lui enfoncer son front dans la poitrine. Le choc faillit faire basculer le pauvre homme dans l'eau.

– Tout doux, ma jolie ! s'exclama Hadrian en empoignant sa crinière pour ne pas tomber.

Staya se frotta contre lui en poussant de petites plaintes.

– Pardonne-moi de m'être absenté aussi longtemps.

Il se rappela alors comment la jument blanche était arrivée dans sa vie. L'intelligence de ces animaux, qui n'étaient pas de véritables chevaux, était impressionnante. Ayant vu le visage d'Hadrian sculpté dans une pierre au milieu de la forêt, Staya l'avait aussitôt reconnu au milieu d'un groupe d'humains. L'Argentais avait aussi appris de Kevin qu'il était possible de communiquer avec ces bêtes en imprimant une image dans leur esprit. « Qu'ai-je à perdre ? » se dit-il.

Il plaça les mains sous les oreilles de son destrier.

– Staya, es-tu capable de retrouver cette personne ?

Hadrian visualisa le visage de Jenifael dans ses pensées aussi clairement que possible. La jument sursauta et recula en sifflant si fort que son maître dut se boucher les oreilles. Staya s'élança vers la forêt et revint quelques minutes plus tard avec le cheval de la jeune femme.

– C'est Jeni que je cherche, pas sa monture, soupira Hadrian.

Refusant de se décourager, il fit un deuxième essai. L'absence de réaction de l'animal confirma ses craintes : il ne comprenait pas ce qu'il lui demandait. Hadrian s'assit donc sur une pierre plate près de la rivière pour continuer à réfléchir. L'eau se mit alors à bouillonner à quelques mètres devant lui. Avant qu'il puisse réagir, Theandras lui apparut, en suspension dans les airs. « C'est la chaleur de sa robe enflammée qui réchauffe l'eau », comprit Hadrian.

– L'avez-vous trouvée ? s'enquit l'ancien roi, les yeux brillants d'espoir.

– Non, mais je peux affirmer sans crainte de me tromper qu'elle se trouve dans votre monde. J'ai eu une longue conversation avec ma sœur Étanna. Apparemment, Jenifael a été enlevée par son petit-fils, sur lequel elle n'a aucun pouvoir.

– Les félins auraient-ils aussi leur Azcatchi ?

– La situation du jeune Mahito est fort différente. S'il n'obéit pas à ses aînés, c'est tout simplement parce qu'il ne les connaît pas.

– Étanna a-t-elle l'intention de remédier à cette situation ?

– Je suis certaine qu'elle corrigerait cet enfant si elle savait où il se cache.

– Donc, tout ce que nous avons appris, c'est le nom du ravisseur...

– Nous savons aussi qu'il est d'essence féline. Cette précision nous sera fort utile.

– Puisqu'il nous est impossible de repérer l'énergie de votre fille, nous arriverons peut-être à capter celle de ce Mahito...

– Exactement.

– Sauf s'il se trouve à Enlilkisar. Les volcans nous empêchent de scruter ce qui se trouve derrière.

– À cause de Lycaon qui leur a jeté un sort. Il ne voulait pas que les deux civilisations aient conscience de leur existence mutuelle.

– Y a-t-il d'autres continents au-delà d'Enlilkisar ? Et au-delà d'Irianeth ? Jusqu'où s'étendent les terres habitables et les océans ? Le monde est si vaste ! Aurais-je assez de toute une vie pour retrouver ma femme ?

– Contrairement à nous, vous évoluez sur une sphère qui tourne sur elle-même dans l'espace. Elle ne peut donc contenir qu'un certain nombre de continents. Je satisferai votre curiosité en temps voulu.

Theandras disparut dans une pluie de délicates étincelles écarlates.

– En temps voulu ? répéta Hadrian, incrédule. Maintenant serait un bon moment !

Malgré ses protestations, la déesse ne réapparut pas, plongeant dans le désarroi son gendre qui ne savait plus vers qui se tourner. Une fois encore, les conseils du Roi Kogal résonnèrent dans l'esprit de l'Argentais.

– Les Elfes possèdent une compréhension de l'univers qui échappe aux humains, murmura Hadrian.

N'ayant rien à perdre, l'ancien roi grimpa sur sa jument-dragon et se dirigea vers le nord, n'emportant avec lui ni vivres ni vêtements de rechange. La forêt et la rivière lui procureraient ce dont il aurait besoin. De toute façon, il n'avait pas l'intention de s'arrêter. En remontant le cours d'eau, Hadrian se rappela les rêves étranges de Mali. Malheureusement, les endroits qu'elle décrivait n'existaient nulle part à Enkidiev. L'Argentais avait beaucoup voyagé dans ses deux incarnations et jamais il n'avait vu d'arènes en cristal où que ce soit. « Si les Elfes sont incapables de me venir en aide, alors je retournerai secrètement à Agénor et je m'adresserai au vieil archiviste du roi », décida Hadrian.

Il arriva au village de son ami Tehehi quelques jours plus tard. Les jeunes guerriers vinrent à sa rencontre et voulurent s'occuper de sa monture, mais Staya leur montra les dents.

– Il serait plus prudent que vous la laissiez circuler à sa guise, les avertit son maître. Elle ne cassera rien.

Hadrian poursuivit sa route jusqu'à la hutte du vieil Elfe et le vit devant l'entrée, assis en tailleur sur une natte de paille.

– Moérie m'a annoncé que tu viendrais, avoua Tehehi. Viens t'installer près de moi, Hadrian.

– T'a-t-elle aussi dit pourquoi je voulais te parler ? répliqua l'Argentais en lui obéissant.

– Tu cherches quelqu'un.

– Les pouvoirs de divination de ta fille sont impressionnants, mon ami. Sait-elle aussi où cette personne est retenue ?

– C'est tout ce qu'elle m'a dévoilé.

– Pourrais-je m'adresser directement à Moérie ?

– Je lui transmettrai ta requête, mais tu la connais, Hadrian. Elle n'en fait qu'à sa tête.

– Je me souviens, en effet, du mauvais tour qu'elle a joué à Onyx.

– À mon avis, la détresse que je perçois dans ton cœur ne la laissera pas indifférente. Aussi, ce soir, c'est le début du cycle cérémoniel des enchanteresses. À l'occasion de leurs fêtes annuelles, elles sont généralement plus conciliantes.

– C'est rassurant.

– Qui cherches-tu à retrouver, mon vieil ami ? voulut savoir Tehehi.

– Ma femme.

– Je suis content que tu aies mis fin à ta solitude, mais triste d'apprendre que tu as déjà perdu ta bien-aimée.

– Elle a été enlevée par un dieu félin. Dès que je saurai où il la retient, j'irai la chercher.

Tehehi ferma les yeux pendant un moment. Hadrian devina qu'il s'entretenait avec sa fille magicienne.

– Moérie viendra te chercher après le coucher du soleil, indiqua finalement l'Elfe. D'ici là, raconte-moi ce que tu as vu dans le nouveau monde.

L'ancien roi raconta donc ses aventures dans tous les menus détails, ne s'arrêtant que pour partager le repas de son hôte. Il achevait le récit de son impuissance à raisonner Onyx à Agénor lorsque Moérie sortit de la forêt. Elle s'avança dans la clairière où s'élevaient les petites habitations des membres de son clan et fit signe à Hadrian de la suivre.

– Que les dieux répondent à ta prière, lui souhaita Tehehi.

Les deux hommes s'étreignirent, puis l'Elfe laissa son ami suivre sa fille dans l'obscurité. Hadrian avait entendu parler de ces rituels par le précepteur Elfe que son père avait choisi pour lui jadis. C'était le moment de l'année où les enchanteresses augmentaient la puissance de leurs facultés, grâce, entre autres, à la position bénéfique des étoiles, et où les recrues se joignaient à leur groupe.

– Nous aurions aimé que vous nous rameniez la jeune Malika, laissa tomber Moérie.

– Jamais je n'irai à l'encontre de la volonté de ses parents.

– Même si c'est son destin ?

– Depuis le début de ma longue vie, j'ai appris à me mêler de mes affaires.

– Pourtant, si vous êtes ici, cette nuit, c'est que vous ne croyez pas Theandras capable de retrouver sa fille.

– Je pense plutôt qu'en explorant plusieurs avenues, chacun de notre côté, nous y arriverons plus rapidement.

– Vous êtes un homme très têtu.

– J'ai corrigé plusieurs de mes défauts, mais celui-là me résiste.

De la lumière dorée se mit à danser entre les arbres. Hadrian et Moérie arrivèrent dans une clairière, au milieu de laquelle se dressaient des pierres géantes. Ce cromlech ressemblait beaucoup à celui d'Émeraude, sauf qu'il s'était mieux conservé. « Ou est-il vraiment plus récent ? » se demanda l'Argentais. Une dizaine de jeunes femmes étaient assises en cercle à l'intérieur.

Les flammes surnaturelles, qui étaient visibles depuis la forêt, brûlaient au sommet de chaque menhir.

Moérie fit asseoir le requérant entre deux rochers et lui intima de ne pas intervenir pendant l'invocation, puis se joignit à ses sœurs. Les enchanteresses avaient toutes baissé la tête, et leurs longs cheveux blonds masquaient leur visage. Elles se mirent à psalmodier des paroles magiques dans leur langue. Hadrian avait appris l'elfique lors de sa première vie, mais le sens de plusieurs mots lui échappa. Une étrange spirale blanche sortit de terre au milieu du cromlech. Lentement, les femmes se levèrent et reculèrent jusqu'aux grandes pierres, sans pour autant cesser de scander leur mantra.

Hadrian se crispa quand il constata que les filaments brillants s'entrelaçaient pour former la silhouette d'un tigre. Les enchanteresses l'avaient-elles créé afin d'attirer Mahito ou s'agissait-il du ravisseur lui-même ? Ce n'était guère le moment de questionner Moérie à ce sujet.

Graduellement, le fauve se solidifia. Lorsqu'il fut enfin complet, il tourna sur lui-même en poussant des grondements beaucoup plus menaçants que ceux des grands chats de Rubis. D'ailleurs, il faisait au moins quatre fois leur taille et les muscles qui roulaient sous son pelage doré strié de noir laissaient présager une force bien supérieure.

– Montrez-vous sous votre véritable jour ! s'exclama Moérie.

À la vitesse de l'éclair, le tigre se tourna vers elle en montrant ses crocs acérés. Comme si elle était tout à fait inconsciente du danger qu'elle courait, Moérie s'avança vers le prédateur.

– Nous savons que vous n'êtes pas réellement un animal.

Le dieu félin et la magicienne se regardèrent dans les yeux pendant de longues minutes. Hadrian se demandait si cette épreuve de force allait durer toute la nuit, lorsque le tigre se métamorphosa en un jeune homme à la peau basanée, à quatre pattes sur le sol. « Il se transforme comme Onyx », songea l'Argentais.

Mahito se redressa lentement sans quitter Moérie des yeux. Il ne portait qu'un pagne de la même couleur que le pelage de son avatar. Ses cheveux noirs, mal coupés, dépassaient ses épaules. Hadrian crut reconnaître ses traits, mais fut incapable de mettre un nom sur son visage.

– Pourquoi suis-je ici ? gronda la divinité courroucée.

– Dites-nous où se trouve la femme que vous avez ravie à son époux, lança Moérie.

– Si vous m'avez capturé dans le but de me faire parler, vous perdez votre temps. Aucun mortel ne peut plier un dieu à sa volonté.

Inflexible, la magicienne jeta une fine poudre dorée sur Mahito. Celui-ci reprit aussitôt sa forme félidée en grognant d'une voix rauque.

– Libérez-moi ou je vous mettrai en pièces ! la menaça le tigre.

– Où est ma femme ? tonna alors Hadrian en s'avançant.

Le fauve pivota vers l'homme avec un éclat meurtrier dans les yeux. Moérie fit aussitôt signe à l'ancien roi de se taire, mais il ne la vit pas.

– Ce n'est plus la vôtre, mais la mienne, rétorqua Mahito.

– Rendez-la-moi avant de subir la colère de tous les panthéons.

– C'est ce que nous verrons.

Le tigre disparut d'un seul coup.

– Ramenez-le ! exigea Hadrian.

– Ce n'est malheureusement pas aussi facile que ça ! se fâcha Moérie. Je vous avais averti de vous taire. Non seulement nous ne pouvons pas reproduire deux fois ce piège, mais votre impatience vient de toutes nous mettre en péril. Je croyais que vous aviez cessé de ne penser qu'à vous-même, Roi d'Argent.

La remarque blessa Hadrian jusqu'au fond de l'âme, car il avait été un souverain magnanime, autrefois. Il allait le faire remarquer à l'enchanteresse lorsque toutes les flammes s'éteignirent au sommet des dolmens. Allumant ses paumes pour s'éclairer, il constata qu'il était seul dans le cromlech. Les magiciennes avaient disparu.

– Moérie ! appela-t-il.

Il tendit l'oreille et n'entendit que le bruissement des feuilles et le chant des grillons. Comment ces femmes avaient-elles réussi à s'éloigner sans faire le moindre bruit ? Puisqu'il était bien inutile de les poursuivre dans ces forêts qu'elles connaissaient mieux que lui, Hadrian retourna sur ses pas jusqu'au village.

– Vous n'êtes pas faits pour vous entendre, on dirait, laissa tomber Tehehi, assis devant un feu magique.

– Je crains que ce soit ma faute, cette fois, se découragea Hadrian.

– Que vas-tu faire, maintenant ?

– J'ai rencontré un vieux sage de l'autre côté des volcans, mais mon ami Onyx s'est aliéné toute la nation d'Agénor. Je vais réfléchir à la façon d'y retourner sans me faire décapiter.

– La violence ne mène jamais à rien.

– Ce n'est pas à moi qu'il faut le dire.

Hadrian appela Staya. Elle apparut entre les huttes en poussant de petites plaintes. Elle s'attendait sans doute à dormir jusqu'au matin, mais accepta de laisser monter son maître sur son dos et se mit en route vers la rivière. L'Argentais se laissa bercer par le mouvement régulier de sa croupe. Il n'avait pas du tout sommeil. Le visage de son ancien lieutenant apparut dans son esprit. *Onyx, où es-tu ?* demanda-t-il par télépathie. Aucune réponse ne lui parvint.

4

MAXIMILIEN

Sous leur forme respective de milan royal et de busard cendré, Fabian et Shvara avaient quitté le Château d'Émeraude afin de ratisser la campagne à la recherche du Prince Maximilien, dont on était toujours sans nouvelles. Avant de partir, Fabian avait expliqué à son nouvel ami qu'il n'avait aucun souvenir de l'énergie de son petit frère. Shvara avait trouvé plutôt étrange que le prince-oiseau se lance dans cette aventure sans la moindre piste. Tout ce qu'ils savaient, c'était que le jeune homme, adopté par le couple royal, était parti à la recherche de sa véritable famille.

Les yeux perçants des rapaces percevaient beaucoup plus de détails que ceux des humains, mais de gros nuages noirs arrivaient du sud. Dès que la pluie se mettrait à tomber, ils seraient forcés de perdre de l'altitude, et si elle devenait trop abondante, ils n'y verraient plus rien.

– Il y a des orages dans ton monde ? s'étonna Shvara.

– Bien sûr. Pas dans le tien ? rétorqua Fabian.

– Évidemment pas, puisque la foudre est produite par les dieux et lancée dans les mondes de leurs créatures servantes.

– Ce n'est pas ce que j'ai appris, mais j'ai déjà entendu cette théorie.

Les premiers éclairs fendirent l'horizon, alors les deux camarades se posèrent derrière un bosquet, non loin d'un village. Ils ne voulaient pour rien au monde effrayer les gens qu'ils avaient l'intention de questionner. Ils reprirent leur apparence humaine et marchèrent côte à côte sur la route, espérant atteindre un abri avant que le ciel ne déverse toutes ses eaux sur leur tête.

– Fabian, est-ce que je suis un bel homme selon les normes mortelles ?

Il n'y avait aucune trace de vanité dans la voix de Shvara, mais plutôt de l'inquiétude.

– C'est à une femme que tu devrais poser la question, pas à moi. Cependant, on m'a souvent répété que la beauté est invisible pour les yeux.

– Comment est-ce possible ?

– Elle se trouve dans le cœur de chaque personne.

– Il est donc impossible de la voir ?

– On ne peut la discerner qu'avec notre propre cœur.

– Je ne comprends pas un mot de ce que tu dis, Albalys.

– Arrête de m'appeler ainsi. Mon nom, dans ce monde, c'est Fabian.

– Montre-moi de quelle façon je peux utiliser ainsi mon cœur.

– Les gens possèdent des qualités qui ne sont pas toujours apparentes à première vue et qui font d'eux des êtres merveilleux. Pour les découvrir, il faut prendre le temps de les connaître.

– Maintenant, c'est plus clair...

Ils firent quelques pas en silence.

– Comment fait-on pour les connaître ? demanda Shvara.

– On ne vous enseigne vraiment rien chez les dieux ! se moqua son ami.

– Nos parents nous apprennent la hiérarchie, puis il n'en tient qu'à nous de la respecter si nous voulons survivre.

– Mon univers est donc beaucoup plus complexe que le tien. Il ne nous suffit pas de savoir sur quels orteils il est préférable de ne pas marcher, il faut aussi appliquer les valeurs que nous inculquent nos parents.

– Les valeurs ? s'étonna le busard.

– C'est ce qui est beau, bon et bien. Mes parents m'ont transmis les leurs, soit le respect, la franchise, la justice, le courage, la compassion, la solidarité, et j'en oublie certainement quelques-unes.

– Vous recevez une éducation vraiment contraignante.

– On nous apprend ces grands principes un à un.

Les premières gouttes se mirent à tomber au moment où ils apercevaient une auberge, à l'entrée du village. Les deux hommes hâtèrent le pas, mais au lieu d'entrer rapidement dans l'établissement, Fabian s'attarda devant les chevaux attachés à la petite barrière.

– Mais qu'est-ce que tu fais ? s'exclama Shvara, alarmé.

– C'est la jument de mon frère, affirma le prince.

– Ne reste pas sous la pluie.

– Laisse-moi m'assurer que c'est bien elle.

Fabian marcha autour de l'animal et vérifia qu'il portait bien les taches dont il se souvenait. Il aperçut alors sur sa croupe la marque du haras de sa famille.

– J'avais raison, se réjouit le jeune homme.

– Cela veut dire que ton frère est probablement à l'intérieur de cet abri.

– C'est une auberge, Shvara : une maison où l'on trouve à se loger et à manger contre paiement.

– Quel genre de paiement ?

– Des onyx d'or, la plupart du temps. Mais certains hôteliers acceptent des services ou des biens contre un repas ou un bon lit.

– Je ne m'y retrouverai jamais dans toutes vos étranges habitudes.

– Cesse de te sous-estimer, je t'en supplie.

– Facile à dire...

– Rappelle-toi à qui tu t'adresses, mon ami. Je me suis adapté à vos coutumes célestes, alors tu peux certainement en faire autant avec les nôtres. Nous allons entrer dans l'auberge et, si tu veux apprendre quelque chose, le mieux, c'est d'écouter au lieu de parler.

– Tu m'as pourtant dit qu'il était de mise de nous présenter lorsque nous rencontrons des gens nouveaux.

– Je le ferai pour nous deux, si c'est nécessaire. Surtout, garde à l'esprit que nous sommes d'abord et avant tout des étrangers et que nous devons gagner leur confiance.

– Dans ce cas, montre-moi comment on s'y prend.

Fabian poussa la porte et passa le premier. Ses yeux s'habituèrent rapidement au faible éclairage fourni par de grosses bougies disposées sur une dizaine de tables. Leurs flammes révélaient les traits des clients qui se désaltéraient à la fin d'une journée de travail. L'arrivée des deux hommes fit cesser instantanément les conversations. Fabian laissa les Émériens les observer aussi longtemps qu'ils le désiraient, persuadé qu'aucun d'entre eux ne le reconnaîtrait. L'aubergiste s'approcha alors des nouveaux venus.

– Que puis-je vous servir, messires ?

Les paysans consommaient plus de bière que de vin, qui était davantage réservé aux grandes occasions ou aux habitants du château. Le jeune prince fit donc attention de ne pas trahir son appartenance royale.

– De la bière, je vous prie.

Shvara haussa un sourcil, car il n'avait aucune idée de ce que c'était. Il suivit le dieu-milan jusqu'à une table déserte et étudia les visages inquiets des habitués de l'endroit. Le tenancier déposa alors les chopes devant Fabian et son compagnon.

– À qui appartiennent les chevaux dehors ? voulut savoir le prince.

L'aubergiste n'eut pas le temps de répondre qu'un de ses clients se levait, menaçant.

– Ils sont à moi ! affirma-t-il d'une voix forte. Qui veut le savoir ?

– Je connais le propriétaire de la jument rousse aux taches blanches, lui apprit Fabian, mais je ne le vois pas ici.

– M’accusez-vous de l’avoir volée ?

– Pas du tout. Ce n’est pas l’animal qui m’intéresse, mais celui qui vous l’a probablement vendu.

– C’est un éleveur du Sud.

– Vous rappelez-vous son nom ?

– Hum... Laissez-moi réfléchir... Je crois que c’était la belette.

Ses amis s’esclaffèrent. Piqué au vif, Fabian se leva et s’approcha lentement du plaisantin.

– C’est mon frère que je cherche, précisa le prince.

Son air menaçant mit aussitôt les Émériens en garde.

– Dites-moi où il est.

Pour toute réponse, l’homme lui envoya son poing au visage. Ne s’attendant pas à une réaction aussi agressive, Fabian ne se protégea pas assez rapidement et le coup l’envoya choir entre les tables. Cette fois, Shvara haussa les deux sourcils, ignorant ce qu’il devait faire dans les circonstances. Son ami se releva et essuya le filet de sang qui coulait sur son menton. S’il ne ressemblait pas du tout à Onyx physiquement, Fabian avait par contre hérité de son tempérament guerrier, surtout lorsqu’il était fâché. Au lieu de poursuivre calmement son interrogatoire, il se rua sur son attaquant. La bagarre ne dura toutefois pas longtemps, car l’aubergiste et ses fils, cherchant à limiter les dégâts, empoignèrent les opposants et les jetèrent dehors. Les partisans des deux parties les suivirent aussitôt.

L'Émérien avait à peine mis le pied à l'extérieur qu'il fonçait sur Fabian. Pour mettre fin au combat, ce dernier alluma ses paumes. L'apparition de la lumière incandescente stoppa net l'assaut de son adversaire.

– Allons-nous-en ! ordonna l'Émérien à ses compagnons.

Les hommes montèrent sur leurs chevaux et s'éloignèrent sous la pluie sans demander leur reste. Fabian ne chercha pas à les rattraper. Au contraire, il restait immobile et tentait de se calmer. L'éclat disparut alors entre ses doigts et il serra les poings.

– Qui va payer pour les dommages ? s'inquiéta le tenancier, debout sur le seuil de l'établissement.

Le Prince d'Émeraude détacha la boursette de cuir qui pendait à sa ceinture et la lui lança. Le commerçant écarquilla les yeux en appréciant son contenu.

– C'est beaucoup trop, messire. Venez au moins boire et manger, à ce prix.

– Que savez-vous de ces hommes ?

– Revenez à l'intérieur et je vous le dirai.

– Très bien, mais accordez-moi un moment pour refroidir ma colère.

– Pendant ce temps, je vous prépare mon meilleur plat.

L'aubergiste s'empressa de retourner à sa cuisine, mais ses fils demeurèrent près de la porte pour surveiller les étrangers.

– Les humains sont décidément des créatures étranges, laissa tomber Shvara. Ils donnent des conseils qu'ils ne suivent pas eux-mêmes.

– Ça fait partie de notre charme... soupira Fabian.

– Dois-je faire la même chose ?

– Non.

Le prince prit une profonde inspiration, puis se dirigea vers l'entrée.

– Essayons d'être plus civilisés, cette fois.

– Je te ferai remarquer que je n'ai aucunement participé à cette bagarre, répliqua le busard cendré.

Ils prirent place à une table, sous les regards angoissés des quelques clients restants, qui avaient ramassé les fragments de bancs cassés et la nourriture éparpillée sur le sol. L'aubergiste déposa deux grosses écuelles de bois devant les dieux-rapaces et s'assit avec eux.

– Ce ne sont pas des criminels qui mériteraient d'être exilés dans le Désert, commença-t-il. Ils essaient seulement d'imposer leur volonté aux plus faibles. Je me plie à leur jeu et ils me laissent tranquille.

– Avez-vous vu l'homme que je cherche ? demanda Fabian.

– Celui à qui ils ont volé le cheval ?

Le prince hocha doucement la tête.

– Il s'est arrêté ici, il y a plusieurs mois déjà. Il a posé beaucoup de questions sur un jeune couple qui habitait la région autrefois, puis il est parti. Ces hommes l'ont sans doute suivi.

– Ils ont mentionné le Sud, je crois, se rappela Shvara.

– La frontière entre le Royaume d'Émeraude et celui de Turquoise n'est qu'à quelques kilomètres d'ici, affirma l'aubergiste.

– Dans ce cas, nous nous remettrons en route après le repas, décida Fabian.

– Sous cette pluie ?

– L'orage sera passé.

En fait, Fabian n'avait aucune intention de s'attarder dans cet endroit, car il craignait pour la vie de son frère. Après s'être rassasié, les jeunes dieux sortirent dans la nuit, malgré toutes les protestations du tenancier.

– Ne vous inquiétez pas pour nous, le rassura Shvara en forçant un sourire.

Les étranges visiteurs s'enfoncèrent dans la forêt, là où personne ne pourrait surprendre leur métamorphose. Le sol était trempé, mais la tempête faisait maintenant rage au nord, probablement au château.

– Quel est ton plan, maintenant? voulut savoir Shvara.

– J'ai flairé l'énergie de Maximilien sur son cheval, alors il nous sera plus facile de le retrouver. Allons d'abord vers le sud.

– Comment arriveras-tu à te repérer dans cette obscurité?

– Nous allons suivre la rivière.

– Les rivières sont-elles des portails sur d'autres mondes?

– Pas ici, Shvara.

Fabian se transforma en milan royal. Aussitôt, son ami prit son apparence de busard cendré. Les rapaces volèrent à quelques mètres seulement au-dessus du cours d'eau. Ils atteignirent un premier village avant le lever du soleil et planèrent en silence autour des maisons, pour finalement s'arrêter sur le toit du moulin.

– Je reconnais cet endroit... murmura le prince.

– Dans ces ténèbres?

– Mon père me parlait souvent de son village natal quand j'étais petit. Je l'ai souvent imaginé dans mon esprit et je l'ai même reconstruit près de l'étang dans la grande cour avec des bouts de bois, de la glaise et de la paille.

– N'aurait-il pas été plus important d'apprendre à diriger le royaume ?

– Nous recevions aussi cet enseignement, mais un enfant a besoin de jouer et de donner libre cours à son imagination, mon ami.

– Donc, si je te suis bien, c'est le hameau que tu as fabriqué ?

– À quelques détails près. Ce moulin était ma plus belle pièce. Suis-moi. Nous allons dormir ici.

Le milan se faufila dans une meurtrière juste au-dessous du chaume et se posa sur la plus grosse poutre du plafond. Épuisés, les deux oiseaux sombrèrent dans le sommeil. Ce furent les faibles rayons du soleil qui les réveillèrent au matin. Shvara jeta un œil dehors. Les villageois avaient commencé à déambuler dans les rues, transportant des provisions dans des brouettes ou conduisant des animaux attachés par une corde. Des enfants gambadaient autour d'eux.

– As-tu faim ? demanda Fabian, qui s'était approché derrière lui.

– Ces gens sont-ils tous vos serviteurs ?

– Non.

– Vos esclaves, alors ?

– Ce sont des hommes libres, qui possèdent leurs propres terres et qui assurent leur propre subsistance.

– Ne m'as-tu pas dit que les paysans fournissaient au château toute la nourriture dont ses habitants ont besoin ?

– Ils doivent remettre une petite partie de leurs récoltes à leur roi.

– Et ils le font de leur plein gré ?

– En fait, il s'agit d'un échange. Contre ces denrées, leur souverain les protège.

– Ah bon.

Les rapaces s'élancèrent dans le vide. Non seulement Fabian cherchait à repérer la force vitale de son frère, mais il utilisait également sa vue perçante, car il se rappelait son visage. Les fermes s'alignaient sur le bord de la rivière, tandis que les artisans se regroupaient autour du moulin. Une fois qu'ils eurent survolé la dernière ferme, les dieux-oiseaux firent demi-tour pour revenir vers leur point de départ. Fabian ressentit alors une terrible douleur au thorax, comme s'il avait été frappé en plein poitrail par une flèche. Il cessa de battre des ailes et piqua vers le sol. Vif comme l'éclair, le busard plongea à sa suite et le saisit avec ses serres. Pour éviter que des curieux les surprennent, Shvara s'enfonça dans la forêt, où il déposa le milan apparemment blessé. Fabian reprit son apparence humaine et plaqua sa main sur son cœur, comme s'il voulait l'empêcher de sortir de sa poitrine.

– Je ne comprends pas ce qui t'arrive, s'inquiéta le busard.

– Maximilien est ici...

– Dois-tu mourir chaque fois que tu retrouves ceux que tu cherches ?

– J'ai eu un malaise parce qu'il est souffrant. Je dois retourner là-bas.

– Pas sous ta forme aviaire, car il n'est pas assuré que je te rattrape toutes les fois que tu t'immobiliseras en vol.

Shvara avait raison. Dès que le prince fut en mesure de marcher, les deux compagnons retournèrent sur leurs pas.

– Rappelle-toi que nous sommes des... commença Fabian.

– Des étrangers, je sais. Cela veut-il dire que tu vas encore te battre ?

– Non.

Ils atteignirent la route de terre et la suivirent jusqu'aux premières chaumières. Les femmes, qui se rendaient à la rivière avec des paniers de vêtements à laver, les examinèrent, soupçonneuses. Shvara ne put s'empêcher de leur adresser son plus beau sourire. Elles baissèrent la tête et s'éloignèrent en hâtant le pas.

– Pourquoi s'enfuient-elles ? s'étonna le busard.

– Elles sont peut-être mariées.

– Mais je suis un dieu, tout de même !

– Elles n'ont aucune façon de le savoir, Shvara.

Fabian discerna encore une fois la piste de son frère. Il s'arrêta net devant la plus grande des maisons et piqua sur la droite. Un petit sentier entre deux jardins le mena jusqu'au bord du cours d'eau, où s'élevait un immense saule pleureur. Sous ses branches tombantes, il distingua une silhouette familière, assise sur un fauteuil de bois...

Le prince s'approcha lentement, inquiet de ressentir la profonde souffrance de cet homme. Il écarta les rameaux et observa le visage émacié de celui qu'il cherchait.

– Maximilien ? s'étrangla Fabian.

Des larmes se mirent à rouler sur les joues du frère perdu.

– Mais qu'est-ce qui t'est arrivé ?

Ce fier prince, qui dressait les chevaux avec autant d'adresse que les meilleurs dompteurs d'Enkidiev, n'était plus que l'ombre de lui-même. Avec difficulté, il leva le bras afin de toucher Fabian. Celui-ci le prit aussitôt entre ses doigts, mais ne le serra pas, de crainte de lui faire mal.

– Comment en es-tu arrivé là ?

– Il est peut-être trop faible pour parler, intervint Shvara.

Fabian plaça l'autre main sur la poitrine de son frère.

– Non ! protesta le busard.

Le prince fut projeté vers l'arrière et tomba sur le dos.

– Combien de fois devrai-je te dire qu'en devenant un dieu, tu as perdu la faculté de soigner un mortel ? grommela Shvara en l'aidant à se relever.

– Mais Kira le fait, elle.

– C'est sûrement parce qu'elle a reçu ses pouvoirs autrement qu'au contact d'un autre dieu.

– Ce n'est pas le moment de me faire la leçon, Shvara. Je dois venir en aide à mon frère.

– Soif... murmura Maximilien.

Il était installé devant la rivière aux eaux claires, alors pourquoi ne se désaltérait-il pas lui-même ? Fabian prit ses mains avec l'intention de le mettre debout.

– Mes jambes sont cassées... l'informa son frère, qui avait du mal à respirer.

– Je vais aller lui chercher à boire, décida Shvara.

Sans penser au choc qu'il causerait à l'Émérien, il se transforma en rapace et s'envola.

– Mais... s'étonna Maximilien.

– C'est une longue histoire que je te raconterai plus tard. Dis-moi plutôt ce qui t'est arrivé, si cela ne te cause pas trop de souffrance.

– Ma vraie famille n'est pas comme je l'avais imaginée...

– C'est à cause d'elle que tu es dans un état pareil ?

– Mon oncle... un homme brutal et cupide... il m'a battu pour avoir mon cheval...

– Pourquoi n'es-tu pas rentré au château ?

– Il aurait fallu que je me traîne sur le ventre...

– Qui te nourrit ?

– Des âmes charitables quand mon oncle s'absente...

– C'est inacceptable. Ne sait-il pas qui tu es ?

– Je n'ai révélé ma véritable identité à personne...

Maximilien ferma les paupières et se mit à trembler. « Cette conversation est en train de le drainer du peu de force qu'il lui reste », comprit Fabian. Il le laissa donc se reposer jusqu'au retour de Shvara, qui ne tarda pas. Le dieu busard lui tendit une gourde de peau. Le prince arracha le bouchon de liège avec ses dents et huma le contenu du récipient. Incertain de la qualité de l'eau qu'elle contenait, il la vida sur le sol et alla en puiser d'autre à la rivière, puis la fit boire à petites gorgées à son frère. En douce, Shvara leur faussa compagnie une seconde fois, pour revenir quelques minutes plus tard avec une miche de pain encore tiède. Maximilien mâcha chaque bouchée de cette nourriture providentielle en pleurant de joie.

– Les gens traitent la royauté d'une bien singulière façon dans ce monde, remarqua le busard.

– Ils ne savent pas qui il est par ici, expliqua Fabian.

– Qu'as-tu l'intention de faire, maintenant ?

– Je ne peux pas le ramener à ma mère dans cet état. Elle aurait tellement de peine qu'elle en mourrait.

– Mais tu ne peux pas le soigner.

– Je connais quelqu'un qui le fera à ma place sans la moindre hésitation.

– Une personne qui habite dans les environs ?

– Mon frère Atlance habite plutôt loin d'ici, à Zénor.

– Je ne suis pas un expert de la constitution humaine, mais je doute que ton frère soit en mesure de voyager.

– As-tu déjà oublié qui nous sommes? Nous pouvons facilement le transporter là où nous le voulons.

– Tu es difficile à suivre, Albalys.

– Fabian.

– Mon erreur... Fabian. Depuis que je vis à Enkidiev, tu me demandes d'adopter le comportement d'un homme, puis, à la première occasion, tu insistes pour que je redevienne un dieu.

– Arrête de discuter et écoute-moi.

Le plan de Fabian était fort simple: lorsqu'ils se métamorphosaient, les rapaces pouvaient adopter la taille de leur choix. Habituellement, ils se faisaient tout petits pour passer inaperçus, mais pour soulever un fauteuil et son occupant dans les airs, ils choisirent de grossir jusqu'à atteindre deux fois la hauteur d'un homme. En faisant bien attention de ne pas faire basculer Maximilien dans le vide, les dieux-oiseaux plantèrent leurs serres dans le dos et dans le marchepied du siège de bois et s'élevèrent vers les nuages.

5

DOIGTS MAGIQUES

Le doux Atlance, qui n'avait pas hérité du tempérament de ses fougueux parents, s'était facilement inséré dans la société zénoroise. Pendant que Katil préparait la venue de leur premier enfant, il avait parcouru les rues de la nouvelle cité. Son sourire et ses manières affables lui avaient rapidement gagné la confiance de ses concitoyens. En apprenant qu'il était instruit, un riche habitant de la ville, qui avait fait fortune lors de la vente de ses terres sur les hauts plateaux, avait aussitôt requis ses services afin qu'il enseigne à ses jeunes héritiers la lecture et l'écriture.

Atlance aimait profondément les enfants et il les traitait avec respect. Sa douceur et sa patience lui permettaient de tirer d'eux des résultats exceptionnels. En très peu de temps, les quatre petits s'étaient mis à lire sans son aide les courts textes que leur professeur composait pour eux. Le palais de Zénor, contrairement à celui d'Émeraude, ne contenait aucun livre et son roi semblait plus intéressé par le bon rendement de ses bateaux de pêche que par le niveau d'éducation de ses sujets. Alors, secrètement, Atlance rêvait d'ouvrir la première bibliothèque côtière. Toutefois, pour y parvenir, il devait d'abord amasser suffisamment d'argent pour acheter un bâtiment bien situé où les précieux ouvrages seraient à l'abri.

La saison des pluies rendait les déplacements difficiles partout à Enkidiev. Elle obligeait par contre les hommes et les femmes à rester chez eux afin de confectionner les outils et les vêtements dont ils auraient besoin la saison suivante. Certaines familles se visitaient, bien sûr, mais ce n'était pas coutume. Puisque Katil et Atlance avaient choisi de vivre à l'extrémité nord de la cité, ils étaient plutôt isolés. Malgré tout, cet éloignement n'empêchait pas le jeune prince de se rendre deux fois par semaine auprès de ses élèves. Afin de ne pas abîmer sa seule paire de bottes, Atlance parcourait les rues boueuses pieds nus et prenait soin de se laver les jambes avant d'entrer dans la luxueuse maison.

La mère des enfants était si touchée par le comportement précautionneux du précepteur qu'elle le convia bientôt à sa table pour les repas, plutôt que de le laisser manger seul dans la pièce principale la nourriture que Katil mettait pour lui dans un petit panier d'osier. Déférent, Atlance tentait le plus possible de ne pas participer aux conversations de la famille. La plupart du temps, Breandon, le père, manquait à l'appel, car lorsqu'il commençait à fabriquer un outil, il ne s'arrêtait pas avant de l'avoir achevé. Liabelle, la mère, ne lui reprochait jamais ses absences et s'occupait des jeunes avec une main de maître. Le couple avait quatre enfants âgés de six à onze ans, soit trois garçons : Conell, Garrett et Finn, et une fille : Cara, la petite dernière. Aucun d'eux n'avait connu la vie de misère qui était celle des paysans avant la reconstruction de la cité sur le bord de la mer. Au lieu de participer aux travaux des champs, ils pouvaient se consacrer à leurs études sans s'inquiéter.

– Maman, pourrions-nous aller jouer un peu avant la prochaine leçon ? demanda Garrett avec un air suppliant.

Liabelle dirigea un regard interrogateur sur le précepteur.

– Le jeu fait partie de l'apprentissage des enfants, madame, affirma Atlance.

La mère fit donc signe à Garrett que cette permission leur était accordée. En poussant des cris de joie, ses petits gambadèrent jusqu'à la pièce principale de la maison.

– C'est bien la première fois que nous nous retrouvons en tête à tête, fit remarquer Liabelle.

– Vous ne devez pas avoir beaucoup d'intimité, en effet.

– Mon mari et moi n'arrivons à discuter des affaires de la maison que lorsque les enfants sont couchés, même si nous sommes épuisés.

Elle versa du thé dans la tasse du professeur.

– Beaucoup de rumeurs courent à votre sujet, monsieur Atlance. Le saviez-vous ?

– J'espère que l'on ne dit que de bonnes choses.

– Les gens savent seulement que vous êtes originaire d'Émeraude, alors ils s'amusent à inventer votre passé dont ils ne savent rien du tout.

– Que disent-ils ?

– D'abord, que vous avez enlevé votre femme à son père qui vous refusait sa main et que vous l'avez emmenée vivre à l'autre bout du monde pour qu'il ne vous retrouve pas.

« C'est plutôt le contraire », ne put s'empêcher de penser Atlance.

– Est-ce vrai ? s'enquit Liabelle devant son hésitation à réagir.

– Rien n'est plus faux. Mon beau-père est un homme extraordinaire qui m'a donné la moitié de ses meubles lorsque Katil et moi avons décidé de nous établir ici.

– Pourquoi avez-vous quitté votre pays ?

– Nous rêvions de vivre sur le bord de la mer.

– Pourquoi ne pas avoir choisi le Royaume de Cristal ou d'Argent ?

– Nous avons été séduits par la réputation des habitants de Zénor. Ce sont des gens braves, ingénieux et surtout très heureux, malgré tout ce qu'ils ont enduré lors des invasions tanieths. Ce sont des valeurs que nous voulons transmettre à nos enfants.

– Mais les Émériens ont aussi de belles qualités.

– Oui, bien sûr, mais l'océan ne se rend pas jusqu'à leurs frontières.

Son air sincère rassura Liabelle.

– Qui sont vos parents ? poursuivit-elle.

– Mes parents ont tous deux combattu lors de la dernière invasion des guerriers-insectes. Ils mènent maintenant une vie sans souci.

– Êtes-vous leur seul fils ?

– Non. J'ai deux frères et une sœur, plus jeunes que moi.

– Les pères laissent toujours leur propriété en héritage à leur aîné, même à Émeraude.

– J'ai décliné cet honneur et je ne le regrette pas. Il est merveilleux de respirer l'air marin toute la journée.

– Pourquoi ai-je l'impression que vous me cachez quelque chose ?

Atlance baissa la tête pour dissimuler son air coupable.

– Qui fuyez-vous ?

– Mon père, avoua le professeur dans un murmure. Aucun de mes efforts ne le contente, alors j'ai pris mon destin entre mes propres mains.

– Une décision qui nécessite beaucoup de courage, si vous voulez mon avis. Votre père sait-il que vous habitez à Zénor ?

– Probablement, puisqu'on ne peut rien lui cacher. Toutefois, il n'a pas encore tenté de me retrouver.

– Avez-vous coupé tous vos liens avec votre famille ?

– Non. Je communique avec ma mère et l'un de mes frères me rend parfois visite.

– Alors, ils informeront sûrement votre père que vous vous débrouillez fort bien.

– Cela ne modifiera malheureusement pas l'opinion qu'il a de moi ni la réputation qu'il m'a faite à Émeraude.

Atlance releva doucement la tête.

– Pourrions-nous parler d'autre chose ? implora-t-il.

Liabelle lui raconta donc l'arrivée de sa propre famille dans la cité en reconstruction, puis se mit à desservir la table. Sans qu'elle ait à le lui demander, Atlance ramassa son propre couvert et son assiette afin de les porter jusqu'à la grande cuve de pierre.

– Oh non ! s'exclama soudain Liabelle.

La chaîne en or qu'elle portait au cou venait de se casser et était tombée sur le sol. Le professeur s'empressa de la ramasser.

– L'un des maillons s'est élargi, constata-t-il.

Sans outil, Atlance n'arriverait pas à réparer le bijou, alors il le tendit à sa propriétaire. Avant que cette dernière puisse le reprendre, des étincelles crépitèrent au bout des doigts du jeune homme. Surpris, il laissa glisser la chaîne dans la paume de la Zénoroise.

– Vous l'avez réparée ! s'exclama-t-elle avec joie.

Atlance examina aussitôt les anneaux, qui s'étaient mystérieusement soudés ensemble.

– C'est de la magie ! poursuivit Liabelle.

– Je ne peux pas vous expliquer ce qui vient de se passer.

– Il n'y a qu'une façon de vérifier s'il s'agit d'un talent caché.

Elle alla fouiller dans un petit coffre et revint avec une bague dont la pierre précieuse s'était détachée.

– Il s'agit d'un présent de Breandon, expliqua-t-elle. Il ne sait pas qu'elle est brisée.

– Mais je ne suis pas orfèvre.

Liabelle déposa tout de même le jonc dans la main d'Atlance. Pour lui faire plaisir, celui-ci prit le saphir entre ses doigts et le plaça à l'endroit où les griffes avaient cédé. Un éclat de lumière fit sursauter la femme et le précepteur. Ils battirent des paupières jusqu'à ce que leur vision redevienne nette et découvrirent que la pierre était fermement enchâssée dans l'or.

– Quel pouvoir extraordinaire ! se réjouit Liabelle. Ne me dites pas que vous ignoriez le posséder.

– Je vous jure que je ne le savais pas...

La benjamine arriva alors en trottinant dans la salle à manger.

– C'est l'heure, monsieur Atlance ! l'informa-t-elle.

– Tu as raison, Cara, répliqua son professeur.

Il salua la maîtresse de maison et suivit l'enfant jusqu'à la salle principale, où ses frères étaient déjà installés. Bien que troublé par la soudaine manifestation de cette nouvelle faculté surnaturelle, Atlance demeura très calme durant toute la leçon de mathématiques. Après avoir donné à ses élèves quelques exercices à faire avant sa prochaine visite, il prit son congé de la famille.

Avec sa longue cape, il se protégea la tête de la pluie qui tombait en rafales et hâta le pas dans la boue glaciale. La vue de la lumière qui dansait aux fenêtres de sa maison accéléra les battements de son cœur. Devant la porte, il versa sur ses pieds l'eau d'un seau qu'il gardait toujours rempli sur le seuil pendant la saison froide et rentra chez lui.

– Viens te réchauffer près du foyer, lui dit aussitôt son épouse.

Atlance accrocha la pèlerine au mur pour la faire sécher.

– J'essaie de préparer le repas, mais je ne peux plus m'approcher du feu, soupira Katil.

En effet, sa grossesse étant presque à terme, la jeune Émérienne était énorme.

– Laisse, je m'en occupe, offrit son mari.

Le sourire aux lèvres, Atlance suspendit la marmite de légumes au-dessus des flammes pour les faire bouillir.

– Dois-je faire rôtir la viande ? voulut-il savoir.

– Nous n'en avons plus.

– J'irai en chercher demain chez le boucher.

– Son étal se situe à l'autre bout de la ville, Atlance. Il n'est pas bon pour ta santé de te promener continuellement pieds nus sous la pluie.

– Je suis beaucoup plus robuste que j'en ai l'air, ma chérie. Contrairement aux autres enfants du château, je n'ai jamais été malade. De toute façon, tu saurais comment me soigner, non ?

– Curieusement, plus la délivrance approche, plus je perds mes pouvoirs.

– Je suis content de ne pas être une femme.

Elle lui donna une claque amicale sur l'épaule.

– Ta mère ne t'a-t-elle jamais dit qu'il est dangereux de vexer une femme enceinte ?

– Tu sais bien que je plaisante.

– Bien sûr que je le sais.

Katil tenta de se faufiler dans les bras d'Atlance. La seule façon d'y parvenir, c'était de coller son épaule contre sa poitrine et de le laisser la serrer de son mieux.

– Comment s'est passé ta journée ?

– Les enfants ont fait des progrès en mathématiques. Ils montrent des dispositions étonnantes pour leur âge.

– Je capte de la tristesse dans ta voix, mon amour.

– Je ne peux jamais rien te cacher, même quand j'essaie de te ménager, déplora-t-il.

Elle l'emmena s'asseoir dans l'une de leurs deux bergères et prit place dans l'autre, en face de lui.

– Est-ce ton père ? Est-il venu à ta rencontre ?

– Non, ce n'est pas lui. Aujourd'hui, pour la première fois, Liabelle m'a interrogé sur mon passé. Je ne lui ai pas tout révélé, mais le seul fait d'en parler a fait remonter de mauvais souvenirs dans mon esprit. Maintenant que je suis de retour à la maison, ils vont s'envoler.

– Si je savais comment les effacer de ta mémoire, je t'en débarrasserais pour toujours...

Atlance se pencha et l'embrassa tendrement.

– Il m'est aussi arrivé quelque chose d'inexplicable, avoua-t-il.

– Dis-moi tout.

Katil écarquilla les yeux lorsqu'il lui raconta comment il avait successivement réparé la chaîne en or et serti la bague de Liabelle.

– C'est une magie très rare, affirma la future maman. J'ignorais que tu la possédais.

– Moi aussi.

– Les étincelles t'ont-elles causé des souffrances ?

Atlance secoua la tête à la négative. Avec difficulté, sa femme se remit debout et alla chercher le jonc en argent que son père lui avait offert.

– Ce bijou n'est pas brisé, Katil.

– Je veux voir ce qui se passera si tu le touches.

– C’est un cadeau de Jasson, continua de protester Atlance. Il a appartenu à sa mère.

– Il est trop grand pour moi, de toute façon.

Elle retourna la main de son mari réticent et y déposa l’anneau. Ils retinrent tous deux leur souffle pendant quelques secondes, mais rien ne se produisit. Le prince saisit donc le bijou entre ses doigts pour le lui redonner. Un halo de lumière très intense enveloppa alors le jonc.

– C’est incroyable ! s’exclama Katil, émerveillée. Était-ce douloureux ?

– Non...

Il lui rendit le souvenir de famille, qu’elle examina attentivement.

– Mais comment as-tu fait ça ? murmura-t-elle, stupéfaite.

– Fait quoi ?

– Tu as gravé de minuscules dragons sur sa surface !

Atlance approcha les yeux de l’anneau et ne put que vérifier les dires de Katil.

– Ne nous affolons pas. Tout ce que nous savons, c’est que depuis ce matin, je semble avoir développé une nouvelle faculté que je ne maîtrise pas.

– Si nous étions au château, j'irais chercher des pièces d'or pour voir ce que tu en ferais.

– Cette faculté pourrait aussi s'éteindre tout aussi rapidement qu'elle est apparue.

Le jeune homme exigea que sa femme reste assise et servit lui-même le repas.

– Ta vie au palais te manque-t-elle ? s'enquit Katil en regardant leurs écuelles et leurs gobelets en bois sur la petite table dressée devant l'âtre.

– Pourquoi me le demandes-tu ?

– Dans le hall de ton père, tu pouvais manger tout ce que tu voulais.

– Si ma vie s'était limitée à la nourriture, alors j'aurais été le plus heureux des hommes. C'est tout le reste qui me rendait misérable. J'ai été tourmenté par des cauchemars presque toute ma vie à la suite de mon enlèvement, puis Nemeroff est mort et les responsabilités d'être soudain devenu l'aîné m'ont achevé. Je n'ai jamais été à la hauteur des attentes du Roi d'Émeraude, peu importe ce que je faisais. Alors, crois-moi, je préfère le peu que nous possédons aux richesses qui auraient pu être miennes. Tu es le plus grand de tous mes trésors.

– Et tu es le meilleur de tous les hommes...

Avant de rejoindre Katil au lit, Atlance mit plusieurs bûches sur les braises. Il posa l'oreille sur le ventre de sa femme pour sentir bouger le bébé, puis se colla de son mieux contre elle pour dormir. Au matin, il se réveilla le premier, ranima le feu et s'empara du seau afin d'aller puiser de l'eau dans le puits. Il ouvrit la porte et s'arrêta net sur le seuil. Dans le ciel chargé de gros nuages gris, un objet volant se rapprochait de sa maison. Atlance laissa tomber le récipient et chargea ses mains, prêt à défendre sa famille, jusqu'à ce qu'il s'aperçoive qu'il s'agissait d'oiseaux géants transportant ce qui ressemblait à une chaise...

– Mais qu'est-ce que c'est que ça ? siffla Atlance entre ses dents.

Les rapaces déposèrent leur butin devant lui. Un homme très maigre, trempé jusqu'aux os, dormait sur le curieux fauteuil en bois muni de deux grandes roues. Ou était-il mort ?

– Il a perdu conscience, déclara Fabian en reprenant sa forme humaine.

– L'avez-vous enlevé ? s'alarma Atlance.

– Jamais de la vie ! répondit Shvara en imitant le dieu-milan.

– Ne le reconnais-tu pas ? demanda Fabian.

Atlance s'approcha davantage de l'étranger pour examiner ses traits.

– Maximilien ?

– C’est exact. Il dépérissait au sud d’Émeraude, dans le village natal de papa.

– Pourquoi est-il dans cet état ?

– Il a apparemment retrouvé sa charmante famille. C’est son oncle qui l’a battu pour s’emparer de son cheval.

– Quelle horreur...

– Ses jambes sont cassées et il a sans doute d’autres blessures graves, mais je n’arrive pas à le soigner. Il a besoin d’un guérisseur qui soit d’origine mortelle.

– Donc moi. Aidez-moi à le transporter à l’intérieur.

Les trois hommes installèrent Maximilien sur une couche basse, à proximité de l’âtre pour le réchauffer, puis lui ôtèrent ses loques mouillées. Le corps du pauvre garçon était couvert de marques et d’ecchymoses.

– Il vaudrait mieux que maman ne le voie pas ainsi, fit remarquer Atlance.

– C’est ce que je pense aussi, affirma Fabian.

Atlance passa la main au-dessus de son frère meurtri. Les dommages internes étaient aussi importants que ceux qu’ils distinguaient à l’œil nu.

– J’en ai pour des jours, se découragea l’aîné.

– Nous ne sommes pas pressés, lui assura Shvara.

– Ta femme pourrait t'aider, suggéra Fabian. Elle est magicienne, non ?

– Malheureusement, j'ai perdu la majorité de mes pouvoirs depuis le début de ma grossesse, répondit elle-même Katil en s'approchant.

Shvara s'égaya en apercevant son gros ventre sous sa robe de nuit.

– Allez-vous bientôt pondre votre œuf, madame ?

– J'espère bien que non, répliqua Katil, amusée.

– Shvara est un dieu aviaire, lui rappela Fabian. Dans son monde, les bébés doivent casser leur coquille pour venir au monde.

– Eh bien, ça se passe différemment, ici.

Elle s'agenouilla auprès de son mari.

– Il est tellement mal en point que je ne sais pas par où commencer, lui avoua Atlance.

– Saigne-t-il intérieurement ?

– Sous les côtes et dans le bas du ventre.

– Arrête tout de suite les hémorragies, puis répare ses os.

N'ayant pas souvent eu l'occasion d'utiliser ses facultés de guérison, le jeune homme dut faire appel à toute sa concentration.

– Que pouvons-nous faire ? demanda Fabian.

– Commencez à faire chauffer de l'eau et remplissez la baignoire, indiqua Katil.

Fabian retourna dehors afin de plonger le seau dans le puits.

– Les femelles savent-elles toujours mieux que les mâles ce qu'il faut faire dans les situations d'urgence ? demanda Shvara, toujours sur ses talons.

– Dans ma famille, oui. En ce qui concerne les autres femmes, je n'en sais rien.

Pendant qu'ils préparaient le bain, Atlance faisait des progrès. Après avoir anastomosé les vaisseaux sanguins, il ressouda les tibias cassés et se mit à faire disparaître les hématomes et les contusions sur le reste du corps de Maximilien. À la fin de l'après-midi, le visage d'Atlance était blanc comme de la craie. Personne ne s'était aperçu qu'il s'était vidé de ses forces, jusqu'à ce que Maximilien soit déposé dans l'eau restée chaude et que Fabian se mit à le laver.

– Mon chéri, est-ce que ça va ?

– Toute la pièce tourne autour de moi...

– Allonge-toi et ferme les yeux.

Atlance lui obéit sans hésitation. Dès que ses paupières furent closes, un cocon de lumière éclatante l'enveloppa.

– Est-il un dieu lui aussi ? s'étonna Shvara.

– Tous les guérisseurs d'Enkidiev refont leurs forces de cette façon, expliqua Katil. Il n'y a pas que les divinités qui ont des pouvoirs magiques.

Ne pouvant plus rien faire pour son mari, elle s'approcha de la baignoire, où Maximilien semblait lentement revenir à la vie.

– Comment te sens-tu ? lui demanda Fabian.

– Pourquoi suis-je dans l'eau ?

– Il est devenu urgent de vous laver, répondit Shvara sans le moindre tact.

Maximilien promena son regard dans la pièce qu'il ne reconnaissait pas.

– Mon cou est de nouveau flexible, s'étonna-t-il.

– Atlance t'a guéri, lui apprit Fabian.

– Atlance ?

– Tu es chez lui.

– Je ne voulais pas rentrer au palais dans cette condition...

– Il n'y habite pas.

De plus en plus confus, Maximilien fronça les sourcils.

– Il s'est installé à Zénor avec sa femme. Nous étions tous deux d'avis que tu devais recouvrer la santé avant de retourner auprès de la famille royale qui, de toute évidence, t'aime plus que ta véritable parenté.

– C'était une regrettable erreur de partir à la recherche de mes origines, mais je ne pouvais plus rentrer, s'attrista Maximilien. Je ne possède pas votre faculté de parler entre vous par votre esprit.

– Et moi, je te demande pardon de m'être laissé emporter par mon orgueil. Au lieu de m'entêter à me transformer en dieu-oiseau, j'aurais dû prendre le temps de devenir un meilleur frère.

– Tu n'as rien à te reprocher, Fabian. C'est moi qui aurais dû apprécier ce que j'avais au lieu de me lancer à la recherche d'un mirage.

– Si vous ne le sortez pas bientôt de là, il sera tout fripé, les avertit Katil.

– Pas en présence d'une dame ! protesta Maximilien.

– Je vous tournerai donc le dos tandis que je prépare le repas du soir.

Réprimant un sourire amusé, la future maman lança un drap de bain et une tunique à Fabian et s'éloigna. Même si ses blessures avaient disparu, Maximilien était sous-alimenté et il tremblait de tous ses membres. Son frère dut donc l'aider à se sécher, puis à enfiler le vêtement. Il l'emmena ensuite s'asseoir près du feu.

– Depuis combien de temps es-tu immobilisé dans ton fauteuil roulant ?

– Deux ou trois saisons... Je ne sais plus...

– J'aurais dû partir à ta recherche bien avant maintenant.

– Au fond de mon cœur, je n'ai jamais perdu espoir que l'un de vous viendrait à mon secours. Mais je ne pensais pas que ce serait un rapace. Tu as dit que tu voulais devenir une divinité aviaire... les dieux ne sont-ils pas reptiliens ?

– Nous avons découvert bien des choses depuis ton départ. Nous en discuterons plus tard, si tu veux bien. Pour l'instant, j'aimerais qu'on parle de toi.

– Mon récit est honteusement court. J'ai chevauché vers le sud jusqu'à ce que j'atteigne une auberge où les paysans avaient entendu parler de l'accident qui avait coûté la vie à mon père et à ma mère, qui est morte en me donnant naissance. Ils m'ont indiqué où je pourrais retrouver mon seul oncle vivant et je m'y suis dirigé sans réfléchir. En arrivant à la maison de cet homme, je me suis présenté et il m'a battu jusqu'à ce que je ne puisse plus me relever.

– Maximilien, je suis tellement navré...

– Il m'a jeté sur une chaise en bois et il m'a menacé de me tuer si je me plaignais de mon sort à qui que ce soit. C'est son voisin qui a fixé les roues sur le fauteuil pour que je puisse me déplacer et me nourrir, mais il n'y avait rien à manger dans sa maison. Durant la saison chaude, il n'était pas difficile de trouver de petits fruits sur le bord de la route, mais durant la saison froide, je dépendais de la bonté des passants. Malheureusement, beaucoup avaient peur de mon oncle.

Fabian et Shvara échangèrent alors un regard entendu.

– Nous allons te redonner du teint et te ramener à Émeraude.

– J'imagine déjà ce que papa me dira.

– Je ne m'inquiéterais pas trop, à ta place. Il est de plus en plus absent.

Maximilien tourna la tête vers Atlance, toujours enrobé de lumière blanche.

– Il a dépensé toute son énergie à cause de moi, n'est-ce pas ? se chagrina-t-il.

– C'était la seule façon de te ramener à la vie, mon frère.

Katil les appela à table, puis alla s'installer près d'Atlance en remerciant le ciel de lui avoir accordé un mari aussi charitable. Lorsque le cocon s'évapora, l'aîné se redressa lentement en se frottant les yeux.

– Où est Maximilien ? voulut-il tout de suite savoir.

– Ici, répondit le plus jeune.

Atlance s'élança vers la table, agrippa Maximilien par ses manches et l'attira dans ses bras. Les deux frères s'étreignirent en pleurant de joie. Toute la soirée, les princes se racontèrent leurs aventures en buvant de la bière. Épuisée, Katil les laissa à leurs retrouvailles et alla se coucher.

Juste avant le lever du soleil, Fabian demanda à Atlance de s'occuper de Maximilien pendant encore quelques jours, auquel moment il reviendrait le chercher. Ne se doutant pas de ce que préparaient les dieux-oiseaux, le nouveau Zénorois accepta avec plaisir. Il les laissa partir dans la grisaille du matin et n'eut pas à montrer à son petit frère où il pourrait dormir, car il s'était déjà assoupi sur la couche devant le feu.

Les deux rapaces retrouvèrent facilement leur chemin jusqu'à Émeraude, où ils n'arrivèrent que le lendemain. Du haut des airs, ils repérèrent bientôt ceux qu'ils cherchaient. Les cinq oppresseurs à cheval suivaient la route qui menait au moulin sans se douter de ce qui allait leur arriver.

– Isolons d'abord l'oncle, décida le milan royal.

Les oiseaux de proie refermèrent leurs ailes et piquèrent vers la terre en grossissant peu à peu. De la taille d'un bœuf, ils se redressèrent au ras du sol devant les montures, qui se cabrèrent en hennissant de terreur, jetant leurs cavaliers par terre et détalant bientôt au triple galop. Deux des hommes les poursuivirent, ce qui permit aux divinités de s'en prendre à ceux qui restaient. À coups d'ailes et de serres, les rapaces réussirent à les mettre en fuite. Puisque les attaquants ne s'occupaient pas de lui, l'oncle s'était enfoncé dans la forêt. Fabian et Shvara rapetissèrent et s'élancèrent à sa poursuite. Ils ne mirent que quelques secondes à le rattraper. Volant sur place entre deux arbres, le prince força le fugitif à s'immobiliser, puis prit sa forme humaine.

– Mais qui êtes-vous ? s'écria l'oncle, terrorisé.

– Je suis le frère de Maximilien d'Émeraude.

– C'est impossible ! Il n'a jamais eu de frère !

L'homme pivota sur ses talons, mais arriva face à face avec Shvara, qui lui souriait de toutes ses dents.

– Il n'est pas poli de tourner le dos à son interlocuteur, l'informa le busard.

– Que me voulez-vous ? s'énerva l'oncle.

– Je veux que vous sachiez ce qu'on ressent lorsqu'on se fait casser les jambes, répondit Fabian.

– Maximilien a reçu le châtiment qu'il méritait !

– Quelle était sa faute ?

– Il a tué sa mère en naissant !

– Il arrive même aux oiselles de ne pas survivre à la ponte de leurs premiers œufs, répliqua Shvara.

– Je ne comprends rien à ce que vous dites !

– Ce n'est pas votre faute, puisque vous êtes mortel.

– Aucune créature, divine ou non, n'a le droit de traiter son prochain comme vous le faites, déclara Fabian, en colère.

Le dieu-milan se mit à avancer vers l'Émérien, qui pâlissait à vue d'œil. Lorsque ce dernier vit les plumes recouvrir graduellement le visage de son assaillant, il fut pris d'une grande frayeur et tomba sur les genoux. Fabian n'eut pas le temps de le terroriser davantage. L'homme s'écrasa la tête la première sur la mousse trempée et cessa de bouger.

– Que lui as-tu fait ? s'étonna Shvara.

– Absolument rien, affirma son ami en se penchant sur leur proie.

Il passa la main au-dessus de son cou et de son dos.

– Il est mort, annonça-t-il.

– Là, je reconnais le digne fils de Lycaon !

– Je ne l'ai pas tué, Shvara. Tout ce que je voulais, c'était lui faire peur pour qu'il n'agresse jamais plus personne.

Fabian laissa partir de sa main un rayon incandescent qui enflamma le cadavre.

– Allons-nous-en, décida le dieu-milan.

– Mais...

Fabian acheva sa métamorphose et s'élança vers le ciel.

6

LE PETIT MONDE DE KIRA

Quelques semaines après la naissance des jumeaux, Kira avait remis son univers en ordre. Puisque Kylian et Maélys grossissaient normalement, la Sholienne avait cessé de s'inquiéter de leur survie. Dès la naissance des petits derniers, Lassa avait participé aux changements de couches, aux bains et aux moments de réconfort dans le fauteuil à bascule, puis, voyant que sa femme s'en tirait de mieux en mieux toute seule, il s'était plutôt occupé des aînés.

Wellan ne semait jamais le trouble dans la famille. Depuis qu'il était revenu du Désert, il passait tout son temps dans la bibliothèque à traduire le plus volumineux des livres anciens qu'elle contenait. Il faisait de rares apparitions lors des repas, pour raconter ce qu'il venait de découvrir. Quant à Lazuli, il vivait très mal sa captivité dans la tour d'Armène, mais au moins il n'était pas seul, car Cyndelle et Aurélys avaient subi le même sort que lui. Ces enfants-oiseaux rêvaient de retourner jouer dans la cour avec leurs amis, mais ils étaient aussi conscients que le danger qu'ils soient repris par Lycaon devait d'abord être écarté.

De son côté, Kaliska n'avait pas cherché à répéter son expérience dans le cromlech. Plutôt que d'utiliser la magie pour localiser Cornéliane, elle se rabattait maintenant sur la télépathie, même si ses parents lui répétaient sans cesse que ce type de message ne pouvait pas franchir la chaîne des volcans qui séparait Enkidiev d'Enlilkisar. Elle assistait assidûment à ses cours dans le hall des Chevaliers et, à son retour, offrait à sa mère de bercer l'un des jumeaux pendant que cette dernière s'occupait de l'autre.

Celui qui préoccupait davantage le couple, c'était Marek. Depuis le berceau, il manifestait des tendances rebelles. En fait, il ne faisait absolument rien comme les autres. Doté d'une imagination sans limite, il inventait toutes sortes d'histoires abracadabrantes, si bien qu'il était devenu impossible de distinguer le vrai du faux dans ses récits. En plus de posséder le don de voir l'avenir, il absorbait avec une facilité déconcertante tout ce qu'on lui enseignait, pour ensuite l'utiliser à sa façon. Les fois où Kira s'était plainte de lui à Armène, celle-ci lui avait fait remarquer qu'il n'était pas différent d'elle au même âge.

Dernièrement, il avait appris qu'il n'était pas le fils de Lassa, mais celui de Solis, un dieu félin. Kira ne savait pas comment réagir lorsqu'il lui racontait en détail ses escapades dans la campagne sous sa forme animale. Tout ce qu'elle trouvait à lui dire, c'était de ne pas faire de bêtises, recommandation qu'elle lui adressait d'ailleurs tous les matins au premier repas de la journée. Elle aurait aimé lui accorder plus de temps, mais les jumeaux réclamaient constamment son attention. Marek n'en souffrait d'aucune façon, car il adorait sa nouvelle liberté. Dès que Kylian ou Maélys se mettait à pleurer, il en profitait pour s'esquiver et aller se promener dans les coins défendus du palais.

Marek connaissait le grenier comme le fond de sa poche. Il avait aussi exploré les passages secrets, les catacombes et les grottes sous le château, mais il trouvait ces endroits très lugubres. Il avait besoin de nouveaux défis malgré son jeune âge. Ce matin-là, après avoir passé de longues minutes accoudé à l'une des fenêtres qui donnaient sur la cour, il décida qu'il en avait assez de regarder la pluie tomber. Il se rendit donc à la bibliothèque et marcha sur la pointe des pieds jusqu'à la table occupée par son frère aîné.

– Je sais que tu es là, Marek, l'avertit Wellan.

– Comment ? Je ne faisais même pas de bruit !

L'enfant de sept ans s'arrêta, le nez à quelques centimètres du vieux livre que le jeune érudit était en train de traduire.

– Ton énergie m'est familière, alors je la ressens lorsque tu t'approches.

– Connais-tu celle de tout le monde ?

– Évidemment pas.

Le petit contourna le meuble et vint se coller contre l'épaule de Wellan.

– N'es-tu pas censé être en classe, toi ?

– C'est inutile, puisque je sais déjà tout ce que Lady Bridgess nous enseigne.

– Personne ne sait tout, Marek.

– Moi, oui... sauf ces lettres-là.

Il mit le bout du doigt sur le texte en venefica.

– C'est écrit dans une autre langue que celle que tu apprends, l'informa Wellan.

– Tu la comprends ?

– Oui, mais il m'a fallu effectuer des recherches pour y arriver. Lorsque nous faisons face à un mystère, il suffit de se renseigner pour l'élucider.

– Moi, je n'ai qu'à rêver.

– Que feras-tu si cette faculté disparaît lorsque tu seras adulte ? Comment gagneras-tu ta vie si tu as manqué tous tes cours ?

– Je demanderai à maman de me faire vivre, naturellement !

Un sourire découragé apparut sur le visage de Wellan. Après tout, Marek n'était qu'un gamin.

– Aimerais-tu que je te trouve un livre que tu serais capable de lire ?

– Non. Lis-moi celui-ci.

L'enfant grimpa sur les genoux de Wellan.

– Ce n'est pas une histoire qui s'adresse aux petits garçons de ton âge.

– Mais elle est sûrement captivante, puisque tu ne lâches jamais ce livre.

– Il contient des informations que nous ignorions sur les dieux.

– Sur Solis ?

– Plutôt sur les divinités qui l'ont précédé. En fait, Lessien Idril et Abussos sont les arrière-grands-parents de Solis.

– Ils doivent être très vieux.

– Ouais, on pourrait dire ça.

– Qu'est-ce que tu attends pour lire ?

– Bon, tu l'auras voulu. Voici ce que l'auteur raconte sur cette page : « Abussos est le principe masculin du germe de vie. Sans sa contrepartie, Lessien Idril, rien n'existerait dans l'univers. Elle représente le noir, le féminin, la lune, le sombre, le froid et le négatif, tandis qu'Abussos évoque le blanc, le masculin, le soleil, la clarté, la chaleur et le positif. Leur dualité est également associée à de nombreuses autres oppositions complémentaires. »

– Tu trouves ça intéressant ?

– J'irais jusqu'à dire que c'est fascinant.

Marek se laissa glisser sur le sol.

– Je vais aller voir Anoki, grommela-t-il.

– Dis à maman où tu vas.

– Pour quoi faire ? répliqua l'enfant en haussant les épaules. Elle sait déjà tout.

Marek trottina jusqu'à l'escalier et grimpa à l'étage des appartements royaux. Il frappa à la porte de celui de la Reine Swan. Un serviteur lui ouvrit presque aussitôt.

– Bien le bonjour, sire Marek. Que pouvons-nous faire pour vous, aujourd'hui ?

– J'aimerais voir Anoki, je vous prie.

– Dans ce cas, suivez-moi.

L'homme l'emmena jusqu'à un salon vide : on avait retiré tous les meubles et tous les bibelots afin que le jeune Ressakan puisse s'adonner à son passe-temps favori, le maniement de l'épée double.

– Je vous conseille d'attendre qu'il ait terminé sa routine, jeune homme.

– Je me disais la même chose. Je n'ai pas envie de me faire couper le cou.

Marek demeura donc sur le seuil de la pièce jusqu'à ce que l'arme se soit enfin immobilisée.

– Aimerais-tu jouer à cache-cache ?

– Trop occupé, répondit Anoki en se donnant des airs d'Onyx. Je dois m'entraîner et ensuite aller au cours d'écriture.

– Il n'y a pas que les études, dans la vie.

– C'est seule façon de devenir important plus tard.

Même si Anoki s'améliorait de semaine en semaine dans sa compréhension de la langue de son peuple d'adoption, il manquait toujours des mots par-ci, par-là lorsqu'il parlait.

– Toi, fils de Kira. Tu devrais apprendre à te battre.

– Quand je serai grand, je serai un puissant magicien, pas un manieur d'armes. Il y en a déjà trop dans ce château. Es-tu bien certain que tu ne veux pas venir jouer avec moi ?

– Je veux être parfait quand Onyx revient.

– Reviendra, Anoki, reviendra. Tu as raison, dépêche-toi de terminer ton entraînement et de poursuivre tes cours.

Découragé, Marek descendit jusqu'au vestibule et se faufila dehors, malgré la tourmente. Il avait d'abord eu l'intention de se rendre à l'écurie, mais piqua plutôt vers la tour d'Armène. La gouvernante était en train de plier des tuniques sur la table de bois de l'étage inférieur lorsqu'elle entendit un curieux « ploc » à répétition en provenance de l'escalier de pierre. Elle vit alors arriver Marek, trempé de la tête aux pieds, ses cheveux blonds collés sur sa tête.

– Depuis quand sort-on sous la pluie sans se protéger avec une cape, jeune homme ?

– Je n'étais pas censé sortir, alors je n'y ai pas pensé.

– Viens par ici.

Armène lui enleva ses vêtements, le sécha et lui fit enfiler une tunique sèche.

– Elle est bien trop grande pour moi ! protesta-t-il.

– C'est vrai, mais au moins, elle ne dégouline pas. Maintenant, dis-moi ce que tu viens faire chez moi.

– J'ai eu soudain envie de voir Lazuli.

– Il est en haut et...

La gouvernante n'eut pas le temps de terminer sa phrase que l'enfant avait déjà grimpé l'escalier. Marek trouva son frère et ses amis oiseaux au beau milieu d'une leçon de magie que leur donnait Lassa.

– Papa ?

– Si ce n'est pas notre petit insoumis préféré, se moqua Lassa. Assieds-toi.

– Mais je ne suis pas venu ici pour apprendre quelque chose.

– L'apprentissage est toujours plus intéressant lorsqu'il est imprévu.

– Le jeu aussi.

– Viens te joindre à nous.

– Trop occupé, répondit-il en imitant Anoki.

– Si tu ne m'obéis pas tout de suite, tu auras affaire à ta mère.

Contraint d'obtempérer, Marek alla s'installer près de son frère en maugréant tout bas.

– J'étais en train de montrer à Lazuli, Aurélys et Cyndelle à utiliser le pouvoir de leurs mains pour se défendre si jamais les dieux aviaires tentaient encore une fois de les enlever.

– À quoi ça leur servira si Lycaon les transforme en oiseaux ? répliqua le petit garçon. Ils auront des ailes, pas des mains.

– Arrête de dire des bêtises et réfléchis un peu, l'apostropha Lazuli. Ce n'est pas une fois métamorphosés qu'il nous faut agir, mais avant.

Marek écouta les directives de son père en bâillant de plus en plus bruyamment, mais Lassa ne lui en tint pas rigueur, puisqu'il n'arrivait pas à déconcentrer ses élèves. Le cours prit fin lorsque la gouvernante monta à l'étage avec un goûter.

– Est-ce que je peux partir, maintenant ? demanda Marek.

– Non, répondit Lassa sur un ton autoritaire.

– Je n'ai pas faim...

– Regarde manger les autres, alors.

– Ce n'est pas fascinant, affirma-t-il en employant ce mot que Wellan avait utilisé quelques heures auparavant.

– Il veut juste te garder à l'œil, crapaud, expliqua Lazuli.

– Ça fait mille fois que je te demande de ne pas m'appeler ainsi !

– Crapaud.

– Les garçons, c'est assez, intervint Lassa. Dites-moi plutôt ce que vous avez l'intention de faire lorsque vous serez adultes.

– J'élèverai des chevaux avec mes parents ! s'exclama Aurélys, qui s'ennuyait d'eux.

– Moi, je voudrais devenir une guérisseuse d'animaux, enchaîna Cyndelle.

– J’aimerais être commerçant et voyager d’un royaume à l’autre pour vendre mes produits, avoua Lazuli.

L’adolescent se tourna vers son petit frère.

– Et toi, crapaud ?

Marek s’élança pour frapper Lazuli, mais Lassa le saisit par la taille juste à temps.

– Les grands hommes ne réagissent jamais aux taquineries, lui dit son père en l’assoyant près de lui.

– Je ne veux plus qu’il m’appelle comme ça !

– Il s’amuse à te contrarier parce que tu te mets facilement en colère, mais il ne le fait pas par méchanceté.

– Commerçant !

Lazuli éclata de rire, ce qui empourpra davantage le visage de Marek.

– Moi, j’ai une grande destinée ! poursuivit le petit.

– Qui sera passée à désobéir ?

– Je serai le plus formidable augure de tous les temps !

– Tu débiteras des tas de bêtises comme Mann pour le reste de tes jours ?

Marek laissa échapper un grondement féroce et se métamorphosa en jeune léopard des neiges. Les trois enfants-oiseaux hurlèrent de terreur et allèrent se cacher derrière le lit. Au risque de se faire griffer, Lassa empoigna solidement le félin par la peau du cou et le tira vers l'escalier. Armène poussa un cri de surprise lorsqu'elle vit le Chevalier dévaler les marches avec l'énorme chat.

– Mais comment cette bête a-t-elle réussi à monter là-haut ? s'alarma-t-elle.

– C'est Marek, répondit Lassa en poursuivant sa route dans le second escalier, qui donnait sur la cour.

Il se dirigea vers l'autre tour, qui n'était pas rattachée au palais, soit celle où on gardait jadis les prisonniers, et déposa le léopard sur le sol.

– Redeviens tout de suite mon fils, ordonna le père, très mécontent.

– Je vais être tout nu... articula le félin.

Lassa détacha la cape qu'il portait. À court d'arguments, l'enfant fit ce qu'il demandait. Son père l'enveloppa aussitôt dans le vêtement de laine et le garda devant lui.

– Que tu sois le fils d'un dieu capable de se métamorphoser en animal ne changera rien à mon devoir, qui est de t'élever jusqu'à l'âge adulte. Je n'ai nulle envie que tu deviennes un tyran, devin de surcroît, lorsque tu seras un homme.

Marek baissa la tête.

– Combien de fois ta mère et moi t'avons-nous répété que tous les hommes sont égaux et qu'aucun d'entre eux n'a le droit de malmener son prochain pour s'élever au-dessus de lui ?

– Je ne m'en souviens pas, murmura l'enfant. Je devais être trop petit.

– Maintenant que tu es grand, ouvre tes deux oreilles, Marek. Dans notre famille, nous ne tolérons ni l'arrogance, ni l'orgueil, ni la violence. Tes frères et tes sœurs t'ont été donnés par les dieux pour que tu les chérisses et que tu les traites avec respect jusqu'à ton dernier souffle.

– Il me surnomme crapaud, hoqueta Marek, au bord des larmes.

– C'est un petit nom d'amour, comme coccinelle, lapin et poussin.

– Mais c'est bien plus laid...

Marek éclata en sanglots. Découragé, Lassa l'attira dans ses bras et le serra très fort pour l'apaiser.

– Moi, quand tu étais un bébé, je t'appelais ma petite sangsue d'amour.

– Beurk !

– Ce nom m'est venu en tête parce que tu voulais toujours être dans nos bras. Quand tu es devenu plus indépendant, à l'âge de quatre ans, il a bien fallu que je trouve autre chose.

– Tu m'appelles chafouin et je ne sais même pas ce que ça veut dire.

– Il était à peu près temps que tu le demandes. Ça signifie rusé et ingénieux.

– C'est vrai ?

– Est-ce que je t'ai déjà menti, Marek d'Émeraude ?

L'enfant cessa ses pleurs et se blottit contre son père pour se réconforter.

– C'est quoi cette histoire d'augure ? s'enquit Lassa en dissimulant son inquiétude de son mieux.

– Je vais devenir un célèbre roi prophète. C'est mon destin.

– Qui t'a dit ça ?

– C'est Kirsan.

Les deux cousins semblaient avoir hérité du même don de voir l'avenir dans leurs rêves, mais pourquoi Kirsan, qui était presque adulte, aurait-il dit une chose pareille à un petit enfant incapable de comprendre tout ce que cela impliquait ?

– Il n'est pas capable de voir son propre avenir et je ne suis pas capable de voir le mien, poursuivit Marek. C'est la malédiction des augures.

Lassa leva les yeux au plafond.

– Eh bien, jeune homme, j'ai le regret de t'informer que l'avenir étant toujours en mouvement, il arrive que certaines prédictions ne se réalisent jamais. Même si tu crois que c'est ton destin, il est possible que tu changes d'idée en grandissant et que tu décides de devenir autre chose. Il n'y a que les fous qui ne changent jamais d'idée.

– Mais je veux devenir un homme important, geignit Marek.

– Tous ceux qui prennent bien soin de leur famille, qui font leur travail à la perfection, qui protègent les faibles et qui font régner la justice sont des hommes importants. C'est ainsi qu'on impose le respect. Et puis, sans vouloir être méchant, tu connais comme moi la réputation de Mann.

– Moi je sais qu'il n'est pas fou...

– Je ne voudrais pour rien au monde qu'on pense la même chose de toi.

– D'accord, je vais prendre le temps d'y réfléchir.

– Que dirais-tu de te tremper dans l'eau chaude pour te réchauffer ?

– Je suis trop grand maintenant pour m'asseoir dans la bassine...

– Je parlais des bains des Chevaliers...

– Sérieusement ?

Lassa se leva en le gardant dans ses bras.

– Je suis toujours sérieux.

Affrontant la tempête, le père courut jusqu'au palais tandis que son fils poussait des cris de joie.

7

LES LIVRES DÉFENDUS

Briag était dans tous ses états lorsque Hawke le rejoignit enfin dans sa petite cellule du sanctuaire. De tous les Sholiens qui avaient été ramenés à la vie, il était le moins confiant, mais le plus jeune aussi. C'était la première fois qu'Isarn lui assignait une mission en solo. Assis sur son lit bas, le moine aux longs cheveux argentés se triturait les doigts de nervosité.

– Tu t'en fais pour rien, Briag, tenta de le rassurer l'Elfe. C'est une tâche toute simple qui ne comporte aucun danger.

– Si Isarn ne m'a jamais laissé partir seul, c'est que je n'ai pas le verbe facile comme toi.

– Crois-moi, personne n'était plus timide que moi, à mes débuts. La confiance en soi s'apprend petit à petit. Même la magie ne pourrait pas t'en donner.

Hawke s'assit près de son ami.

– J'y serais allé avec toi si on ne m'avait pas chargé de la rééducation de Mann, ajouta-t-il.

– Je sais...

– J'ai grandi à Émeraude, Briag. Je sais que tu ne trouveras que des gens aimables, au château.

– Mais entre ici et là-bas ?

– Ça dépendra de la route que tu emprunteras. En suivant la rivière Mardall sur la rive ouest, tu rencontreras uniquement des peuples dont sont issus les Sholiens : d'abord les Elfes, puis les Fées.

– J'ai étudié la carte que m'a remise le hiérophante. Je devrai aussi traverser les terres d'Argent et d'Émeraude pour me rendre au palais du Roi Onyx.

– Les Argentais sont en train de démolir les milliers de kilomètres de murailles qui les séparaient du reste du monde, mais ils ne sont pas encore rendus au mur qui longe la rivière Mardall. Tu n'y verras absolument personne. En ce qui concerne Émeraude, les villages sont surtout établis le long de la rivière Wawki. En franchissant la rivière Mardall avant d'arriver à cet affluent et en marchant tout droit vers la montagne de Cristal, que tu verras de loin, tu traverseras surtout des champs cultivés. À cette période de l'année, ils sont désertés en raison des pluies abondantes.

– Si on me confiait une des pierres des Anciens, je n'aurais pas à me tremper les pieds.

– C'est vrai, mais tu ne possèdes pas l'expérience suffisante pour les maîtriser. Aimerais-tu te retrouver sur le versant d'un volcan plutôt que devant les portes du château ? Ou pire encore, sur Irianeth ?

– Tu as raison...

– Afin de grandir, il y a certaines épreuves que l'on doit vivre avec tous les sacrifices et tous les dangers qu'elles comportent, Briag.

– Je n'ai pas ton courage.

– Ça viendra.

Hawke lui tapota amicalement le dos.

– Viens, j'ai un présent pour toi.

Le Sholien suivit son ami chez lui. Élizabelle vint le serrer dans ses bras en lui souhaitant de faire un beau voyage rempli de surprises et de découvertes et déposa sur ses épaules une longue cape grise à capuchon.

– Elle a été tissée par les Elfes, expliqua-t-elle, alors la pluie ne peut pas la traverser.

– Merci, Élizabelle.

– J'ai aussi préparé de la nourriture sholienne.

Elle lui tendit une besace bien pleine.

– Et pour finir, intervint Hawke, je te donne mes bottes. L'artisan qui me les a confectionnées, à Émeraude, les a imperméabilisées grâce à un savant mélange préparé à partir de la sève d'une vingtaine de plantes de la famille de l'astragale. Elles résisteront à l'herbe trempée et à la boue, mais si tu marches dans la rivière, c'est une autre affaire.

Le visage toujours crispé, Briag prit une grande inspiration.

– Tu vas adorer ton voyage, surtout que tu n'as aucun ennemi à craindre comme nous, autrefois, l'encouragea Hawke. Et si jamais tu éprouves des ennuis, ce dont je doute, tu n'auras qu'à m'appeler par la pensée.

– Je ferai mon possible pour ne pas trahir la confiance des miens.

L'Elfe accompagna le Sholien jusqu'au bout du long corridor protégé du monde extérieur par une pellicule magique ressemblant à de la pierre.

– De quelle façon ramènerai-je les livres, s'il y en a une centaine ? demanda Briag.

– Je doute qu'il y en ait plus que vingt, car ton peuple n'écrivait que par nécessité, affirma Hawke. Mets-les dans une boîte et transporte-la magiquement.

– C'est une bonne idée.

Les deux hommes s'étreignirent.

– Maintenant, fonce vers l'inconnu et reviens-moi plus fort qu'avant.

– Je te le promets, dit Briag, même si son expression ne trahissait pas la même assurance.

Le moine traversa la membrane et le procédé surnaturel le déposa sur le sol, au pied de l'imposante falaise de Shola. Il rabattit aussitôt le capuchon sur sa tête pour se protéger de la pluie et se mit en marche vers le sud-est. En quelques heures à peine, il atteignit la rivière dans laquelle, jadis, l'Empereur Noir avait fait jeter des œufs de dragons. L'endurance des Sholiens étant remarquable, Briag progressa sans se fatiguer jusqu'à la tombée de la nuit. Les arbres imposants de la forêt des Elfes lui procurèrent un répit, car seules quelques gouttes arrivaient à traverser leurs épaisses branches. Il s'assit contre un gros tronc afin de dormir pendant trois ou quatre heures.

À son réveil, il faisait encore sombre, alors il alluma l'une de ses paumes, comme le lui avait enseigné Hawke, et éclaira sa route. Il avança ainsi jusqu'au lever du jour. L'absence du soleil ne troublait pas Briag, car il était issu d'un peuple qui avait toujours vécu sous terre. La pluie, cependant, lui causait une profonde détresse. S'il avait maîtrisé la magie des éléments, il l'aurait fait cesser sans délai.

Il mit plusieurs jours à rejoindre le Royaume des Fées, dont les paysages incroyables trompèrent sa solitude. Il s'arrêta pour voir la sève couler dans les arbres transparents, admira les fleurs géantes et se réfugia sous les larges chapeaux des champignons pour manger et dormir. Puis, tout cet enchantement disparut lorsqu'il arriva au Royaume d'Argent. Tout comme Hawke le lui avait prédit, il se retrouva entre le cours d'eau et un haut rempart de pierre qui ne lui apportait aucun abri contre le déluge.

En peu de temps, il atteignit l'endroit où la rivière Mardall se divisait en deux. L'apport de la pluie avait grossi le torrent qui lui sembla, à prime abord, infranchissable.

– Ne maîtrisez-vous donc aucune magie ? demanda une voix derrière lui.

Briag sursauta et pivota vers l'étranger, sans savoir quoi répondre. Il vit alors un adolescent aux cheveux noirs et aux yeux azurés, qui portait un étrange vêtement bleu cousu de plusieurs voiles. Curieusement, la pluie ne semblait pas l'atteindre et il n'était aucunement trempé.

– Je suis Daghild, fils du Chevalier Ariane d'Émeraude et du capitaine Kardey d'Opale.

– Briag... réussit-il à articuler nerveusement.

– Je vous suis depuis un long moment et je n'arrive pas à deviner votre origine. Je sais que vous êtes une créature magique, mais vous n'êtes ni une Fée, ni un Elfe.

– Je suis Sholien.

– Où allez-vous ?

– À Émeraude.

– Savez-vous comment traverser la rivière ?

Briag secoua négativement la tête.

– Me permettrez-vous de vous aider ?

– Ce serait vraiment aimable.

Le garçon s'approcha en souriant. Quatre ailes transparentes se matérialisèrent dans son dos.

– Oh... s'émerveilla le Sholien.

Daghild se posta derrière le voyageur, lui entoura le torse de ses bras et se mit à le soulever lentement de terre.

– Surtout, n'ayez pas peur, recommanda l'adolescent Fée.

Il était trop tard pour cela. Briag oscillait déjà entre la fascination et la terreur. Comme un oiseau, il vola au-dessus des eaux tumultueuses, puis revint sur le sol.

– C'est très étonnant, avoua-t-il lorsque Daghild l'eut libéré.

– Les Sholiens ne connaissent-ils rien aux Fées ? Mon grand-père m'a pourtant dit qu'à la base, ils sont issus d'une fusion entre les Elfes et les Fées.

– Vous a-t-il aussi appris qu'après des centaines d'années de vie recluse, ils ont tous été tués, puis ramenés à la vie par un sortilège ?

– Vous êtes un mort-vivant ?

Effrayé, Daghild recula de quelques pas.

– Cette magie des Anciens nous a redonné totalement la vie, je vous assure.

– Pour réparer l'injustice d'un décès prématuré ?

– Nous avons été assassinés par un sorcier sans avoir pu nous défendre.

Un coup de tonnerre secoua la terre.

– Suivez-moi. Il y a un abri non loin d'ici.

Soulagé de pouvoir échapper à l'orage, Briag hâta le pas. Quelques minutes plus tard, ils arrivèrent devant une petite cabane perchée dans un arbre.

– Elle a été construite par des enfants, mais elle est suffisamment solide pour nous deux.

Voyant que le Sholien restait planté sur place à regarder vers la cime du chêne, Daghild passa les bras sous ses aisselles et le hissa sur la plateforme.

– Il est inutile de poursuivre votre route tant que la perturbation ne sera pas passée, l'avertit l'adolescent Fée. Vous risqueriez de vous faire électrocuter.

– Vous avez raison. Dites-moi, que faites-vous aussi loin de votre royaume ?

– De l'exploration. Depuis que le Roi des Fées a aboli l'enchantement qui empêchait les hommes de franchir nos frontières, certains d'entre nous en profitent pour étudier les mondes étranges qui nous entourent.

« Ne sait-il pas que c'est son pays qui diffère de tous les autres ? » s'étonna Briag.

– Et vous ? Pourquoi allez-vous à Émeraude ?

– Le chef de notre communauté m'a demandé de récupérer au palais certains livres qui nous appartiennent.

– C'est une noble mission. Malheureusement, je crains de ne pas pouvoir vous accompagner plus loin, car mes parents m'ont fait promettre de rentrer tous les soirs à la maison.

– J'imagine qu'avec des ailes, ce n'est pas un problème.

– Je préfère marcher, mais en cas de besoin, je n'hésite pas à les faire apparaître.

Ils bavardèrent ainsi au milieu des éclairs et des grondements sourds du tonnerre. Lorsque les bourrasques cessèrent enfin, Daghild aida son nouvel ami à descendre sur le sol. Il lui pointa au loin le haut pic qui dominait l'horizon.

– Le château que vous cherchez repose au pied de cette montagne.

– Je ne sais comment vous remercier, Daghild.

– Ce n'est pas nécessaire. Vous avez égayé ma journée.

Les deux aventuriers se séparèrent. Briag observa le vol de l'adolescent Fée, qui s'apparentait beaucoup à celui des libellules, puis poursuivit sa route. Il atteignit la montagne isolée quelques jours plus tard, impressionné par sa taille, puis aperçut les fortifications du Roi d'Émeraude au loin. Dernièrement, il n'avait entendu parler que d'Onyx au sanctuaire, et ce qu'on disait de lui n'était guère rassurant. Ce n'était un secret pour personne que ce souverain était xénophobe. Briag regarda la peau laiteuse de ses mains en se demandant comment il réagirait en le voyant.

Il marcha sur le pont-levis et ressentit aussitôt le pouvoir qui se dégageait de la pierre magique que Hawke avait enchâssée dans le balcon du palais. Il s'arrêta un instant pour la laisser régénérer ses forces, puis se dirigea vers les grandes portes ouvertes.

– Qui va là ? s'étonna l'une des sentinelles.

Personne n'osait emprunter les routes boueuses pour venir faire du commerce au château durant la saison froide.

– Le mage Briag de Shola, se présenta l'étranger. Je désire voir le roi.

– Il n'est pas souvent chez lui, mais la reine gère le royaume à sa place.

– Puis-je obtenir une audience auprès d'elle ?

– Traversez la cour jusqu'au palais directement en face de vous et frappez sur les vantaux verts.

– Vous êtes bien aimable.

S'il connaissait de mieux en mieux Onyx, en revanche Briag ne savait rien de la Reine Swan. Toutefois, il s'imagina que la femme qui partageait la vie d'un homme aussi irascible devait certainement être endurcie. Le Sholien cogna l'anneau de fer contre le bois et n'eut pas à attendre longtemps. Un serviteur le fit entrer. Après lui avoir offert de prendre sa cape pour la faire sécher, l'homme installa le voyageur dans un petit salon attenant au grand hall, à la droite du monumental escalier. Nerveux, Briag fut incapable de s'asseoir. Il marcha plutôt en rond dans la pièce en examinant les tableaux et les tapisseries. En comparaison, les moines menaient une vie bien austère, car ils n'accrochaient rien aux murs.

– Que puis-je faire pour vous, vénérable cénobite ? fit une voix de femme.

Le Sholien pivota pour faire face à celle qui venait d'entrer.

– Je suis ici à la demande du hiérophante Isarn du sanctuaire de Shola, débita-t-il après avoir rassemblé son courage. Je m'appelle Briag.

La Reine Swan était vêtue d'une longue tunique de velours vert sombre et ses cheveux bruns bouclés tombaient en cascades sur ses épaules. Elle ne portait aucun bijou, pas même un diadème qui aurait fait état de son rang.

– Désire-t-il reprendre la pierre qui se trouve sur le balcon ?

– Non, Majesté. Il m'a demandé de lui rapporter des livres qui nous appartiennent et qui se trouvent apparemment dans votre palais.

– Êtes-vous certain qu'ils soient ici, Briag ? Il serait dommage que vous ayez fait toute cette route pour rien.

– Je sens déjà leur magie là-haut.

– Dans ce cas, je vais vous accompagner à la bibliothèque, qui se trouve en effet juste au-dessus de nous.

Ils grimpèrent l'escalier côte à côte jusqu'à l'étage supérieur. Briag ne cacha pas son ravissement en mettant le pied dans la vaste salle qui contenait une grande quantité d'étagères chargées de livres et de rouleaux de parchemin.

– Maintenant, c'est à vous de me guider jusqu'aux ouvrages en question.

– Oui, bien sûr, affirma Briag.

Il s'enfonça dans la bibliothèque et marcha tout droit jusqu'à la table où un jeune homme était en train d'écrire dans un grand cahier. Il leva la tête en voyant approcher l'étranger.

– Puis-je vous aider ? s'informa Wellan, sans cacher son inquiétude.

– Je suis venu reprendre les livres qui appartiennent aux Sholiens.

– Les rares ouvrages que nous possédons dans votre langue sont chez Kira.

– Ceux qui m'intéressent sont plutôt rédigés dans la langue des dieux fondateurs.

– En venefica ?

– C'est exact.

– Je suis au beau milieu de leur traduction ! protesta Wellan en adressant un regard suppliant à la reine.

– Je comprends ton désarroi, répliqua Swan, mais si les Sholiens en sont propriétaires, nous n'avons d'autre choix que de les leur rendre.

– Mais ils renferment des renseignements importants qui seront perdus si je ne finis pas mon travail. Ne pourrais-je pas aller les leur porter moi-même quand j'aurai terminé ?

– C'est justement pour éviter que ces connaissances tombent entre de mauvaises mains que le hiérophante veut les reprendre, intervint le voyageur.

– Majesté, je vous en supplie...

– Si c'étaient nos livres qui se trouvaient dans la bibliothèque d'un autre château, que ferais-tu ? lui demanda Swan.

Comprenant qu'il n'arriverait pas à la faire fléchir, Wellan déposa sa plume. Il jeta un dernier coup d'œil au vieil ouvrage, le referma et le tendit à Briag.

– Je vous remercie au nom de tous les Sholiens.

– Y en a-t-il d'autres, Wellan ? insista la reine.

– Oui... dans ma chambre.

L'âme en peine, l'adolescent conduisit la reine et leur visiteur aux appartements de ses parents. Kira était en train de changer la couche des jumeaux avec l'aide de Kaliska, pendant que Lassa écoutait Marek lui lire une histoire, assis près de l'âtre.

– Qui nous emmènes-tu, Wellan ? voulut savoir son père en se levant.

Le jeune homme poursuivit son chemin dans le corridor sans lui répondre.

– Briag de Shola, fit Swan à sa place. Il est venu chercher les livres en venefica.

– Je vois...

Lassa connaissait l'attachement de Wellan pour ces trésors dont il ne se séparait jamais. Il s'adressa au jeune moine :

– Comment êtes-vous venu jusqu'ici ?

– À pied.

– De Shola ? Vous avez dû marcher longtemps.

– C'était la seule façon de me déplacer.

– Marek d'Émeraude ! hurla alors Wellan de sa chambre.

– Je n'ai rien fait ! lança l'enfant en se cachant derrière les jambes de son père.

Son grand frère jaillit du couloir, le visage rouge feu.

– Où sont les livres qui étaient sous mon lit ?

– Je ne sais pas !

Lassa se retourna et s'accroupit devant Marek.

– Ce n'est pas moi ! cria le petit garçon. Que veux-tu que je fasse avec des livres que je ne suis même pas capable de lire ?

– Puis-je voir l'endroit où ils étaient entreposés ? intervint Briag.

Furieux, Wellan rebroussa chemin et le conduisit à sa chambre. Le Sholien s'agenouilla sur le plancher et passa la main sous le meuble.

– Nashoba... murmura-t-il.

– Onyx ? s'étonna Wellan.

Il se coucha lui-même sur le plancher et fit sa propre enquête énergétique.

– Mais comment a-t-il su qu'ils étaient là ? Je ne l'ai dit à personne.

– Il possède des pouvoirs bien supérieurs à ceux des Sholiens, affirma Briag. Je vois que vous en savez déjà beaucoup trop sur le contenu de ces ouvrages sacrés.

– Ils ne devraient pas être cachés aux humains. Nous avons le droit de connaître nos origines.

– Ce n'est pas à nous, mais à Abussos, d'en juger. Je vous remercie de votre collaboration.

Le moine retourna au salon avec le seul ouvrage qu'il avait pu récupérer. Puisqu'il n'avait pas reçu l'ordre d'aller chercher ces œuvres jusque dans les mains du Roi d'Émeraude, Briag comprit qu'il ne pouvait pas aller plus loin.

– Vous n'allez pas refaire toute cette route maintenant ? protesta Lassa.

– Je n'ai pas le choix. Je dois rentrer au sanctuaire.

– Si ce n'est pas trop indiscret, puis-je savoir où il est situé ?

– Dans la falaise de Shola. De toute façon, n'y entre pas qui veut.

– Alors, vous allez être content d'apprendre que je peux vous y conduire en quelques secondes seulement grâce à mon vortex.

– Hawke m'a pourtant affirmé que les dieux vous avaient retiré ces pouvoirs après la guerre...

– Il a dit la vérité, mais pour une raison que nous ignorons, certains d'entre nous les ont conservés.

– Je t'ai déjà dit pourquoi, grommela Wellan.

– Wellan a avancé une théorie selon laquelle je suis en réalité un dieu, avoua Lassa avec un sourire embarrassé.

– Puis-je prendre votre main ?

– Oui, bien sûr. De toute façon, vous aurez besoin de le faire pour que je puisse vous ramener chez vous.

En tremblant, Briag serra doucement les doigts de Lassa entre les siens. « Nahélé ? » s'étonna-t-il en silence.

– Je dois d'abord récupérer ma cape, murmura-t-il en dissimulant sa surprise.

– Dites-moi où elle est et partons.

– Je veux y aller ! s'exclama Marek. Je ne veux pas rester ici avec Wellan !

– Il sait que ce n'est pas toi qui as pris les livres.

Kira et Kaliska arrivèrent dans le salon avec chacune un jumeau dans les bras.

– Mais qu'est-ce qui se passe ici ? s'inquiéta la mère.

– Je viens d'offrir à notre visiteur sholien de le reconduire chez lui, expliqua Lassa.

– Princesse... la salua Briag en baissant respectueusement la tête.

– Soyez le bienvenu à Émeraude, dit Kira en avisant l'air maussade sur le visage de Wellan.

Puis elle se tourna vers son mari.

– Seras-tu parti longtemps ?

– Quelques minutes tout au plus.

– Essaie d'être ici pour le repas du soir.

Pendant que Swan s'approchait de Kira pour cajoler les bébés, Lassa quitta l'appartement avec Briag. Ils récupérèrent son vêtement, puis la magie du porteur de lumière les transporta instantanément au pied de la falaise.

– Je crois que le hiérophante aimerait vous rencontrer, lui fit savoir le Sholien.

– Une autre fois, peut-être. Il est très imprudent de désobéir à ma femme.

Lassa avait parlé sur le ton de la plaisanterie, mais il ne réussit pas à faire sourire Briag.

– Ne tardez pas, alors, murmura-t-il. Mais sachez que vous êtes Nahélé, fils d'Abussos. Isarn sera heureux de savoir que vous vivez parmi nous.

Le moine recula vers le mur de pierre et disparut comme s'il s'y était enfoncé. Immobile sous la pluie, Lassa mit un moment à se ressaisir, puis se laissa emporter dans son vortex.

8

UNE MÈRE INQUIÈTE

Après avoir donné des cours toute la journée et préparé le repas de sa famille, Bridgess avait mis ses filles Djadzia et Élora au lit. Quant à Famire, il était assez grand maintenant pour décider lui-même de ses heures de sommeil. Autrefois, quand il n'était pas avec son père, il passait du temps avec Wellan, mais depuis que ce dernier avait révélé sa véritable identité aux Chevaliers d'Émeraude, les deux garçons ne s'étaient pas revus.

Durant la saison des pluies, Santo ne pouvait pas visiter ses patients aussi souvent que durant la saison chaude. Il faisait partie des soldats magiques qui avaient perdu la faculté de se déplacer au moyen d'un vortex. Lorsqu'il y avait une urgence, les paysans trouvaient parfois une façon de se rendre au château pour requérir ses soins. Mais Santo n'aimait pas savoir que d'autres personnes, qui n'avaient pas les moyens de venir jusque-là, souffraient inutilement. Ce jour-là, de retour des bains avec son grand garçon de seize ans, le guérisseur tentait encore une fois de trouver une solution à ce problème.

Famire fila dans sa chambre pour lire, tandis que son père se mettait à la recherche de sa femme. Il trouva Bridgess assise sur le bord de la fenêtre de leur chambre, inquiète. Il s'approcha et l'embrassa dans le cou sans réussir à la faire sourire.

– L'orage approche, lui dit-il.

– Je sais... Je peux le sentir jusque dans mes os...

– Ne reste pas là.

Santo jeta un coup d'œil dehors et comprit qu'elle regardait l'endroit où sa fille Jenifael avait disparu. Il la cueillit dans ses bras pour l'emmener s'asseoir près de l'âtre, espérant que la chaleur des flammes la réconforterait.

– Il semble que nous sommes devenus si préoccupés par nos problèmes respectifs que nous ne savons plus quoi nous dire, déplora-t-il.

– Je suis désolée, Santo. Je n'arrête pas de penser à Jeni et plus je songe à elle, plus je me rends compte que je ne la connais pas aussi bien que je le croyais.

– Comment est-ce possible ?

– Jenifael n'est pas comme nous. C'est la fille d'une déesse. Je ne sais même pas si elle peut mourir comme toi ou moi.

– Wellan m'a dit, jadis, qu'il existe aussi des grandes plaines de lumière pour les dieux déchus comme Akuretari.

– Je ne voudrais pas qu'elle se retrouve là avec lui, s'étrangla Bridgess, les larmes aux yeux.

– Tu sais bien que de l'autre côté de la vie, on ne ressent plus d'émotions, pas même la haine.

Elle se réfugia contre lui pour pleurer. Patient et compréhensif, Santo caressa ses cheveux jusqu'à ce qu'elle se calme. Parfois, il était préférable de ne pas utiliser de vagues d'apaisement, afin de laisser sortir toute la douleur qui affligeait le cœur.

– Elle aurait été si heureuse avec Hadrian, sanglota la mère.

– Apparemment, son ravisseur n'était pas d'accord avec toi.

– Tu crois qu'il l'a enlevée pour l'arracher à son amour ?

Bridgess se libéra de l'étreinte de Santo pour le regarder dans les yeux.

– Pourquoi n'ai-je pas pensé à ça ? se reprocha-t-elle en essuyant ses larmes. Elle avait un admirateur secret...

– Je doute, avec tous les pouvoirs qu'elle possède, qu'elle n'ait jamais eu conscience que quelqu'un l'observait de loin. T'a-t-elle déjà mentionné l'intérêt exaspérant d'un autre homme ?

Bridgess prit le temps de réfléchir.

– Elle m'a bien parlé de Liam et de Lassa, mais jamais de façon négative. Elle s'est seulement aperçue, une fois qu'ils ont été mariés tous les deux, qu'elle les aimait.

– Et on sait que le tigre qui l'a enlevée n'est ni l'un ni l'autre.

– S'il s'agit d'un dieu, il est possible qu'il ait efficacement dissimulé sa présence. Il n'y a sans doute que sa véritable mère qui puisse la retrouver, maintenant.

– Si tu veux mon avis, cet incident faisait peut-être partie d'une stratégie d'irritation entre les divinités, qui se livrent en ce moment une étrange guerre. Les félins l'ont sans doute prise pour irriter les reptiliens.

– Mais ont-ils l'intention de la relâcher lorsqu'ils auront atteint leur but ?

– À mon avis, Jenifael est en mesure de se défendre, affirma Santo.

– Si c'était vrai, elle aurait trouvé une façon de rentrer à la maison.

– À moins d'être emprisonnée là où sa magie ne fonctionne pas.

– Je veux l'aider, Santo, mais je ne sais pas quoi faire.

– Malheureusement, ce n'est pas parce que nous avons possédé des vortex autrefois que nous comprenons leur fonctionnement. Nous ignorons s'il est possible de configurer un maelstrom pour qu'il en traque un autre. Ils ne nous emmenaient qu'aux endroits que nous visualisions dans notre esprit, et encore là, il fallait que nous ayons d'abord physiquement visité ces lieux.

– Lassa n'a pas perdu cette faculté, ni Kira.

– C'est vrai, mais je ne crois pas qu'ils aient appris entre-temps de quoi les vortex sont vraiment faits. Et même s'ils avaient miraculeusement reçu cette science, ils n'arriveraient pas à suivre la trace du ravisseur, parce qu'il n'en a laissé aucune.

Bridgess se blottit de nouveau contre son mari.

– J'essaie toute la journée de communiquer avec elle par télépathie...

– Je sais...

Peu de Chevaliers possédaient la faculté de ne communiquer qu'avec une seule personne à la fois, alors ils pouvaient tous entendre les appels désespérés de Bridgess.

– Elle est peut-être de l'autre côté des volcans, poursuivit la mère. Le roi y va souvent. Il pourrait nous y emmener.

– C'est une excellente idée.

Les premiers éclairs illuminèrent la chambre. Bridgess se pressa davantage sur la poitrine de Santo.

– Tu n'as rien à craindre...

Il l'enlaça.

– Depuis que tu as découvert que le jeune Wellan est la réincarnation de notre grand commandant, as-tu cherché à lui parler ?

– J'y ai pensé, mais j'ai préféré m'abstenir. Après tout, c'est sa femme qui dort dans mon lit.

– Crois-tu vraiment que je te quitterais pour lui ?

– Non... mais cette situation est plutôt embarrassante pour moi. Je serais incapable de supporter son regard. Et toi ?

– Nous nous sommes querellés, parce que j'étais fâchée qu'il ait gardé son secret aussi longtemps. Il a sa propre vie d'adolescent, maintenant. Je suis une femme mariée, et une mère de surcroît.

De violents coups furent frappés à la porte principale. Santo alla ouvrir. Quelle ne fut pas sa surprise de trouver son ami Jasson dans le couloir. Les deux hommes échangèrent la poignée de main caractéristique des Chevaliers d'Émeraude.

– Que fais-tu ici à une heure aussi tardive ?

– Je voulais vous voir avant de me mettre en route pour Zénor.

– Zénor ? À cette époque de l'année ?

– C'est une affaire qui ne peut pas vraiment attendre.

– Entre.

Santo conduisit son frère d'armes près de l'âtre de la chambre. Bridgess l'étreignit avec affection, puis lui tira une chaise. Jasson déposa la besace qu'il transportait et rejoignit ses amis.

– Il n'y a que toi pour se balader par un temps pareil, lui reprocha Bridgess.

– Les routes sont moins bondées lorsqu'il pleut.

– Les chevaux peuvent aussi s'y casser une patte.

– Pas le mien. Lui et moi, on connaît les sentiers les plus sûrs.

Tandis que le couple s'informait de Sanya et de l'état de sa ferme, sans qu'ils s'en rendent compte, le contenu de la besace s'agita. Une petite patte bleue se faufila dans l'ouverture du sac et en tâta l'extérieur à la recherche de la pince en bois qui empêchait le nœud coulant de se défaire. Les doigts écaillés se refermèrent sur la pièce et la firent craquer, ce qui relâcha la corde qui tenait la besace fermée. Un museau se mit à élargir l'ouverture jusqu'à ce qu'elle soit suffisamment grande pour y faire passer le corps de l'animal. Le dragon s'assura que les humains ne regardaient pas dans sa direction, puis s'avança pour laisser sortir son congénère, rouge celui-là.

Les deux bêtes, de la taille de gros chats, filèrent dans la chambre voisine, où dormaient des fillettes. Sans les déranger, les dragons sautèrent sur le bord de la fenêtre. Ils s'agrippèrent aux pierres et escaladèrent le mur à la manière des lézards. Ils se dirigeaient vers la muraille qui entourait la forteresse lorsque le dragon rouge huma une odeur familière.

– Ramalocé, attends !

– Nous ne devons pas nous attarder, sinon il nous capturera une seconde fois.

– Le Prince Lassa est ici.

– En es-tu certain, Urulocé ?

– Comment pourrais-je oublier le doux parfum de ce gentil garçon ? Je t'en prie, allons lui dire au revoir.

– Pas plus que quelques minutes. Prends les devants.

Ils continuèrent jusqu'au troisième étage du palais et jetèrent un œil dans la pièce. Le porteur de lumière était couché dans un petit lit. La joie des dragons fut si grande qu'ils s'élancèrent à l'intérieur et sautèrent sur le dormeur. Réveillés en sursaut, Lassa et Marek poussèrent un cri d'effroi en s'assoyant. Sans perdre un instant, le père alluma toutes les bougies.

– Maître Lassa ! s'exclamèrent en chœur les petites bêtes transportées de bonheur. Vous êtes devenu un homme !

Les dragons se redressèrent sur leurs pattes arrière et se mirent à lécher le visage de Lassa.

– Maman ! hurla Marek. Des monstres sont en train de manger papa !

Les cheveux en bataille, Kira se présenta à la porte en robe de nuit.

– Mais qu'est-ce que c'est que ça ?

– Ma chérie, je te présente Ramalocé et Urulocé, fit Lassa.

– Tu les connais ? s'étonna Marek.

– Ils m'ont tenu compagnie lorsque le Magicien de Cristal m'a caché dans la montagne.

– C'est arrivé pour vrai ?

Les dragons s'assirent sagement sur les genoux de Lassa.

– Nous avons fait de notre mieux pour le divertir, assura Ramalocé.

– Ils parlent ? s'étrangla Marek.

– Évidemment ! s'offensa Urulocé.

– Que faites-vous ici ? voulut savoir Lassa.

Kira avait plutôt plissé le nez en se demandant s'ils représentaient un danger pour ses jumeaux.

– Nous avons passé les dernières années sur la ferme d'une jolie demoiselle du nom de Katil, commença Ramalocé.

– Elle nous a traités comme des rois, jusqu'à ce qu'elle prenne mari et qu'elle quitte sa famille, continua Urulocé.

– Pour que nous ne soyons pas abandonnés à notre sort, elle a demandé à son petit frère Cléman de s'occuper de nous.

– Il a malheureusement grandi et s'est complètement désintéressé de cette tâche, ce qui nous a obligés à chercher notre propre pitance.

– Personne ne nous avait dit qu'il était défendu de manger les œufs des poules.

– Alors, le père de Cléman nous a piégés et enfermés dans un grand sac.

– Pour vous noyer dans la rivière ? s'alarma Marek.

– Est-ce ce qu'il voulait faire ? s'horrifia Ramalocé.

– Marek, on n'accuse pas les gens d'avoir de mauvaises intentions sans en avoir la moindre preuve, l'avertit Kira.

– Il n'a pas dit ce qu'il comptait faire de nous, avoua Urulocé, mais nous avons eu très peur tandis que nous nous faisions ballotter dans tous les sens.

– Je connais suffisamment Jasson pour vous assurer qu'il ne vous aurait pas tués, affirma la Sholienne.

– Il voulait peut-être les porter à leur premier maître ? suggéra Lassa.

– Maître Abnar ? bafouilla Ramalocé. Non, ce n'est pas une bonne idée.

– Il ne vous a jamais maltraités, pourtant.

– Il ne s'occupait pas de nous, non plus, grommela Urulocé.

– Est-ce qu'on peut les garder, maman ? supplia Marek.

– Nous serions ravis de vivre auprès de maître Lassa, affirma Ramalocé, avec espoir.

– Je ne sais pas... hésita Kira.

– Nous nous contentons de restes de table, indiqua Urulocé.

– De plus, nos connaissances n'ont pas de fin, ajouta Ramalocé. Nous pouvons aider les enfants à faire leurs devoirs et à apprendre leurs leçons.

– Dis oui ! implora Marek.

– Ils ne sont pas agressifs, renchérit Lassa. Il faut juste leur imposer des limites.

– Ne devrions-nous pas d'abord demander à Jasson ce qu'il avait l'intention d'en faire ?

En entendant ce nom, les dragons sautèrent sur le sol et se réfugièrent sous le lit.

– Regarde ce que tu as fait, reprocha l'enfant à sa mère.

– Ces bêtes ne nous appartiennent pas, Marek. Je ne voudrais pas qu'on nous accuse de les avoir volées.

Lassa sonda les alentours et repéra son frère d'armes dans l'aile des Chevaliers.

– Le mieux, c'est toujours de s'informer, fit le père en descendant du lit. Marek, je te confie mes deux petits amis. Essaie de les réconforter, veux-tu ?

– Oui, papa !

Lassa quitta la chambre avec sa femme et referma la porte derrière lui.

– Nous aurions dû acheter un chien à Marek lorsqu'il nous l'a demandé, ronchonna Kira en le suivant dans le couloir.

– Ce n'est pas leur faute si Abnar les a arrachés à leur monde.

– Tu songes vraiment à les garder ?

– Ils ont pris soin de moi quand j'en ai eu besoin.

– Mais les jumeaux ?

– On leur fera comprendre qu'ils ne doivent pas s'en approcher.

– Ce sont des dragons avec des griffes et de longues dents pointues.

Lassa s'arrêta au salon et se tourna vers Kira.

– J'ai épousé une femme formidable qui a, elle aussi, des griffes et des dents pointues, mentionna-t-il avec un sourire. Personne ne m'a jamais aussi bien traité qu'elle.

– Bon, tu gagnes, capitula la Sholienne, mais seulement si Jasson est d'accord.

Il l'embrassa tendrement sur les lèvres.

– Je reviens tout de suite.

Lassa descendit le grand escalier jusque dans le vestibule et traversa tout le palais pour se rendre au bâtiment attenant, où logeaient jadis les valeureux défenseurs d'Enkidiev. Il avait depuis été transformé en plusieurs logis pour les Chevaliers qui avaient exprimé le vœu de continuer à vivre au château après la guerre. Suivant la trace d'énergie laissée par Jasson, Lassa s'arrêta devant la porte de Santo et frappa quelques coups. Ce fut Bridgess qui lui ouvrit.

– Décidément, personne ne semble capable de dormir, ce soir, lança-t-elle, amusée.

– En fait, je n'ai qu'une question à poser à Jasson, avoua Lassa.

– Entre.

Elle le conduisit auprès des deux hommes, qui venaient tout juste de se rendre compte que la besace était vide.

– Tu n’aurais pas vu deux petites bêtes dans le corridor, par hasard ? Une rouge et une bleue ? demanda Jasson.

– C’est justement d’elles que je voulais te parler, indiqua Lassa. Elles se sont réfugiées chez moi, croyant que tu allais les mettre à mort.

– Moi ? Jamais de la vie ! Je les conduisais chez Katil parce que plus personne ne s’en occupe, chez moi.

– Aurais-tu objection à ce que je les prenne à sa place ?

– Certainement pas. Ça m’éviterait même un long voyage sous la pluie.

Pendant que les Chevaliers discutaient du sort des anciennes sentinelles de la Montagne de Cristal, Marek s’était allongé sur le plancher et observait les dragons terrorisés.

– Arrêtez d’avoir peur, chuchota-t-il. Mon père obtient toujours ce qu’il veut, sauf avec maman, bien sûr.

– Nous ne voulons pas retourner dans cet horrible sac, se lamenta Ramalocé.

– Si je vous jure sur mon honneur que cela n’arrivera pas, accepterez-vous de sortir de là ? Il fait froid sur le plancher.

Pour les inciter à le suivre, Marek remonta sur son lit. Les deux museaux apparurent sur le bord des couvertures quelques secondes plus tard.

– Ne restez pas là, venez !

Les créatures bondirent près de l'enfant.

– Avez-vous un nom, jeune homme ? demanda Urulocé.

– Je suis Marek, fils de Lassa d'Émeraude et de Kira de Shola.

– Le maître a eu des enfants ! se réjouit Ramalocé.

– Oui et tout plein, en plus ! J'ai deux grands frères, Wellan et Lazuli, une grande sœur, Kaliska, et un frère et une sœur jumeaux, Kylian et Maélys.

Lorsque Lassa revint finalement chez lui, il se dirigea tout droit à la chambre de son fils pour lui annoncer la bonne nouvelle, mais s'immobilisa sur le seuil. Marek dormait, les bras autour de ses deux nouveaux amis.

9

L'AVEU

Depuis que Shapal était retournée auprès de son peuple ichtyoïde, Kirsan se morfondait dans le palais de son grand-père. Tous les jours, au début, il avait marché sur la plage, espérant voir apparaître la chevelure verte et turquoise de son amie entre les vagues. Puis, la saison froide s'était abattue sur le continent et le jeune homme avait dû se réfugier sur le grand balcon pour surveiller l'océan. C'est d'ailleurs là que le trouva son père, le Prince Zach, alors qu'une autre tempête s'apprêtait à fouetter le Château de Zénor.

– Pourquoi as-tu manqué le repas du matin, Kirsan ?

– Je n'avais pas faim.

– Ta mère a remarqué que tu manques d'entrain, ces derniers temps.

– Dites-lui de ne pas s'inquiéter pour moi.

Zach vint s'asseoir sur la balustrade, près du seul fils que lui avait donné sa femme, Alassia.

– Jadis, nous nous disions tout, Kirsan, mais en grandissant, tu t'es refermé comme une huître.

– Il serait faux de dire que c'était réciproque, puisque ce que je sais de vous, je l'ai surtout appris dans mes visions.

– C'est donc la cause de ta morosité...

– En partie, seulement. Je viens de m'apercevoir que mes sentiments pour Shapal ont changé.

– Je ne suis pas contre les unions entre les princes et les gens du peuple, mais cette créature appartient à la mer.

– Le fait qu'elle puisse respirer dans l'eau ne l'empêche pas d'avoir un cœur.

– Kirsan, je t'en prie, sers-toi de ta raison. Tu ne possèdes pas de branchies et Shapal ne pourrait pas survivre dans ce château.

– Je sais nager... et ma vie n'a aucun sens loin d'elle.

– Aucun sens ? répéta Zach, incrédule. Dois-je te rappeler que tu seras le prochain Roi de Zénor ?

– Ce sera Marek et vous le savez aussi bien que moi.

– Encore une de tes visions, n'est-ce pas ?

– Elles ne m'ont jamais trompé.

Zach soupira avec découragement.

– Mon fils, écoute-moi.

– Pas cette fois, père. J'ai beaucoup réfléchi à toutes ces rumeurs qui circulent dans les royaumes à votre sujet et au contenu étrange de certains de mes rêves.

Le visage jusque-là jovial de Zach s'assombrit.

– Que dit-on sur moi ?

– Entre autres, que vous êtes un imposteur.

– Tu crois réellement que j'ai abusé de la confiance et de la crédulité de tous ceux qui me sont chers ?

– Vous n'êtes pas l'homme que vous prétendez être.

Kirsan fixa le prince dans les yeux un long moment, attendant ses aveux, qui ne vinrent pas.

– Êtes-vous vraiment mon père ? insista-t-il.

– Évidemment que je suis ton père. Ne laisse personne te dire le contraire.

– Mon don m'a révélé que j'ai des frères et des sœurs quelque part.

Le père garda un silence coupable.

– Un pouvoir comme le mien n'est pas accordé aux simples mortels, continua Kirsan. Les livres d'histoire de la bibliothèque d'Émeraude indiquent qu'il y a eu très peu d'augures à Enkidiev et qu'ils étaient pour la plupart divins ou sholiens.

– Je craignais que ce jour finisse par arriver... murmura Zach.

– Dites-moi la vérité.

– Elle pourrait te faire perdre la raison, Kirsan.

– Mais l'ignorance est déjà en train de me rendre fou. Ne comprenez-vous pas que je dois savoir qui je suis afin de choisir mon destin ?

– Ton destin n'est certainement pas d'épouser Shapal. Si elle ne partage pas encore tes sentiments, mieux vaut que vous ne soyez que des amis, car les chats et les poissons ne font pas bon ménage.

– Quoi ?

Zach descendit du muret et fit quelques pas sous le regard inquiet de Kirsan.

– Lorsque la Reine Jana a commencé à ressentir les premières douleurs de l'enfantement, je me suis approché afin de pénétrer dans le corps du bébé au moment où il prenait son premier souffle.

– Êtes-vous un démon ? s'effraya le jeune homme.

– Non. Je suis un dieu.

Kirsan ouvrit la bouche, mais aucun son ne s'en échappa, tellement il était surpris.

– Contrairement à ce que croient les humains, les mondes célestes ne sont pas des lieux de bonheur parfait. Depuis des milliers d'années, ils sont le théâtre de querelles ridicules entre des créatures qui proviennent pourtant de la même source. J'en avais tout simplement assez, alors j'ai décidé de vivre auprès des mortels.

– Vous avez tué le véritable Prince Zach ?

– Pas du tout. J'ai pris possession du corps du bébé de la Reine de Zénor au moment de sa naissance, alors je suis devenu Zach.

Kirsan secoua la tête, comme s'il cherchait à se réveiller d'un mauvais rêve.

– Mais mon véritable nom est Solis.

– Le fils d'Étanna ?

– L'un de ses nombreux enfants.

– Sait-elle que vous êtes ici ?

– Oh oui, et cela la rend folle de rage. Tu vois, les cinq enfants d'Aiapaec et d'Aufaniae ont tous le même défaut : ils se donnent une importance exagérée. Despotes et cruels, ils tiennent obstinément à diriger la vie de leurs héritiers. Je n'aime pas qu'on me dise constamment quoi faire et quoi penser. Les mortels sont beaucoup plus conciliants.

– Vous êtes un dieu félin... murmura Kirsan, qui avait encore du mal à le croire.

– En fait, je ressemble beaucoup à Étanna, sauf que je suis un mâle.

Voyant que le visage de son fils continuait d'exprimer la stupéfaction la plus totale, Solis se transforma en jaguar.

– Voici ma véritable apparence, articula le fauve. Comme la plupart des divinités, je préfère celle que Parandar a créée pour les habitants de cet univers.

Il reprit sa forme humaine.

– Ma seule faiblesse, dans ce monde, a été de succomber aux charmes des femmes.

– Ma vision ne m'a donc pas trompé.

– Lors d'une visite au Royaume de Shola, à l'époque où les familles royales entretenaient des relations plus régulières, j'ai été ému par la beauté éthérée de la princesse de cette incomparable forteresse de glace. Nous n'avons passé qu'une seule nuit ensemble. Elle avait tant besoin de réconfort, car son mari la délaissait. Il était encore sous le choc de l'avoir vue mettre au monde une petite fille toute mauve.

– Kira...

– J'ignorais qu'elle était la fille d'Akuretari, mais en même temps, c'est sans doute son essence divine qui avait dicté mon élan du cœur. Bien involontairement, nous avons conçu une autre petite fille, qu'elle s'est empressée de confier à une mère féline.

– Myrialuna...

– Heureusement, j'ai rencontré ta mère peu de temps après et elle m'a fait oublier ce premier amour.

– Vous avez pourtant eu d'autres enfants après moi.

– Seulement deux.

– Et ce n'était certainement pas avec la Reine Fan, puisqu'elle est morte quand Kira avait deux ans.

– Tu es très perspicace.

– Parlez-moi des deux autres.

– Ils s'appellent Cornéliane et Marek.

– Ce n'est pas vrai...

– Le petit est un magnifique léopard des neiges et sa sœur est un guépard.

Kirsan ferma les yeux un instant pour réfléchir.

– Pourquoi ? finit-il par demander.

– La Reine Swan est l'une des femmes les plus attirantes que j'ai rencontrées de toute ma vie. Je n'ai pas su lui résister. J'ai pris l'apparence de son mari, qui n'avait pas la force de lui faire un enfant de toute façon, et je lui ai donné tout mon amour.

– C'est malhonnête !

– Je perds toute ma sagesse devant la beauté.

– Mais Kira est votre belle-sœur ! La femme de votre propre frère !

– J'ignore ce qui s'est passé, mais notre courte relation a peut-être été provoquée par la présence d'un objet magique qu'un dieu ailé avait remis à Lazuli.

– La pierre des souhaits, se rappela Kirsan. Vous avez exprimé le vœu de devenir intime avec elle ?

– Ce talisman ne s'est jamais retrouvé dans mes mains, alors j'imagine que c'est elle qui en a eu envie.

– Vais-je devenir comme vous ? s'horrifia Kirsan.

– Tu as seulement la moitié de mon sang. J'ose espérer que tu subiras l'influence positive de celui de ta mère.

– Vous avez dit que vos enfants pouvaient se métamorphoser.

– S'ils ont cette faculté, j'avoue que c'est grâce à moi.

– L'ai-je aussi ?

– Bien sûr.

– Alors, pourquoi ne me suis-je jamais transformé ?

– Parce que je ne t'ai pas donné de pendentif magique. Seuls les véritables dieux peuvent changer d'apparence à volonté sans l'aide d'une amulette. Mes enfants sont des demi-dieux. Ils en ont besoin pour devenir félins.

– Avez-vous offert une amulette aux trois autres ?

Solis comprit qu'il allait s'attirer la rancœur de Kirsan s'il lui avouait la vérité.

– Vous l'avez fait, n'est-ce pas ?

– J'attendais que tu sois moins rêveur et plus réaliste avant de te remettre ce bijou magique.

– Parce que selon vous, Marek, qui n'a que sept ans, est plus mûr que moi ?

Piqué au vif, Kirsan se laissa glisser sur le sol et prit la fuite en courant. Il dévala l'escalier et sortit dans la cour du château. Les yeux embués de larmes, il quitta l'enceinte et descendit sur le rivage. La pluie drue traversait ses vêtements, mais le jeune homme s'en moquait. La seule pensée que pendant toutes ces années, son père l'avait jugé inapte à faire face à son destin le hantait.

Des éclairs fulgurants se mirent à illuminer la sombre plage et les roulements de tonnerre lui déchirèrent les tympans.

– Shapal ! hurla-t-il en faisant face à l'océan déchaîné.

– Elle ne peut pas t'entendre, lui dit son père, qui venait d'apparaître à deux pas de lui.

– Laissez-moi seul...

– Alors que tu as le plus besoin de réconfort ?

– Si vous n'avez pas encore compris que je cherche ma propre identité, je vois mal comment vous pourriez m'aider.

– Tu es mon fils et c'est tout ce qui compte pour moi.

– Je ne suis ni dieu, ni mortel, ni prince, ni paysan. Je ne sais pas qui je suis... Je cherche une raison de continuer à vivre...

Solis tendit le bras. Dans ses doigts, il tenait une chaînette sur laquelle pendait un anneau lumineux.

– Pardonne-moi de ne pas m'être aperçu que tu avais grandi... Si tu n'en veux pas, je comprendrai.

Kirsan hésita entre accepter le présent de Solis et se jeter à l'eau afin de nager jusqu'à Ipoca.

– Ton destin est de te servir de tes facultés divines pour aider ton prochain, mais ce n'est pas aussi simple que tu sembles le croire. En devenant un dieu, tu deviendras automatiquement l'ennemi des panthéons reptilien et aviaire. Ai-je besoin de te rappeler de quoi Azcatchi est capable ?

– Mais Shapal...

– Vous pouvez rester amis, mais si tu l'aimes vraiment, ne la mets pas en danger.

– Pourquoi Azcatchi s'en prendrait-il à moi ?

Solis s'approcha, plaça ses mains sur les tempes de son fils pour faire jouer dans son esprit les scènes de son combat contre le dieu-crave, dans le cromlech de la forêt d'Émeraude, puis le libéra.

– Il attaque tout ce qui est divin, même les membres de son propre panthéon.

– Montrez-moi comment défendre les habitants d'Enkidiev contre ce monstre !

– Il te faudrait suivre un pénible entraînement.

– Je n'ai pas peur de l'effort.

Le dieu-jaguar attacha la chaînette autour du cou du jeune homme, mais conserva l'anneau dans sa main pour qu'il ne retombe pas tout de suite sur sa poitrine.

– J’ai bien hâte de découvrir ce que tu es.

– Vous ne le savez pas ?

Solis hocha la tête à la négative.

– Lorsque le bijou entrera en contact avec ta peau, tu te transformeras. Rappelle-toi que tu seras le seul à le voir. Il ne servira à rien de le montrer à qui que ce soit... même à Shapal. Il n’appartient qu’à toi. Es-tu prêt ?

– C’est maintenant ou jamais.

Le père ouvrit les doigts. Dès que l’anneau le toucha, Kirsan fut ébloui par un éclair qui ne provenait pas du ciel. Tout son corps fut bouleversé, un muscle à la fois. Il ne sentit même pas Solis lui agripper la main. Lorsque sa vision redevint normale, le jeune homme se trouvait dans un univers tout à fait différent.

– Où sommes-nous ?

– Dans le royaume des félins. Tu ne pourras pas t’y rendre sans moi, au début, mais dès que je jugerai que tu as la parfaite maîtrise de la métamorphose, tu seras libre de revenir quand tu veux.

– À quoi est-ce que je ressemble ?

– À un chat doré du Désert.

– Un quoi ?

– Viens, je vais te montrer.

Ils suivirent un sentier dans la forêt jusqu'à une grande mare tranquille. Attentif, Kirsan entendait des sons insolites, humait des odeurs nouvelles et distinguait le moindre mouvement autour de lui.

– Regarde.

Kirsan se pencha au-dessus de l'eau. Il vit le visage pointu d'un gros chat roux tacheté de beige rosé aux grands yeux dorés et aux oreilles courtes. Il baissa le regard sur ses bras recouverts d'un épais pelage fauve.

– Les gens normaux ne peuvent pas faire la même chose, même avec l'amulette ?

– Non. Il faut avoir du sang divin.

– C'est incroyable.

– Suis-moi, si tu le peux.

Solis se changea en jaguar et bondit dans la forêt. Kirsan se laissa retomber à quatre pattes et fila à sa suite.

10

PALANC

Après sa courte halte chez les Mixilzins, Onyx décida de rester encore quelques jours dans le nouveau monde, car plus rien ne le retenait vraiment chez lui. Afin d'éviter les dangereux Scorpenas, au lieu de se matérialiser dans la forêt d'Itzaman, il choisit de réapparaître sur le versant du volcan, là où ses amis avaient trouvé la fleur bleue. C'était la saison des pluies à Enkidiev et pourtant, il faisait beau à Enlilkisar. De son point d'observation, Onyx pouvait voir toute la baie, mais ses pensées obsédantes l'empêchaient d'apprécier la beauté du paysage.

S'il voulait reprendre sa place à Émeraude, il lui faudrait imposer sa volonté à Swan, ce qui ne lui plaisait pas du tout. Marié trois fois, jamais il n'avait eu recours à la violence pour que les choses se passent à sa façon. Depuis qu'il partageait la vie de la femme Chevalier, il avait toujours réussi à lui faire faire ce qu'il voulait en l'enjôlant. Cette fois, c'était différent. Parce qu'il avait été cloué au lit par la maladie pendant quinze longues années, elle avait été obligée de diriger le royaume et d'élever seule leurs enfants. Onyx dut en venir à l'évidence : il avait perdu la maîtrise du pouvoir et de ses fils.

Aux antipodes vivait une guerrière qui, elle, ne cherchait qu'à le séduire et à le garder auprès d'elle. «On dirait que le destin m'oblige sans cesse à fonder des familles auxquelles je dois renoncer», songea-t-il. S'il décidait de quitter Enkidiev pour s'installer à demeure chez les Mixilzins, lui arriverait-il encore la même chose?

Il se mit alors à penser à Cornéliane, la prunelle de ses yeux, qu'un dieu-crave lui avait ravie et qu'un dieu-félin avait mise en lieu sûr, le croyant incapable d'assurer lui-même sa sécurité. Tandis que son regard se posait sur la pyramide de Solis, Onyx se rappela que les Itzamans avaient rescapé le jeune fils d'Azcatchi...

– Ce serait pure folie, fit une voix derrière lui.

En une fraction de seconde, le Roi d'Émeraude avait bondi sur ses pieds en faisant volte-face, et sa redoutable épée double était apparue dans ses mains.

– C'est une arme noble, mais absolument inefficace contre mes poignards, lui dit l'homme complètement vêtu de noir, dont le visage était caché par un large capuchon.

– Je connais votre voix... Vous êtes celui qui s'amuse à me traquer depuis que j'explore le nouveau monde.

– Je vous surveille depuis beaucoup plus longtemps que ça et certainement pas par plaisir.

– Qui vous en a donné l'ordre?

– Votre mère.

– Elle est morte depuis bien longtemps.

– Votre véritable mère.

Onyx fronça les sourcils en se demandant s'il s'agissait d'un coup monté par Wellan et Hadrian.

– Que vous le croyez ou non n'y change rien. Mon travail consiste à vous empêcher de faire des bêtises, comme enlever le fils d'Azcatchi, par exemple.

– On vous a demandé de me mettre des bâtons dans les roues jusqu'à la fin de ma vie ?

– Non. Seulement jusqu'à ce que vous ayez accepté qui vous êtes, heureusement.

– Alors, vous allez vous rendre compte que je ne suis pas très influençable.

– Écoutez-moi, Nashoba.

– Je m'appelle Onyx.

– J'ai reçu la permission de vous blesser, mais pas de vous tuer.

– C'est intéressant à savoir. Et dans quelles circonstances cela pourrait-il se produire ?

– Si vous tentez d'établir une relation plus intime avec Napashni, je serai forcé d'intervenir.

– Ça ne risque pas d'arriver, puisque je ne sais même pas qui c'est.

– Ses parents mortels l'ont prénommée Napalhuaca.

Le visage d'Onyx se durcit.

– Je déteste qu'on intervienne dans ma vie privée, gronda-t-il.

– Si vous aviez été un homme prudent et raisonnable, vos parents n'auraient pas été obligés de requérir mes services.

– Comment vous appelez-vous ?

– Est-il vraiment important que vous le sachiez ?

– J'aime connaître le nom de mes adversaires.

– Mon but n'est pas de vous provoquer, mais de vous mettre en garde contre votre imprudence.

– Votre nom, exigea Onyx.

– Tayaress.

– Comme je vous l'ai dit lorsque vous vous cachiez dans les arbres, ce que je fais ne regarde personne, et surtout pas les dieux. Je suis mon propre maître.

– Ne commettez pas la même erreur que les dieux dragons. En s'unissant, ils ont mis au monde cinq divinités dégénérées qui sont en train de mettre l'univers en péril.

– Allez donc régler leur cas au lieu de m'embêter.

– Je ne fais que ce qu'on m'a demandé de faire.

Sans avertissement, Onyx fonça sur Tayaress. Les pointes de son épée sifflèrent dans le vide, car l'Immortel avait déjà bondi par-dessus son attaquant pour se retrouver derrière lui.

– Mais comment... s'étonna le Roi d'Émeraude en se retournant.

– Ma constitution est différente de celle des mortels. Jamais vous ne me prendrez de vitesse.

– Sachez que je suis un homme très têtu.

– Je l'ai constaté, en effet.

N'ayant apparemment pas compris la leçon, Onyx attaqua une seconde fois cet empêcheur de tourner en rond, qui disparut littéralement sous ses yeux.

– Votre lâcheté me prouve que vous êtes bel et bien un Immortel ! cria le souverain, furieux.

– En combat loyal, je vous tuerais en trois secondes, et je perdrais ma propre tête.

Onyx le chercha des yeux et vit qu'il se tenait debout sur une grosse roche volcanique à plusieurs mètres de lui.

– N'attendez pas qu'Abussos lui-même vienne vous remettre à votre place avant de comprendre que vous détenez le pouvoir vous aussi de détruire le monde.

– Ne vous mêlez plus de mes affaires !

Le serviteur céleste s'évanouit comme un mirage. Onyx demeura immobile un moment, puis fit disparaître son épée. « C'est une hallucination causée par la chaleur et le manque d'eau », décida-t-il. Il se mit donc à descendre en direction du village du Prince Juguarete. En le reconnaissant, les sentinelles vinrent à sa rencontre. Le sortilège qui permettait à Onyx de comprendre toutes les langues d'Enlilkisar fonctionnait toujours, car il comprenait tout ce que lui disaient les Itzamans et, de leur côté, ils saisissaient le sens de ses paroles.

– Nous sommes heureux de revoir celui qui porte la marque de Solis, se réjouit Sévétouaca.

– J'en ai appris davantage à ce sujet, indiqua Onyx.

– Venez le raconter au prince.

Le Roi d'Émeraude avait bien des défauts, mais il n'aimait pas mentir. Il ne ferait donc pas croire à ce peuple qu'il était un descendant de Solis, alors que c'était faux. Plus il avançait vers le centre du village, plus les Itzamans l'entouraient en le louangeant. « Est-ce encore quelque chose qui irritera les dieux fondateurs ? » se demanda Onyx avec un sourire narquois.

Secrètement, il espéra que oui. Juguarete apparut alors, fendant la foule.

– Soyez le bienvenu une fois de plus dans la cité du soleil, le salua le prince.

– Je suis venu m'enquérir du sort du bébé que vous avez arraché à Azcatchi.

– Il grandit en force et en sagesse.

– Savez-vous qui il est ?

– Nous n'avons pas retrouvé sa famille.

– Vous ne la retrouverez pas dans votre pays, puisqu'il est Tepecoalt.

Juguarete, son épouse et tous leurs courtisans écarquillèrent les yeux, stupéfaits.

– Azcatchi l'avait déposé sur l'autel de Solis pour l'immoler ! protesta Féliss. C'est Cherrval et moi qui l'avons sauvé. Tout le monde sait que les Tepecoalts adorent les dieux ailés.

Assis près de lui, le Pardusse, qui était revenu à Itzaman, affirma qu'il disait la vérité.

– Mon fils a raison, l'appuya Juguarete. Pourquoi Azcatchi aurait-il eu l'intention de tuer l'enfant d'un peuple qui adore son panthéon ?

– Il est le père de ce bébé, leur apprit Onyx.

– Il voulait arracher le cœur de son propre fils ? s'étrangla Cherrval.

– Azcatchi n'a qu'un seul but : régner seul sur le monde entier.

Onyx promena son regard sur l'assemblée.

– Où est le petit ?

– Palanc dort dans la maison, affirma la femme du prince.

– Nous l'élevons comme notre propre fils, ajouta Juguarete, et Féliss veille sur lui avec son ami Cherrval.

– Pouvez-vous imaginer ce qui se passera quand il sera grand ? Il développera ses pouvoirs, ce qui attirera infailliblement Azcatchi. Il n'hésitera pas à éliminer tous ceux qui l'empêcheront de reprendre l'enfant.

– Comment pourrons-nous le protéger ?

– Vous ne le pourrez pas. Tout comme vous serez incapables de l'aider à développer ses pouvoirs surnaturels. Que ferez-vous si, dans quelques années, il se met à afficher le même caractère violent que son père ? Serez-vous en mesure de contenir sa fureur ?

– Vous n'allez tout de même pas nous demander de le mettre à mort... s'effraya Féliss.

– Certainement pas. S'il y a quelqu'un en ce monde qui respecte les enfants, c'est bien moi. Ce que je suggère, c'est de le confier à des mages qui sauront en faire quelqu'un de bien.

– Laissez-nous y réfléchir, trancha Juguarete.

– Prenez tout votre temps, je ne suis pas pressé.

– Acceptez notre hospitalité en attendant. Vous êtes chez vous, ici, Roi d'Émeraude.

– Je vous en remercie.

« J'ai trop subi l'influence d'Hadrian », se désespéra Onyx. « Je commence à parler comme lui. » Il salua la famille royale et toute la cour d'un mouvement de la tête et s'éloigna en direction de l'océan. Il n'avait pas atteint la grande pyramide que Féliss et Cherrval le rattrapèrent.

– Je croyais que vous vouliez rester chez les Mixilzins, laissa tomber le souverain en se tournant vers l'homme-lion.

– L'amour de ma vie m'a rejeté. Elle se croit humaine, alors qu'en réalité, elle est Pardusse comme moi.

– Je sais ce que c'est...

– Pourquoi le Roi Hadrian n'est-il pas avec vous ? s'enquit Féliss.

– Il a un grave problème à régler. Un dieu félin a ravi son épouse quelques secondes après qu'ils ont eu prononcé leurs vœux.

– Quelle honte ! se désola Cherrval.

– Hadrian est un homme intelligent. Il retrouvera le coupable et il sera à nouveau réuni avec sa douce. Je n'en ai aucun doute.

– Pourquoi n'êtes-vous pas resté auprès de lui pour l'aider dans ses recherches ? s'étonna Féliss.

– Parce que j'ai mes propres ennuis. Mais je ne suis pas venu ici pour vous en accabler. Venez m'avertir lorsque le prince aura pris sa décision.

Il les quitta et contourna la pyramide.

– Son cœur est brisé, on dirait, fit remarquer Cherrval.

– Nous ferions mieux de le laisser tranquille, je crois, recommanda Féliss.

Onyx s'assit sur le sable et enleva ses bottes, avec l'intention de soulager ses pieds dans l'eau le long de la plage. Les Itzamans aimaient délibérer, alors il ne s'attendait pas à une réponse rapide. S'ils ne se prononçaient pas avant la nuit, il dormirait dans la pyramide, comme l'avaient fait les aventuriers d'Enkidiev qui l'avaient précédé dans le nouveau monde.

Il roula le bas de son pantalon et marcha dans les petites vagues qui venaient mourir sur la grève. Là d'où il venait, cet exercice bienfaisant n'était possible que sur la côte du Désert, car les plages qui s'étendaient vers le nord étaient recouvertes de cailloux. L'eau y était d'ailleurs bien plus froide que dans la baie qu'Itzaman partageait avec Tepecoalts, Hidatsa et Ellada. Onyx avançait lentement depuis une vingtaine de minutes, perdu dans ses pensées, lorsqu'un remous attira son attention à plusieurs mètres à sa droite. Il s'immobilisa et attendit de voir ce qui se passait. C'est alors que les têtes de plusieurs hippocampes géants surgirent des flots. Apparurent ensuite leurs cavaliers, des Ipocans de diverses couleurs, brandissant des tridents.

« Qu'est-ce que j'ai encore fait ? » se demanda Onyx. L'un des guerriers descendit de sa monture et nagea jusqu'à lui. Son corps était recouvert jusqu'au cou de petites écailles dorées et sa longue chevelure était rouge comme le feu. Il se courba respectueusement devant le Roi d'Émeraude.

– Hommage, Nashoba.

Onyx haussa les sourcils avec étonnement.

– Je vois que vous ne me reconnaissez pas, remarqua l'Ipocan en se redressant, mais il faisait très sombre la dernière fois que nous nous sommes rencontrés. Je suis le Prince Skalja.

– Celui qui m'a offert la cuirasse, se rappela Onyx.

– Elle vous sied bien.

– Je ne me souviens pas d'avoir porté le nom de Nashoba.

– Lorsqu'ils arrivent dans le monde des mortels, beaucoup de dieux ne se rappellent pas leur passé.

– Pourquoi viennent-ils ici alors qu'ils jouissent de la vie éternelle dans un monde parfait ?

– Pour rectifier un tort ou guider les hommes. Votre énergie est celle d'un dieu conçu pour régner sur toute la création au nom d'Abussos.

– Je suis d'abord et avant tout un soldat.

– Vos qualités militaires sont peut-être essentielles au rôle que vous jouerez lorsque viendra le temps.

– Je n'avais jamais pensé à ça...

– Soyez assuré de l'entière allégeance de mon peuple lorsque vous prendrez votre véritable place à la tête du monde.

– Votre loyauté me touche, Skalja.

– Je viens surtout vers vous aujourd'hui afin de vous dire que des éclaireurs ont vu des marins débarquer une fillette blonde au port d'Aabit.

– Où est-ce ?

– C'est le havre qui donne accès au pays des Madidjins. Même les Ipocans, qui ne se mêlent jamais des affaires des autres contrées, savent que ces hommes achètent beaucoup d'esclaves.

– S'ils ont fait de mon enfant une ilote, ils le regretteront jusqu'à leur dernier souffle.

– Mon peuple ne peut pas se battre sur la terre ferme.

– Ce sera mon propre combat, Skalja, mais je vous remercie de m'appuyer.

Le prince s'inclina une seconde fois devant Onyx, puis se mit à reculer dans l'eau.

– Avant de partir, dites-moi ce qu'est un serpent de mer.

– Il s'agit d'une créature géante qui s'attaque aux bateaux sur les océans.

– En avez-vous déjà vu un ?

– Oui, mais il était mort. Les guerriers l'ont trouvé au fond de l'océan et l'ont ramené dans notre cité, où toutes ses écailles ont été arrachées et précieusement conservées. Je n'ai nul désir de rencontrer cette bête tandis qu'elle respire encore.

– Comment pourrai-je communiquer avec vous ?

– Avec l'hippocampe de la tribu perdue, évidemment.

« Celui que porte Hadrian », se rappela Onyx.

– Il n’est malheureusement pas en ma possession.

Cette révélation sembla ébranler l’Ipocan.

– Un autre dieu s’en serait-il emparé ? demanda-t-il, attristé.

– Il a été remis à mon ami Hadrian par je ne sais plus trop qui.

« Il me l’a probablement mentionné un soir où j’avais trop bu », songea Onyx.

– Je mentionnerai cette regrettable erreur à mon père et verrai ce qu’il décidera de faire.

– Merci pour tout, Skalja.

Le prince nagea jusqu’à son destrier marin qu’on retenait pour lui, puis tout le groupe disparut... ou sembla disparaître, car Skalja ordonna à deux de ses guerriers de veiller discrètement sur le fils d’Abussos. Alors, sans qu’il le sache, Onyx ne marcha pas tout à fait seul sur la plage jusqu’à la fin de la journée. La surveillance des Ipocans cessa au moment où il décida de remonter jusqu’à la pyramide.

Avant qu’il ne fasse trop sombre, le Roi d’Émeraude grimpa les marches en pierre et s’assit devant l’ouverture de la petite pièce où ses amis s’étaient jadis entassés pour dormir. Au loin, il apercevait les feux de cuisson et les flambeaux qui s’allumaient les uns après les autres. En procession, des femmes lui apportèrent des couvertures, un grand panier rempli de fruits et une planche de bois sur laquelle fumaient des galettes de maïs et des légumes. Une fois que le repas fut déposé sur le sol devant leur invité de marque, une adolescente tendit à ce dernier, en baissant les yeux, un gobelet de céramique.

– Qu'est-ce que c'est? demanda-t-il en examinant la boisson foncée.

– Cacao, pour les rois.

Elle recula en descendant les marches une à une. Curieux, Onyx y trempa le bout de la langue pour y goûter. «Chez moi, les monarques boivent du vin», se dit-il, surpris par le goût sucré de l'offrande. Il déposa le récipient près de lui et commença par manger cette nourriture qui ressemblait beaucoup à celle des Mixilzins. Lorsqu'il fut rassasié, il but le contenu du gobelet qui, étrangement, était encore chaud.

«Mes enfants aimeraient ça», conclut-il. Mais ceux-ci étaient devenus des hommes rebelles et irrespectueux. Sa femme lui aurait sans doute répété que la pomme ne tombait jamais loin de l'arbre. «Je n'étais pourtant pas comme eux quand j'étais jeune», se rappela Onyx. Il avait craint son père et lui avait obéi jusqu'à sa mort. «Ce doit être à Swan qu'ils ressemblent», décida-t-il.

N'ayant toujours pas reçu de réponse à la tombée de la nuit, il s'enroula dans une couverture et utilisa l'autre pour se faire un oreiller. Avant de s'endormir, il échafauda ses prochains plans: confier l'enfant divin aux Sholiens, terminer la lecture des livres défendus et tenter d'obtenir des éclaircissements sur ses origines de la part des dieux fondateurs eux-mêmes.

Il se réveilla un peu avant le lever du soleil et se rendit au bassin réservé aux hommes. L'eau froide le ragaillardit en peu de temps. Très peu des Chevaliers d'Émeraude de la première invasion avaient pratiqué la purification. Elle était devenue obligatoire durant la seconde guerre, car elle servait à éliminer toute trace d'énergie négative dans le corps. Onyx n'arriva pas à se rappeler où il avait appris cette importante notion. « C'est ce qui finit par arriver à un homme qui vit trop longtemps », soupira-t-il intérieurement.

Toujours sans nouvelles de ses hôtes, il se laissa sécher au soleil en pensant à tous ces pauvres gens à Enkidiev qui affrontaient les pluies diluviennes. « Les saisons sont sans doute inversées à cause des volcans », songea-t-il. « Dès que j'aurai la paix, je recommencerai à étudier toutes ces choses que j'ai oubliées », se promit-il.

– Enfin, vous voilà ! s'exclama Féliss en pénétrant dans l'enceinte privée. Le prince vous cherche !

Onyx s'habilla et suivit l'enfant jusqu'au palais de son père. Toute la cour s'était réunie devant la maison en pierre et, cette fois, le bébé était présent. Il avait grandi depuis que le Roi d'Émeraude l'avait vu pour la dernière fois à Tepecoalt. Il se tenait même debout, accroché à la jupe d'une de ses gouvernantes. Avec ses cheveux noirs et ses yeux aussi bleus que le ciel, il aurait facilement passé pour un des fils d'Onyx, sauf que sa peau était basanée.

– Nous avons tranché en faveur du bien-être du peuple, déclara Juguarete.

– C’est ce que j’aurais fait aussi.

– Où emmènerez-vous Palanc ? voulut savoir l’épouse du prince.

– Au nord de mon continent, il existe un sanctuaire caché dans une montagne de pierre. Les moines qui l’habitent sont les hommes les plus sages que je connaisse. Ils lui donneront une solide éducation et de belles valeurs.

– Le reverrons-nous ?

– Pas tant qu’Azcatchi rôdera.

– Mais il est éternel comme tous les dieux, protesta Féliss.

– J’ignore d’où vous tenez vos connaissances. Sachez que ces créatures célestes aussi peuvent être anéanties. S’il continue à assaillir tout le monde, Azcatchi finira par tomber sur une divinité plus forte que lui.

– Je vous en conjure, prenez bien soin de Palanc, recommanda Juguarete.

– Je suis père de nombreux enfants. Je sais comment m’y prendre avec eux.

Onyx posa un genou sur le sol et tendit les bras au bébé. Palanc commença par hésiter en jetant des coups d’œil inquiets à son entourage, puis en voyant le sourire sur le visage de l’inconnu, finit par marcher jusqu’à lui. Le Roi d’Émeraude se releva en tenant le petit contre lui.

– Vous êtes toujours le bienvenu chez les Itzamans, déclara Juguarete.

– Merci...

Sans même remuer un cil, l'homme et l'enfant disparurent sous les yeux de l'assemblée. Puisqu'il était impossible de franchir les volcans à l'aide d'un vortex, Onyx se rendit d'abord sur la pointe méridionale d'Enlilkisar, puis sur la chaîne de montagne. Puisqu'il n'y avait plus que la mer devant lui, à l'ouest, il voyagea directement jusqu'au Royaume des Elfes. À chaque arrêt, Palanc poussait un petit cri de joie, suivi du seul mot qu'il semblait connaître : « Encore ! »

Hawke avait indiqué à Onyx que l'entrée du sanctuaire des Sholiens se situait sur la falaise de Shola. C'est donc au pied rocheux de cette falaise qu'il s'arrêta. Il chercha d'abord le passage avec ses yeux, mais ne vit rien sur les corniches. Ce qu'il cherchait était donc magique. Il utilisa alors ses sens invisibles et repéra le portail au centre de l'immense mur. Il allait s'élever jusqu'à l'endroit en question lorsqu'une dizaine de moines se matérialisèrent devant lui. Ils semblaient plutôt affolés.

– N'approchez pas ! ordonna l'un d'eux.

– Êtes-vous en danger ? s'alarma Onyx. Où est l'ennemi que vous craignez ?

– L'enfant que tu portes dans tes bras, l'informa Hawke en se détachant du groupe. Sais-tu qui il est ?

– Évidemment ! C'est pour cette raison que je suis ici. Il a besoin d'être élevé autrement que son père.

Les sages au visage blafard et aux cheveux blancs comme la neige s'arrêtèrent à quelques pas de lui.

– Je suis Isarn, se présenta l'un d'eux. Laissez-moi vous expliquer ce qui nous arrive.

– Encore ! s'écria Palanc, qui n'aimait pas cette soudaine immobilité.

Les Sholiens, qui n'avaient pas été touchés par le sort des langues jeté par Anyaguara, ne comprirent pas ce qu'il demandait.

– Tout à l'heure, mon petit dragon, le tranquillisa Onyx.

– Nous avons recueilli un nouveau membre égaré de notre communauté, commença Isarn.

– Pas Azcatchi, au moins...

– Ciel, non ! s'exclama Hawke.

– Il s'agit d'un ancien soldat, qui a servi sous votre commandement durant la guerre, poursuivit le hiérophante. Ses parents ont réussi à échapper au massacre d'Alombria et l'ont élevé comme un enfant normal, mais il n'en demeure pas moins un Sholien.

– Il y avait un Sholien dans mes rangs ?

– Mann, l'informa Hawke.

– Mann ! répéta le roi, d'abord étonné. Est-ce pour cette raison qu'il est spontanément devenu augure ?

– En partie.

– Nous tentons de canaliser ses dons, mais les visions l'assaillent encore sans avertissement. Depuis plusieurs jours, il ne cesse de clamer que la destruction d'Enkidiev commencera avec l'arrivée d'un bébé étranger à notre temple.

– Ce bébé ?

– Il y a à peine quelques minutes, Mann a été pris de convulsions.

– Ce qui coïncide avec le moment où je suis sorti de mon vortex.

– Il hurle que la fin est arrivée et il se frappe la tête contre les murs, ajouta Hawke.

– J'imagine qu'il est hors de question que vous vous chargiez de l'enfant, se découragea Onyx.

– Retournez-le là d'où il vient, conseilla Isarn.

– Je crains que ce ne soit pas possible. Il a besoin d'une protection que seules des créatures magiques peuvent lui procurer.

– Je vous en prie, allez-vous-en.

Les moines se dématérialisèrent tous, sauf Hawke.

– Pourquoi est-il si important pour toi de lui sauver la vie ? voulut savoir l'Elfe.

– C'est le fils d'Azcatchi. Peut-être pourrai-je éventuellement l'échanger contre Cornéliane, mais pour ça, il doit demeurer en vie.

– Ta magie n'est-elle pas assez puissante pour t'en occuper toi-même ?

– Je n'en sais franchement rien...

– Puis-je te suggérer de le garder à proximité de ton palais, où j'ai déposé la pierre d'Abussos ? Elle est destinée à repousser les dieux qui ont de mauvaises intentions.

– C'est une excellente idée. Merci, Hawke.

– Maintenant, pars avant que Mann ne se donne la mort.

Onyx serra l'enfant contre lui et s'évapora sous les yeux chagrinés de son ami, qui aurait aimé lui venir en aide. Ce que le Roi d'Émeraude ignorait, tandis qu'il voyageait dans son vortex, c'est que Fabian avait finalement ramené son frère Maximilien au bercail.

Les dieux-oiseaux étaient revenus à Zénor après le décès de l'unique oncle de Maximilien. Atlance leur avait aussitôt reproché leur décision de terroriser cet homme jusqu'à le faire mourir de peur, leur rappelant que ce n'était pas la bonne façon d'éradiquer la violence.

– Nous n'avons pas eu le temps de lui faire quoi que ce soit, affirma Shvara.

– Seul l'amour peut guérir le cœur d'un homme semblable, s'entêta Atlance.

– Aurait-il fallu l'embrasser ?

– Ce n'est pas ce qu'il veut dire, fit observer Fabian. Je t'expliquerai ça plus tard.

Dès que Maximilien eut repris son aplomb, les rapaces décidèrent de le ramener enfin chez lui. La façon la plus rapide d'atteindre Émeraude était le fauteuil roulant.

– Non, refusa catégoriquement le rescapé.

– À cheval, tu attraperas du mal, protesta Fabian. La route est trop longue et beaucoup trop périlleuse à ce temps-ci de l'année.

– Flotter dans les airs au milieu des éclairs est encore plus dangereux.

– Pas si nous volons au-dessus des nuages, voulut le rassurer Shvara.

– Nous t'envelopperons évidemment dans une chaude cape, ajouta Atlance.

– Il n'est pas question que je rentre à Émeraude de cette façon.

– Alors, nous atterrirons non loin du château et nous ferons le reste à pied, offrit Fabian.

– J'ai dit non.

– Tu économiseras du temps et des efforts, insista Atlance. Pense un peu à tous les obstacles qui se dressent sur la route des voyageurs durant la saison des pluies.

– C'est mon choix.

– Tu as peur des hauteurs ! comprit Fabian.

– Est-ce vrai ? s'étonna Atlance.

– Euh... oui... avoua Maximilien en rougissant. Je ne vous en ai jamais parlé parce que vous vous seriez moqués de moi.

– Il ne reste plus qu'à l'assommer pour le transporter à Émeraude, conclut Shvara.

– Oh non...

– Il a peur d'une petite promenade dans le ciel, mais il peut rester assis sur des chevaux sauvages qui sautent partout, qui se cabrent et qui ruent jusqu'à ce qu'il les mate ! le taquina Fabian.

– Ils ne volent pas dans les airs, ronchonna Maximilien.

– Nous allons te bander les yeux et t'envelopper dans une cape, trancha Atlance. Il n'est pas question que tu refuses, parce que maman a besoin de toi.

Cet argument acheva de convaincre Maximilien. Il étreignit Atlance et Katil et leur promit de leur rendre visite aussi souvent qu'il le pourrait... à cheval. Puis, emmitouflé dans l'ample vêtement, il accepta de s'asseoir dans le fauteuil et ferma les yeux. Fabian et Shvara reprirent leur forme aviaire, agrippèrent le dos et le marchepied de la chaise et s'élevèrent dans le ciel. Ils avaient dit vrai : le trajet ne dura qu'une journée, alors qu'il aurait pu facilement prendre plus d'une semaine par un moyen de transport terrestre. Toutefois, les dieux-oiseaux ne se rendirent pas compte que leur passager était frigorifié. Couverts de plumes, ils ne ressentaient pas la morsure du froid. Ce ne fut qu'une fois au sol, dans un boisé non loin de la forteresse d'Émeraude, qu'ils s'aperçurent de l'état de Maximilien.

– Pourquoi est-il tout bleu ? demanda Shvara, surpris. Pourquoi claque-t-il des dents ?

– Vous êtes déments ! s'exclama Maximilien, mécontent.

– Tu vas te réchauffer en marchant jusqu'au pont-levis, l'encouragea Fabian.

Les divinités le hissèrent debout et, le soutenant chacun par un bras, le firent avancer sur le sentier. Lorsqu'ils se présentèrent à l'entrée du château, le visage des sentinelles s'illumina de joie.

– Les princes sont de retour ! s'exclama l'un d'eux. Les princes sont de retour !

Intrigués, les serviteurs ouvrirent les portes du palais. Ils reconnurent facilement Fabian et Shvara, mais eurent du mal à voir qui se cachait sous la grande cape. Dès que le trio fut dans le vestibule, les rapaces libérèrent l'enfant prodigue de son vêtement trempé. Au même moment, Swan descendait le grand escalier, alertée par une servante.

– Maximilien ? s'étrangla-t-elle, émue.

Elle dévala le reste des marches, serra son fils dans ses bras, lui embrassa les cheveux et les joues, puis le repoussa brusquement.

– Pourquoi ne m'as-tu jamais donné de nouvelles ? lui reprocha-t-elle.

– Même avec la meilleure volonté du monde, il n'aurait pas pu le faire, affirma Fabian. Donne-lui au moins le temps de te raconter ce qui lui est arrivé.

– Montez avec moi, les invita Swan.

– Je pense que vous devriez d'abord être seuls, répondit Fabian. Allez-y. Nous nous joindrons à vous plus tard.

La mère entraîna son plus jeune fils dans l'escalier.

– Et nous ? s'informa Shvara.

– Je commence à avoir faim. Et toi ?

– J'ai un petit creux.

Ils traversèrent le palais en direction des cuisines.

– Pourquoi ne demandes-tu pas à tes serviteurs de te donner à manger ? s'étonna le busard.

– Parce qu'il y a certaines choses que j'aime faire moi-même.

Les cuisines étaient désertes, mais des âtres remplis de braise se dégageait une chaleur bienfaisante.

– J'aimais venir ici, le soir, quand il n'y avait plus personne, avoua Fabian.

– Encore une autre coutume que je ne comprends pas.

– Les humains s'attachent à leurs souvenirs d'enfance, même si, parfois, ceux-ci finissent par leur nuire.

Le prince fouilla partout et dénicha du pain encore frais, un pot de miel, des raisins secs, une meule de fromage et une cruche de bière.

– Nous allons nous régaler, mon ami.

Shvara mordit prudemment dans le pain.

– Cela ressemble à la nourriture qui m'est servie depuis mon éclosion, mais il ne satisfait pas entièrement ma faim de la même façon.

– Arrête de te plaindre et mange. Si tu veux vivre dans mon monde, tu vas devoir faire un meilleur effort.

Pendant ce temps, Swan était assise devant Maximilien et écoutait le récit de ses mésaventures en lui tenant les mains.

– Nous ferons punir cet Émérien, décida la reine lorsque son fils s'arrêta de parler.

– Il est mort, lui apprit-il, sans lui donner les détails de sa fin.

– Mon pauvre chéri... Tu croyais trouver une vie meilleure loin de nous, mais tu n'as récolté que de la souffrance.

– J'ai appris ma leçon. Même si papa et toi n'êtes pas mes véritables parents, vous m'avez élevé dans l'amour et le respect. Je suis désolé de m'en être aperçu aussi tard...

Swan le conduisit dans son ancienne chambre et s'assura qu'il avait tout ce qu'il pouvait désirer pour la nuit. Épuisé, Maximilien dormit comme une bûche. Au matin, il alla se laver dans les bains privés des appartements royaux, puis enfila la tunique et les sandales que les serviteurs avaient déposées sur son lit. « Il est si bon d'être de retour chez soi », songea-t-il en humant le vêtement frais lavé.

Il fut alors informé que le reste de la famille l'attendait dans le hall du roi. Sans se presser, il descendit l'escalier jusqu'au rez-de-chaussée et entra dans la grande pièce. Les derniers repas qu'il y avait pris avaient été plutôt orageux, car Onyx acceptait mal que ses fils aient des plans différents des siens pour leur avenir.

Son cœur se réjouit lorsqu'il vit Swan, Fabian, Shvara et Anoki attablés devant l'âtre gigantesque. Il alla embrasser sa mère et ébouriffer les cheveux de son petit frère adoptif, puis prit place près de Fabian.

– Il ne manque qu'Atlance, Cornéliane et votre père, soupira Swan.

– S'il possédait un vortex, je suis certain qu'Atlance serait ici, ce matin, affirma Fabian. Il est sur le point de devenir père lui-même.

La discussion s'engagea sur le futur bébé du couple qui serait prince lui aussi, de par sa filiation paternelle. Tous s'amusaient beaucoup lorsqu'ils entendirent un claquement de bottes familier. À leur grand étonnement, Onyx s'avançait, avec un bébé dans les bras. Lorsqu'il reconnut ses fils, le Roi d'Émeraude s'immobilisa. Un silence écrasant tomba sur le hall.

Puisque personne ne bougeait, Swan se leva.

– D'où vient cet enfant? s'enquit-elle sur un ton plutôt agressif, car le bébé ressemblait un peu trop à ses propres fils au même âge.

Au lieu de lui répondre, son mari tourna les talons et se dirigea vers la sortie.

– Onyx, réponds-moi !

Swan le poursuivit, mais lorsqu'elle arriva dans le vestibule, il avait disparu. Elle utilisa donc ses facultés surnaturelles pour le repérer, mais il avait quitté le château. Serrant les poings, elle poussa un cri de rage.

11

KYOMI

La fureur de Swan fut ressentie dans tout le palais, dans l'aile des Chevaliers et plus loin encore. Dans le hall des guerriers, Santo, Bridgess et leurs enfants prenaient le premier repas de la journée en compagnie de Liam et Mali. La prêtresse Enkiev était enceinte de quelques mois, mais sa grossesse ne se passait pas très bien. Les nausées l'empêchaient de bien se nourrir et au lieu de grossir, elle maigrissait à vue d'œil. Quand il était aux alentours, Santo s'appliquait à la débarrasser de ses malaises, mais ils semblaient revenir comme une malédiction. Il y avait même des jours où la pauvre femme souhaitait ne jamais être tombée enceinte.

Puisqu'elle était plus sensible que la majorité des Chevaliers, Mali ressentit la colère de la reine beaucoup plus profondément qu'eux. Assise près de Liam, elle fut prise d'un vertige qui la fit basculer vers l'arrière. Heureusement, son mari avait conservé ses excellents réflexes de soldat, et il l'attrapa avant qu'elle ne touche le sol.

– Mali, que se passe-t-il ? s'alarma Bridgess.

– Elle a perdu connaissance, annonça Liam.

Il soulevait Mali dans ses bras afin de la ramener dans leurs appartements lorsque le corps de la pauvre femme se contracta.

– Quelque chose ne va pas, s'inquiéta-t-il.

– Dépose-la sur la table, exigea Santo.

Bridgess et ses deux filles poussèrent aussitôt les plats plus loin.

– Ce ne sont pas des convulsions, les informa le guérisseur, qui avait posé la main sur le ventre de sa patiente. Ce sont des contractions.

– Mais c'est bien trop tôt, murmura le futur père en pâlissant.

– Il arrive parfois qu'on en ressente durant la grossesse, tenta de le rassurer Bridgess.

– Une vague d'apaisement devrait suffire à les calmer, affirma Santo.

Liam se joignit à lui pour envelopper Mali d'amour et de sérénité, mais les contractions ne cessèrent pas pour autant.

– On dirait qu'elle est en train d'accoucher, laissa tomber Famire, qui avait déjà assisté à ce miracle à plusieurs reprises avec son père lors de ses tournées dans le royaume.

– Mais le bébé n'est pas entièrement formé ! s'exclama Liam.

Kira fit irruption dans le hall en courant.

– Que se passe-t-il ? demanda-t-elle, troublée. On peut ressentir votre angoisse jusque chez moi !

– C'est Mali, paniqua Liam.

La Sholienne s'approcha de Santo pour évaluer la situation à son tour.

– Tu as raison, mais cet enfant ne devait-il pas naître à la fin de la saison des pluies ?

– Oui, justement !

Assaillie par la douleur, la prêtresse reprit conscience et poussa un terrible cri qui glaça le sang de tous les habitants du château.

– Elle vient de perdre ses eaux, les avertit Bridgess.

Même si le bébé n'avait aucune chance de survie, Santo n'avait pas le choix : il devait aider Mali à enfanter.

– Famire, approche ! ordonna-t-il.

L'adolescent lui obéit sur-le-champ.

– Place tes mains de chaque côté de sa tête et engourdis sa douleur.

Cette procédure, Famire l'avait effectuée des centaines de fois. C'était d'ailleurs pour cette raison que Santo avait recours à lui. Bridgess demanda aux servantes maintenant agglutinées à l'entrée du hall d'aller chercher de l'eau chaude et des langes, car même si l'enfant était mort, Mali aurait besoin de le tenir dans ses bras pour faire son deuil. « Si elle s'en sort... », songea tristement Bridgess. La délivrance était toujours risquée, même pour une femme en santé. Sa propre mère avait perdu la vie en donnant naissance à son petit frère Xavier...

– Tiens bon, Mali, l'encouragea Liam en serrant sa main dans la sienne.

– Je ne suis pas assez forte... murmura-t-elle.

Elle ne ressentait plus que la moitié de la douleur, mais son corps était déchiré par ses efforts.

– Nous sommes tous là pour t'aider, lui dit Kira.

La voix de sa déesse sembla redonner du courage à la future maman.

– Fais ce que Santo te dira, d'accord ?

Les contractions étant plutôt violentes, le guérisseur ne l'invita pas à pousser davantage et attendit que la nature fasse son œuvre. Au moment où le minuscule bébé se frayait un passage vers la vie, une mare de sang se répandit sur la table. La petite Élora devint blanche comme de la craie et perdit connaissance.

– Maman ! s'écria Djadzia, effrayée.

Bridgess se pencha aussitôt sur sa fille pour la ranimer.

– Faites sortir les enfants ! commanda Kira, qui comprenait l'urgence de la situation.

Les servantes se précipitèrent au secours de Bridgess.

– Il faut stopper l'hémorragie, déclara la Sholienne, même si c'était évident.

– Si tu interviens avant que le bébé soit expulsé, il n'aura aucune chance, l'avertit Santo.

– Mais Mali... hoqueta Liam.

– Nous allons les sauver tous les deux, tenta de le rassurer le guérisseur, même si cette bataille était loin d'être gagnée. Kira, prépare-toi à réparer les vaisseaux sanguins.

La Sholienne sauta par-dessus la table, car elle aurait plus d'espace pour faire son travail de ce côté où il n'y avait plus personne. Les yeux fermés, Famire continuait de tenir la tête de Mali entre ses mains. Quant à Liam, il serrait les doigts glacés de sa femme, mais il commençait à se sentir de plus en plus mal. Santo s'était posté au bout de la table pour recevoir l'enfant. Afin d'éviter que la maman souffre pendant des heures, il utilisa son pouvoir de lévitation pour attirer le bébé jusqu'à lui.

Swan se fraya un chemin à travers les domestiques et courut jusqu'à ses compagnons d'armes, suivie de ses enfants. En voyant ce qui se passait, Maximilien s'arrêta et captura Anoki dans ses bras. Ce n'était pas un spectacle pour les enfants. Malgré les protestations du petit Ressakan, qui ne voulait jamais rien manquer, Maximilien rebroussa chemin dans le couloir. Des servantes apportèrent une marmite d'eau chaude et des morceaux d'étoffe propres à profusion.

Fabian et Shvara gardèrent leurs distances, car, étant des dieux, ils ne pouvaient rien faire pour alléger les souffrances des humains et encore moins soigner leurs blessures.

– Il est plus facile de pondre un œuf, laissa tomber le busard.

– Shvara, tais-toi, l'avertit Fabian.

– Puis-je vous aider ? offrit Swan.

– Il faudra nettoyer le...

Santo n'eut pas le temps de terminer sa phrase que le bébé se présentait. En quelques secondes à peine, il glissa dans ses mains, pas plus gros qu'une souris. Swan, qui avait mis quatre enfants au monde, ne cacha pas sa stupéfaction, mais puisqu'elle était l'une des plus courageuses femmes de l'ordre, dès que le cordon ombilical fut coupé, elle commença à nettoyer la petite chose.

– C'est une fille, annonça-t-elle en combattant ses larmes.

Santo et Kira s'étaient aussitôt mis au travail. S'ils n'arrêtaient pas bientôt le sang, Mali succomberait à ses couches.

– C'est fait, haleta enfin le guérisseur.

Il se tourna vers le minuscule bébé, mais Kira l'avait devancé.

– Est-ce qu'elle respire ? demanda-t-elle.

Swan secoua la tête tristement.

– Laisse-moi essayer.

Kira déposa la petite fille dans sa main et plaça deux doigts de l'autre sur sa poitrine.

– Allez, fais un effort, murmura-t-elle.

Un cocon de lumière violette se forma subitement autour de la Sholienne.

– Reculez ! ordonna Swan, qui l'avait déjà vue sauver la vie de Bridgess de la même façon, des années auparavant.

Sentant ses jambes se dérober sous elle, Kira recula et s'assit en s'appuyant le dos contre le mur de la salle.

– Que se passe-t-il ? voulut savoir Shvara.

– Elle essaie de la sauver, répondit Santo.

Swan utilisa les langes pour nettoyer Mali.

– Apportez des couvertures, ordonna-t-elle aux servantes toujours postées dans la porte.

– Papa ! se troubla Famire.

Santo passa tout de suite la main au-dessus du corps maintenant immobile de Mali. Sa force vitale décroissait à une vitesse alarmante.

– Elle a perdu trop de sang...

– Mais nous ne possédons pas le pouvoir d'en créer, s'attrista Famire.

Le guérisseur ne le savait que trop bien. Voyant qu'ils ne pouvaient rien faire, Liam prit la situation en main. Utilisant sa magie, il perfora son poignet et celui de Mali et força son sang à sortir de son corps en un mince filet qui s'infiltra dans la veine de sa femme.

– Mais...

Le reste de la protestation s'étrangla dans la gorge de Famire.

– Comme c'est ingénieux, s'émerveilla Santo.

– Kira ! s'écria Wellan en passant à travers du mur de serviteurs qui obstruait l'entrée.

Il s'arrêta net devant le cocon violet qui lui rappela de vieux souvenirs.

– Qu'y a-t-il ? demanda Swan.

– Lazuli, Cyndelle et Aurélys sont terrorisés depuis quelques minutes, alors je suis grimpé sur la passerelle et j'ai vu l'ombre d'un gros oiseau noir au-dessus du château.

– Azcatchi, devinèrent en chœur les dieux rapaces.

Ils s'élancèrent en même temps vers l'adolescent.

– Où sont-ils ? demanda Fabian.

– Chez Armène.

Ils suivirent Wellan à l'extérieur et affrontèrent la pluie une fois de plus afin d'atteindre la tour à l'autre bout de l'enceinte.

– Nous emmènes-tu des renforts ? espéra Armène.

– Shvara et Fabian, répondit Wellan. Ils sont bien plus puissants que moi.

– Ça reste à voir, commenta le milan royal.

Wellan précéda les deux hommes dans l'escalier qui menait au dernier étage. Les trois enfants étaient en effet morts de peur. Collés les uns contre les autres sur le lit du centre, ils tremblaient de tous leurs membres.

– Ils sont venus nous chercher, gémit Lazuli.

Shvara s'approcha en les examinant et reconnut Aurélys, qu'il avait poussée dans le vide à la demande de Lycaon pour qu'elle apprenne à voler sous sa forme ailée.

– Le gerfaut, l'effraie et l'aigle noir..., se rappela-t-il. Avez-vous commencé à vous métamorphoser ?

– Non, affirma Aurélys.

– Alors, de quoi avez-vous peur, au juste ?

Les enfants échangèrent un regard étonné.

– Si Lycaon tentait de vous reprendre, votre transformation en serait le premier indice, ajouta Shvara.

– En êtes-vous bien certain ? voulut s'assurer Cyndelle.

Sa voix aussi douce que de la soie charma aussitôt le cœur du busard.

– Je suis moi-même un dieu rapace.

– Mais vous n'êtes pas méchant...

– C'est la même chose chez les humains, non ? Ils ne sont pas tous pareils.

Shvara tendit la main à Cyndelle. D'abord hésitante, elle lui remit la sienne. À la grande surprise de Fabian, son ami l'embrassa.

– Je vous jure sur mon honneur que je ne laisserai personne vous faire de mal, promit-il. Maintenant, cessez d'avoir peur. Vous êtes des demi-dieux !

Comme pour le contredire, la tour fut alors ébranlée comme si un taureau l'avait frappée.

– Qu'est-ce que c'était ? s'effraya Lazuli.

– Restez ici, ordonna Fabian aux enfants.

Il se transforma en milan sous leurs yeux et s'envola en direction de la fenêtre, où il se posa en regardant dehors. Shvara le rejoignit sur l'allège. Leurs yeux perçants virent ce que les mortels ne pouvaient pas discerner : un oiseau noir gros comme un dragon arrivait du nord.

– Il transporte quelque chose, fit remarquer Shvara.

Ils ne découvrirent ce dont il s'agissait que lorsque le crave le laissa tomber : un énorme rocher s'abattit dans la cour, à quelques centimètres du premier projectile.

– Il essaie de démolir le balcon du palais, comprit Fabian. Il veut détruire la pierre d'Abussos.

– Nous devons l'éloigner d'ici.

– C'est justement à cela que je pensais.

Les rapaces s'élancèrent dans le vide. Tandis qu'ils grimpaient vers le ciel, ils grossirent, jusqu'à atteindre la taille d'Azcatchi. Ils suivirent ce dernier jusqu'à la Montagne de Cristal, où il s'affairait à dégager une troisième grosse pierre. Le busard cendré poussa un cri aigu qui attira l'attention du crave.

– Que fais-tu ici, Shvara ? cracha Azcatchi, mécontent.

– Je vais t'empêcher de ravager le palais du Roi d'Émeraude.

Le crave vit alors le deuxième oiseau de proie.

– Albalys...

– Tu as deux choix, Azcatchi, lui dit Fabian en faisant de grands cercles. Ou bien tu retournes dans ton monde, ou bien nous t'attaquerons.

– J'en ai un troisième, traître. Je vais vous tuer comme j'ai tué Nahuat et tous les autres !

Le crave lâcha le rocher et s'élança à la poursuite du milan. Le busard prit aussitôt de l'altitude et effectua un looping qui le ramena directement au-dessus de son oncle tout noir. Il ouvrit ses serres et lui plongea sur le dos. Azcatchi croassa de douleur et piqua vers le sol pour décrocher son agresseur. Parce qu'il avait été victime de sa cruauté quand il vivait chez les dieux, Fabian savait que ce crave était capable des pires méchancetés.

Il se porta donc au secours de son ami, persuadé qu'Azcatchi lui réservait un sort atroce.

Sans pitié, Shvara enfonça son bec encore et encore dans le dos de leur adversaire, lui arrachant des dizaines de plumes. Lorsque la douleur devint insupportable, Azcatchi se mit à tourner sur lui-même, effectuant une vrille suicidaire. Incapable de demeurer accroché à sa proie, le busard fut projeté dans le vide. Heureusement, le milan veillait. Il attrapa Shvara par une patte et plana doucement jusqu'à ce que la tête de ce dernier arrête de tourner.

Quant à lui, Azcatchi s'était redressé juste à temps pour ne pas s'écraser, mais ses blessures ne lui permettaient plus de continuer à bombarder la forteresse du Roi Onyx. Il remonta donc en vitesse dans les nuages, afin d'aller panser ses plaies dans son propre monde.

Ne sentant plus la présence de l'indésirable crave, Fabian ramena son ami sur la terre ferme. Debout sous le porche, à l'entrée du palais, la Reine Swan, flanquée des sentinelles, étudiait les immenses morceaux de roc qui étaient tombés du ciel. Les deux rapaces reprirent leur forme humaine et se dirigèrent vers elle.

– D'où viennent ces pierres ? s'enquit-elle.

– Azcatchi les a détachées de la montagne, répondit Fabian. À mon avis, il voulait réduire la pierre d'Abussos en poussière.

– Nous allons vous en débarrasser, affirma Shvara, qui avait encore du mal à conserver son équilibre.

– Faites-le rapidement.

Swan se rendit sans délai au hall des Chevaliers. La lumière qui avait enveloppé Kira s'était finalement estompée et elle avait réussi à se lever en pressant doucement le minuscule bébé contre elle. Sur la table, Mali était toujours allongée sous une montagne de couvertures. Seuls son visage et son bras gauche en dépassaient. Liam continuait de lui donner de son propre sang, sous l'œil vigilant de Santo qui surveillait le niveau de sa force vitale.

– C'est assez, Liam, décida le guérisseur. Si tu ne mets pas fin à la transfusion tout de suite, c'est toi que nous ne pourrons pas sauver.

Puisque ses paupières devenaient de plus en plus lourdes, le jeune forgeron obtempéra. Santo referma les veines de ses patients et se déclara satisfait de leur état. Il se tourna ensuite vers Kira, qui tenait dans ses mains le plus étrange bébé qu'il n'ait jamais vu. La fillette, aussi rouge qu'une pomme, n'était pas plus grosse qu'un chaton nouveau-né. Santo l'examina avec beaucoup de soins, craignant qu'une seule erreur de sa part ne cause sa mort. Pourtant, à part sa taille inhabituelle, elle semblait en parfaite santé.

– Il faut la tenir au chaud et trouver une façon de l'alimenter, indiqua-t-il. Sa bouche est si minuscule que Mali ne réussira pas à l'allaiter.

– J'ai une idée, s'égaya Kira.

Marek, j'aimerais que tu m'apportes les roseaux que tu as évidés afin de t'en faire des flûtes, demanda-t-elle par télépathie. Son fils était intrigué par sa demande, mais il s'empressa de lui obéir. En attendant, Kira emmaillota le bébé. Des serviteurs transportèrent les nouveaux parents dans leur chambre tandis que les autres nettoyaient la table. Bientôt, il ne resta plus que Santo dans la pièce, alors Kira le fit asseoir près de l'âtre et déposa l'enfant contre sa poitrine.

– Tu veux apprendre à jouer de la flûte toi aussi ! se réjouit Marek en gambadant jusqu'à sa mère.

– Non, mon chéri. Je veux transformer une de ces tiges en biberon miniature pour le bébé de Mali.

– Comment ?

– Regarde.

Kira examina chacun des roseaux et choisit celui dont l'espace intérieur était le plus étroit.

– La terre a tremblé deux fois, tout à l'heure, lui dit Marek.

– Je l'ai senti aussi. Est-ce que tu as eu peur ?

– Moi ? Mais non.

Ayant prévu le coup, une jeune servante s'approcha avec une cruche de lait qu'elle venait de faire chauffer.

– Merci, fit Kira, reconnaissante.

– Mais comment feras-tu pour que tout le lait ne coule pas d'un seul coup ? s'inquiéta Marek.

– J'utiliserai ma magie, bien sûr.

Elle fit jaillir un mince filet liquide du récipient jusqu'à l'intérieur de la tige de la plante aquatique et l'arrêta lorsqu'elle fut remplie. Puis, elle approcha le bout du roseau de la bouche du bébé sous le regard attentif de Santo.

– Allez, il faut boire, petite fée, la cajola la Sholienne.

– Est-ce qu'on n'est pas censé mettre une tétine sur un biberon ? demanda Marek.

– En théorie, oui, répondit sa mère, mais nous n'en possédons aucun qui serait assez petit pour ses lèvres.

Pour Marek, la solution était toute simple. Il courut aux cuisines.

– Puis-je avoir un biberon, je vous prie ? demanda-t-il en faisant de beaux yeux aux femmes qui s'affairaient devant les tables.

Puisqu'il était impossible de résister à ce petit ange blond lorsqu'il se comportait bien, elles lui en trouvèrent un. Marek les remercia et se mit à la recherche de Bridgess dans l'aile des Chevaliers. Il frappa à la porte de ses appartements.

– Marek ? Est-ce au sujet du tremblement de terre ?

– Non. J'ai besoin de votre magie. La mienne se limite à des visions, enfin, pour le moment.

– Explique-moi ce que je peux faire pour toi ? s'enquit Bridgess en s'accroupissant pour être à sa hauteur.

– Savez-vous comment rapetisser des choses ?

– Je n'ai jamais essayé.

Il lui tendit le biberon.

– Il faudrait qu'il soit quatre fois plus petit.

– Alors, voyons ce que je suis capable de faire.

Bridgess emprisonna la bouteille entre ses paumes et ferma les yeux. Une aveuglante lumière mauve s'échappa de ses doigts pendant une fraction de seconde. Lorsqu'elle ouvrit les mains, le biberon était exactement de la taille que Marek avait visualisée.

– Je savais que je m'adressais à la bonne personne ! s'exclama-t-il. Vous êtes merveilleuse !

Il embrassa la femme Chevalier sur la joue, s'empara du récipient et courut jusqu'au hall. La Reine Swan était maintenant auprès de Santo et tentait elle aussi de faire boire la petite, qui gémissait en refusant d'ouvrir la bouche.

– Maman, j'ai la solution ! s'exclama Marek en lui tendant le biberon miniature.

– Où as-tu trouvé ça ? s'étonna Kira.

– Je l'ai fait fabriquer.

La Sholienne décida de le questionner plus tard à ce sujet. Elle remplit le récipient de lait et approcha la tétine des lèvres du bébé. La douceur du caoutchouc enclencha aussitôt son instinct de survie et elle se mit à boire.

– Marek, tu es vraiment génial, le félicita Kira.

– Je sais.

Une servante s'avança à pas feutrés.

– Milady Mali réclame son enfant, annonça-t-elle.

Cette requête était tout à fait normale. Santo et Kira se rendirent donc à la chambre des nouveaux parents, tandis que Swan retournait à l'étage royal. Elle venait tout juste d'atteindre le vestibule lorsque Fabian et Shvara entrèrent dans le palais.

– Nous avons sorti les pierres de la cour, annonça le prince.

– Excellent, se réjouit la mère. Je ne voulais pas être forcée d'expliquer aux gens du château pourquoi elles étaient là, bien que je commence à m'en douter.

– Azcatchi a senti la présence de papa, même s'il n'est pas resté longtemps.

– C’est ce que je pense aussi. Allez vous reposer, vous le méritez.

Ils s’inclinèrent devant la souveraine, qui grimpa l’escalier sans s’attarder davantage.

– Il n’est pas encore trop tard pour aller boire une bière dans une auberge de la région, laissa alors tomber Fabian en se tournant vers Shvara. Tu pourras lorgner les filles.

– Plus pour moi. J’ai trouvé mon âme sœur, comme vous dites ici.

– Quand ça? Je suis toujours avec toi et je n’ai rien remarqué !

– Mon cœur ne bat plus que pour Cyndelle.

– Elle a douze ans !

– Je suis un homme patient. J’attendrai qu’elle ait l’âge de se marier.

– Es-tu en train de te moquer de moi ?

– Pas du tout. Je boirais toutefois une bière si nous restons au château.

Découragé par les idées farfelues de son ami, Fabian l’entraîna vers le hall du roi, où il n’y avait plus personne.

Au même moment, Kira déposait doucement le minuscule bébé dans les bras de sa mère enfin remise de l'accouchement. Assis près d'elle, Liam avait moins bonne mine.

– Survivra-t-elle ? s'inquiéta Mali.

– Grâce à l'intervention de Kira, elle a de bonnes chances de s'en sortir, affirma Santo.

– Vous avez sauvé ma fille, déesse ?

– Apparemment, oui. Comment l'appellerez-vous ?

– Kyomi.

Liam haussa un sourcil. Apparemment, il n'était pas au courant du choix de son épouse.

– C'était le nom de ma petite sœur, avoua Mali.

– Je vous laisse en famille, annonça Kira. Si vous avez besoin de quoi que ce soit, n'hésitez pas à m'appeler.

– Merci, déesse.

La Sholienne remonta chez elle, laissant Santo examiner une dernière fois la mère et l'enfant. Elle trouva Lassa et les jumeaux endormis dans leur chambre. Comme chaque soir, elle fit le tour de tout son petit monde avant d'aller se coucher. Kaliska dormait elle aussi, mais Wellan était en train de lire.

– Est-ce un autre livre défendu ? demanda Kira.

– Non. Il n'en reste plus un seul à la bibliothèque. J'ai par contre mis la main sur un vieux traité de magie.

– Essaie de t'en tenir à la théorie, d'accord ?

– Ne t'inquiète pas. Je n'avais aucune intention de tenter ces sorts dans le palais.

– Et n'y passe pas toute la nuit, non plus.

Wellan réprima un sourire et se replongea dans sa lecture. Kira poursuivit sa route jusqu'à la chambre de Marek et le trouva debout devant sa fenêtre, à regarder dehors.

– Il est tard, jeune homme, lui fit remarquer Kira.

Il sauta dans son lit.

– Je suis content que tu aies sauvé le bébé de Mali, déclara-t-il tandis que sa mère remontait la couverture jusqu'à son menton.

– Moi aussi.

– Demain, il faudra dire à la reine pourquoi son mari ne lui répond pas.

– Mais de quoi tu te mêles, Marek d'Émeraude ?

– Je l'entends l'appeler...

– Laisse-moi deviner... Onyx se trouve à Enlilkisar, de l'autre côté des volcans ?

– Pas du tout, mais il est très loin d'ici et il ne veut pas être trouvé.

– Dans tes visions, l'as-tu vu revenir au château ?

– Oui, quand la reine apprendra qu'elle va avoir un bébé, elle aussi.

« Pour ça, il faudrait qu'Onyx recommence à partager son lit », ne put s'empêcher de penser Kira.

– Nous verrons bien, fit la mère.

Elle l'embrassa sur le front, souffla sa bougie et referma la porte de la chambre. Il ne lui restait qu'à rassurer Lazuli, que l'assaut d'Azcatchi avait sans doute terrorisé.

12

L'ANTRE

Quand il constata que Jenifael commençait à dépérir, Mahito décida d'agrandir ses appartements aux murs tapissés de cristal. La jeune déesse fut bien surprise, en se réveillant un matin, de ne pas trouver le bloc de roc devant le trou qui servait de porte à sa prison. Sans faire de bruit, elle s'en approcha et y passa doucement la tête. L'ouverture donnait sur une énorme salle, recouverte de quartz elle aussi. Ne voyant Mahito nulle part, Jenifael s'y risqua. Un feu magique brûlait en plein centre et, tout autour, des sofas de couleurs différentes formaient un cercle. Le pourtour de la caverne géante était jalonné d'une dizaine d'accès, dont un seul était fermé. Sans perdre de temps, la guerrière vérifia où ils menaient, mais ils conduisaient tous à des pièces plus petites.

Déprimée, Jenifael alla s'asseoir devant le feu. Depuis le début de sa captivité, elle avait envisagé de nombreuses façons de s'échapper, mais il lui manquait un élément essentiel : une porte de sortie. Il était évident qu'elle se trouvait derrière la grosse pierre qui bloquait l'une des issues. Son ravisseur était d'une gentillesse désarmante et son admiration pour elle était sans doute réelle, mais il refusait de comprendre que l'amour se vivait à deux.

Elle entendit alors le grincement qui lui était devenu si familier. Mahito poussa une boîte devant lui et roula la pierre devant le passage.

– J'espère que tu aimes cette grotte, dit-il en souriant.

– C'est moins étouffant.

– S'il manque quelque chose qui te rendrait heureuse, il faut me le dire.

– Ma liberté.

– Je te la rendrai dès que j'aurai touché ton cœur.

– Et comment sauras-tu que tu y es arrivé ?

– Tu cesseras de me regarder avec mépris et tu commenceras à me dire ce que tu ressens vraiment.

– Tu m'as privée de mon plus grand bonheur et tu t'attends à ce que je t'en remercie ?

– Tu ne sais même pas ce que c'est, le bonheur. En ce moment, tu penses que c'est de vivre avec quelqu'un pour ne pas ressentir la solitude. Tu as imaginé ton avenir d'une manière si intense que tu n'es plus capable de voir la réalité en face.

– Tais-toi ! ordonna Jenifael, mécontente.

– Les rêves et les aspirations de ton mari te laissent complètement indifférente puisque tu as décidé qu'il aurait les mêmes que toi. Ce que tu veux, ce n'est pas un compagnon de vie, c'est une marionnette que tu peux faire danser selon ton bon vouloir.

– Je t'ai dit d'arrêter !

– C'est là un des plus gros défauts qui affligent les dieux. Leur vanité les empêche de voir les autres tels qu'ils sont.

– Je ne suis pas vaniteuse !

– Il n'y aurait pas de conflits dans leur monde s'ils faisaient l'effort d'être authentiques. Ils ignorent qui ils sont vraiment et, siècle après siècle, ils s'encrassent dans leurs habitudes superficielles et insignifiantes.

Jenifael se boucha les oreilles pour ne plus l'entendre. Alors, Mahito vint s'accroupir devant elle pour qu'elle puisse lire ses paroles sur ses lèvres.

– Comme moi, tu as eu le bonheur de naître dans un monde de couleurs, de saveurs et d'émotions. Pourquoi les repousses-tu ?

– Tu dis n'importe quoi ! hurla la déesse.

– Si c'était vrai, tu ne serais pas ivre de colère en ce moment.

La déesse poussa un cri de fureur et lui lança un des coussins qui ornaient le sofa sur lequel elle était assise. La violence du coup renversa le jeune tigre, qui roula sur le sol en riant aux éclats.

– Je voulais te faire mal ! continua de crier Jenifael.

– La différence entre toi et moi, c'est que je vis chaque petite expérience jusqu'au fond de mon être.

– Si nous sommes aussi dissemblables, pourquoi perds-tu ton temps avec moi ?

– Parce que je veux briser les barreaux de la cage dans laquelle tu t'es enfermée toi-même.

– Et si je te disais que je m'y sens parfaitement à l'aise ?

– Alors, tu me mentirais.

– J'en ai assez de me faire traiter de vaniteuse et de menteuse ! Laisse-moi sortir d'ici !

Assis sur le sol, serrant le coussin entre ses bras, Mahito se contenta de l'observer, comme si elle était une bête blessée ayant besoin de secours.

– Pas avant d'avoir accompli mon destin, répondit-il finalement. Je vais aller nous chercher à manger.

Il alla pousser la pierre. Jouant le tout pour le tout, Jenifael le suivit sans faire de bruit et plongea dans l'ouverture avant que le bloc ne soit complètement enlevé. Elle s'élança dans le tunnel comme si toute une armée de guerriers-insectes étaient à ses trousses et entendit le rire de son gardien se répercuter sur les murs de cristal.

– Maman ! Hadrian ! Quelqu'un ! Sauvez-moi !

Elle fut alors plaquée sur le ventre par le jeune homme qui n'avait eu aucune difficulté à la rattraper.

– Lâche-moi ! cria-t-elle de tous ses poumons.

Elle se retourna sur le dos et le martela de coups. Les genoux de chaque côté des hanches de la déesse en furie, Mahito demeura impassible, attendant qu'elle se fatigue. Il était trop lourd et trop fort pour que Jenifael puisse se dégager de son emprise sans l'aide de sa magie. Lorsqu'elle cessa de se débattre, il se pencha sur elle. Comprenant qu'il allait l'embrasser, la guerrière tourna la tête de côté en poussant un grognement digne d'un tigre. Alors, il déposa un doux baiser sur sa joue et frotta son nez contre son oreille.

– Arrête ça tout de suite !

– Ce n'est qu'une marque d'affection...

– Je n'en veux pas !

Il se transforma en tigre et, d'un coup de patte, fit rouler la captive sur le ventre. Puis, enfonçant ses crocs dans sa robe, il la ramena dans la grande salle, comme une maman chat transportant un de ses petits. Il laissa tomber Jenifael sur le sol et la quitta, après avoir remis le bloc de cristal en place.

La déesse commença par pleurer toutes les larmes de son corps, puis alla se mettre en boule sur le sofa le plus éloigné de la sortie. Les accusations de Mahito continuaient de résonner dans sa tête, malgré ses efforts pour les chasser.

– Je suis authentique... hoqueta-t-elle en tentant de mettre fin à ses sanglots. Ce n'est pas ma faute si la déesse du feu s'est éprise de mon père...

En réalité, Jenifael avait été élevée par les Chevaliers Bridgess et Wellan d'Émeraude. Si le grand commandant était d'un naturel plus distant, sa mère adoptive, par contre, était une femme qui se laissait plus souvent guider par ses sentiments. « C'est parce que je voulais ressembler à mon père que je ne suis pas démonstrative », tenta-t-elle de se consoler.

Puis, après les reproches du dieu-tigre, ce furent les paroles d'Hadrian qui se mirent à rejouer dans son esprit : *Le mariage, c'est l'union de deux personnes qui mettent tout ce qu'elles ont en commun et qui font des choix ensemble... Toutes les décisions qui concernaient mon couple étaient prises d'un commun accord avec Éléna... Dans une alliance, les deux parties ont leur mot à dire... Le mariage comporte une part de liberté et de créativité... La vie est une série de nouvelles expériences passionnantes...*

– C'est une punition du ciel, conclut-elle.

Jamais, depuis le début de son existence, elle ne s'était sentie aussi impuissante. Incapable de prendre la moindre décision, puisque Mahito la tenait solidement en son pouvoir, elle se sentait mourir à petit feu.

Lorsque le bloc se mit à bouger, Jenifael alla se réfugier dans la petite grotte où elle avait commencé sa détention. Contrairement à ce qu'elle redoutait, le dieu-tigre ne vint pas la chercher de force. Il attendit plutôt que l'odeur alléchante du repas fasse son œuvre. Jenifael vint finalement s'asseoir à l'opposé de son geôlier, de l'autre côté du feu. Il poussa le plateau vers elle et l'admira en silence.

– Qu'aimes-tu chez Hadrian ? demanda-t-il après qu'elle eut commencé à se sustenter.

– Ne recommence pas à m'attaquer, l'avertit-elle sur un ton dur.

– Ce n'est qu'une question. Pourquoi t'agresse-t-elle autant ?

Jenifael continua de manger en boudant.

– Si tu l'aimais, tu n'essaierais pas de le changer.

– Je ne fais rien de tel.

– Tu lui as pourtant imposé une étrange division des tâches dans votre couple. Tu as décidé unilatéralement de t'occuper de la nourriture, des vêtements et de l'éducation des enfants, en ne lui laissant que son travail pour vous faire vivre, alors qu'il adore cuisiner.

– Tu ne peux pas savoir ça... Depuis combien de temps m'épies-tu ?

– Depuis très longtemps. C'est ainsi que j'ai compris que tu avais besoin de mon aide.

– C'est honteux de surveiller ainsi les gens !

– Pourquoi as-tu choisi pour époux un homme qui ne partage même pas tes valeurs ?

– Parce qu'il ressemble à mon père ! cria Jenifael, les nerfs à vif.

Remontant ses genoux contre sa poitrine, elle cacha son visage à l'intérieur de ses bras et éclata en sanglots.

– Tu fais des progrès, la félicita Mahito. Tu commences à trouver la voie jusqu'à ton propre cœur.

– Je te déteste !

– Pour l'instant...

Il poursuivit tranquillement son repas, attendant qu'elle se calme.

– Hadrian ne t'aimera jamais comme il a aimé sa première épouse.

– Cesse de dire des bêtises.

– Pourquoi n'es-tu pas capable d'entendre la vérité ? Est-ce qu'on t'a menti toute ta vie ? Ou est-ce que tu t'es menti à toi-même ?

– C’est toi qui refuses de comprendre que mon avenir est déjà tracé et que je ne veux laisser aucun accident de parcours m’en détourner.

– Il existe plusieurs chemins pour se rendre au sommet d’une montagne, répliqua Mahito. Certains sont bons pour nous, d’autres, non. Je ne prétends pas que le mien est meilleur que le tien, sauf qu’il est plus réaliste.

– Tu n’as pas le droit de me juger. Tu ne me connais même pas.

– Le seul homme qui t’a vraiment aimée, c’est Liam, mais tu l’as repoussé, continua le dieu-tigre.

– Nous avons été élevés ensemble ! Lassa et lui étaient des frères pour moi !

– Si vous étiez aussi proches que tu le dis, pourquoi n’as-tu jamais reconnu les sentiments qu’il entretenait envers toi ?

Incapable d’en prendre davantage, Jenifael s’enfuit dans sa petite grotte. Mahito ne la suivit pas. Il s’allongea sur un sofa pour regarder le plafond. Lorsque les pierres lumineuses commencèrent à perdre de leur intensité, la jeune femme vit, dans le passage menant à son sanctuaire, d’étranges scintillements. Sa curiosité l’emporta sur sa colère et elle passa la tête dans l’ouverture. La voûte de la grande salle était parsemée d’étoiles brillantes.

– Je croyais que la magie ne fonctionnait pas, ici, murmura-t-elle, étonnée.

– Je ne t'ai pas menti. Ce phénomène se produit toutes les nuits et je ne sais pas pourquoi.

Jenifael s'approcha du mur et posa la main sur la surface de cristal. L'énergie qu'elle détecta ne ressemblait à rien de ce qu'elle avait ressenti par le passé.

– Nous n'avons pas construit cet endroit, comprit-elle.

Elle se tourna vers Mahito.

– Aucun des panthéons non plus, affirma-t-il. Il existe plusieurs monuments gigantesques qui ont été érigés avant même que l'être humain soit créé.

– C'est impossible...

– Les prêtres et les prêtresses qui ont connu l'extase mystique affirment que ce sont des cadeaux de la part des dieux fondateurs, mais personne ne sait si c'est vrai.

– J'imagine que tu n'as pas eu le temps de voir ces lieux, puisque tu étais occupé à me guetter.

– Je n'étais pas assez fou pour m'exposer aux lances des hommes-insectes et aux manigances du sorcier à plumes de l'Empereur Noir. Je ne t'ai donc pas suivie à la guerre, ce qui m'a permis de parcourir le monde.

Jenifael s'allongea sur un autre sofa pour admirer elle aussi le spectacle lumineux.

– Mon savoir n'est pas aussi étendu que celui de l'ancien Roi d'Argent, mais je ne l'ai pas appris dans les livres, poursuivit le dieu-tigre. Je me suis renseigné sur place, dans le concret.

– Mon père parlait de faire la même chose, mais il a été fauché sur le champ de bataille avant d'avoir pu réaliser son rêve.

– À ce qu'il paraît, les dieux reptiliens ont décidé d'exaucer son vœu.

La jeune déesse se redressa sur les coudes pour voir s'il se moquait d'elle.

– Il est mort, Mahito.

– Son âme est revenue dans le corps du fils aîné de la Princesse d'Émeraude.

– Si c'était vrai, il n'aurait pas pu garder ce secret aussi longtemps.

– Il a été obligé de l'avouer à ses anciens compagnons d'armes après ta disparition.

– Donc, s'il est vraiment mon père, il me retrouvera, se réjouit Jenifael.

Elle continua d'observer la voûte où les points lumineux reproduisaient les constellations qu'elle avait appris à connaître durant son enfance et s'endormit en songeant à la possibilité de plus en plus réelle que quelqu'un vienne à son secours.

13

OSTRACISÉE

Même si Intimanco s'était assuré d'être seul lorsqu'il avait raconté à sa fille aînée les circonstances étranges qui avaient entouré sa naissance, une femme de la tribu avait entendu de loin une partie de leur conversation en se rendant au puits. Stupéfaite d'apprendre que Napalhuaca était la fille d'un serpent de foudre, elle l'avait mentionné aux membres de sa famille, qui en avaient parlé à des amis, jusqu'à ce que toute la tribu soit au courant.

La prêtresse Mixilzin ne remarqua pas immédiatement le comportement différent du peuple à son égard, car elle s'était isolée afin de réfléchir aux paroles d'Onyx et aux révélations de son père. Il n'était pas facile, même pour une féroce guerrière, d'apprendre que toute sa vie n'avait été qu'un mensonge. Le Roi d'Émeraude s'était-il aventuré dans le nouveau monde afin de faire éclater la vérité ?

Ayant décidé de reprendre ses activités quotidiennes comme si rien ne s'était passé, Napalhuaca se heurta d'abord à la froideur de ses proches, en commençant par sa sœur. Lorsque la prêtresse voulut s'asseoir près d'Astalcal au repas du matin, cette dernière se leva et s'éloigna avec son écuelle. Le message ne pouvait pas être plus clair. Napalhuaca tenta de prendre une place au sein d'autres groupes, mais chaque fois, elle fut laissée seule. Elle termina son repas en retenant sa colère, puis se rendit à la maison de sa sœur afin d'en avoir le cœur net.

– Pourquoi agis-tu ainsi ? demanda la prêtresse sans détour.

– Tu n'es pas des nôtres, répondit durement Astalcal.

– Qui le prétend ?

– Tout le monde. Va-t'en avant qu'on pense que je viens de la même place que toi.

– Mais nous sommes en effet issues toutes les deux du corps de la même mère.

– On dit que tu es une créature de la foudre et que c'est pour ça que tu ne nous ressembles pas.

Astalcal lui tourna le dos et pénétra chez elle.

– C'est faux ! hurla Napalhuaca.

Elle était pourtant la seule Mixilzin aux yeux bleus, mais était-ce suffisant pour ostraciser quelqu'un ? Très contrariée, elle se rendit dans son harem, mais ne put pas y entrer, car Cuzpanqui, son préféré, lui en bloqua l'accès.

– Enlève-toi de mon chemin, ordonna-t-elle. Je veux voir Ayarcoutec.

– Nous ne voulons pas que tu contamines nos enfants.

– Que je les contamine ? Mais je ne suis ni malade ni contagieuse.

– Tu as été plantée ici par des dieux ennemis des nôtres. Ils t'ont déposée sur le volcan pour que tu vives parmi nous afin de nous espionner.

– C'est faux !

– Quelqu'un a entendu Intimanco dire qu'il ne savait pas d'où tu viens.

– Je suis sortie du ventre de ma mère, Pachinnti.

– Moi, je pense plutôt que tu es la fille d'un mauvais esprit qui s'est emparé de ta mère. Tes dons ne sont pas normaux. Personne ne les a eus avant toi.

– Je ne suis pas un démon. Je n'ai utilisé mes pouvoirs que pour faire le bien.

Napalhuaca poussa son favori sur le côté, mais celui-ci revint aussitôt devant elle.

– Personne ne m'empêchera de voir mes enfants ! se fâcha-t-elle.

– Notre loi est pourtant claire au sujet des traîtres.

La prêtresse enfonça son genou dans le ventre de Cuzpanqui, qui se plia en deux de douleur. Alors, elle ramena ses mains jointes sous le menton de son adversaire et l'envoya choir sur le dos. En quelques secondes, les pointes de lance de ses autres maris furent pointées sur elle.

– Avez-vous tous perdu la raison ? s'écria-t-elle.

– Retourne chez tes maîtres, ordonna l'un d'eux.

Napalhuaca était capable de terrasser n'importe quel homme de sa tribu, mais pas huit en même temps. Leur réaction lui brisait le cœur. Toutefois, si elle ne pouvait pas leur donner la leçon qu'ils méritaient, elle n'était pas non plus le genre de femme à s'avouer aussi facilement vaincue. Elle recula pas à pas, jusqu'à ce qu'elle ne soit plus à la portée des javelots, et se dirigea vers la maison de son père. Quelle ne fut pas sa surprise de la trouver entourée de Mixilzins, qui étaient pourtant sous ses ordres.

– Un orage approche, gronda l'une des guerrières. Ce sera ta chance de rentrer chez toi.

Napalhuaca ne trouvait plus de mots pour les convaincre qu'ils se trompaient sur ses origines. « C'est la faute d'Onyx », songea-t-elle. « S'il n'était pas venu jusqu'ici pour empoisonner leurs esprits, rien de ceci ne serait arrivé. » Il ne lui restait qu'une seule chose à faire : partir. La tête haute, elle retourna chez elle et enfouit ses affaires dans un grand sac multicolore que sa mère lui avait tissé avant sa mort.

La prêtresse ne possédait pas grand-chose, car les Mixilzins n'étaient pas attachés aux biens matériels. C'était pour cette raison qu'ils ne faisaient quasiment jamais de commerce avec les peuples voisins. Elle choisit quelques vêtements, la statuette de Parandar que lui avait sculptée son père et le bracelet que lui avait légué sa mère, mais laissa tous les présents que lui avaient offerts ses maris. Elle ne prit que le peigne en nacre qu'Ayarcoutec avait trouvé en jouant avec ses amis à l'extérieur du village, afin de se rappeler d'elle, puis roula et attacha une couverture à la bandoulière de son sac. Elle n'apporta pas de provisions, car tout Mixilzin qui se respectait était en mesure de s'alimenter n'importe où grâce à ses talents de chasseur.

En sortant de sa maison, Napalhuaca s'empara de son épée double, appuyée contre le mur, et grimpa vers le sommet du volcan. Elle ne voulait pas que tout le village assiste à son exil, alors elle partirait la nuit venue. Sur le bord du cratère s'élevait une grosse roche plate, où elle avait si souvent prié pour le bien de son peuple. Ce jour-là, elle implorerait les dieux pour elle-même. Elle s'agenouilla en récitant les adjurations habituelles, puis s'adressa aux divinités reptiliennes de façon plus personnelle.

– Je vous ai toujours servies avec dévotion et j'ai utilisé le talent de divination que vous m'avez donné avec discernement. Je ne mérite pas d'être traitée ainsi par ces gens que j'aime de tout mon cœur...

Des larmes se mirent à couler sur ses joues, malgré ses efforts pour se montrer brave.

– Dites-moi ce que je dois faire, car je ne le sais plus...

Elle récita les mantras que lui avaient appris les anciens quand elle était enfant jusqu'à ce que leur effet hypnotique engourdisse son mal. Le soleil se couchait lorsqu'elle reçut une curieuse vision: des vagues mourant à ses pieds, une embarcation voguant sur les flots, des étoiles effectuant une curieuse danse dans le ciel... et les yeux bleus perçants du Roi d'Émeraude.

– Je dois le retrouver, comprit-elle.

Dès que l'obscurité enveloppa la montagne, Napalhuaca se mit en route. Habilement, ses pieds évitèrent les pierres éparpillées sur le sol lors de la dernière éruption du volcan. Elle marcha vers le sud, puis, quand elle ne vit plus les feux de son village, elle descendit vers la forêt, qu'elle devait atteindre avant les premières lueurs de l'aube pour ne pas être repérée par les sentinelles. Napalhuaca ne s'était pas aventurée très souvent à l'extérieur de sa contrée natale. Son père lui avait raconté que les forêts des Itzamans recelaient de nombreux dangers et que la seule manière d'y dormir en sûreté, c'était sur les hautes branches des arbres. De toute façon, la prêtresse n'avait pas sommeil. Tout ce qu'elle voulait, c'était échapper aux regards accusateurs des Mixilzins.

Elle s'enfonça dans la sylve, mais pas trop profondément afin de ne pas attirer de prédateurs. Au bout d'un moment, elle entendit le bruissement léger de l'eau et découvrit une petite source. Ne ressentant aucune menace imminente, elle s'agenouilla pour reprendre son souffle et s'asperger le visage. Ses dernières épreuves rejouèrent dans son esprit et lui causèrent beaucoup de chagrin. Comment un peuple aussi rationnel que le sien pouvait-il croire qu'elle était une ennemie en se fondant sur le récit d'un vieil homme qui en avait oublié la plupart des détails ? Une rumeur pouvait-elle avoir autant de conséquences sur la vie d'une personne ?

Assise en tailleur, Napalhuaca ramena ses jambes contre sa poitrine et appuya la tête sur ses genoux. Était-il vraiment sage de tenter de retrouver Onyx ? « Je ferais mieux de me laisser mourir ici-même », pensa-t-elle. Les animaux sauvages la dévoreraient, alors personne ne retrouverait jamais son corps et elle deviendrait une légende...

C'est alors qu'elle entendit une triste mélodie jouée sur une flûte. Il n'y avait pourtant aucune habitation dans les environs. Un enfant s'était-il égaré ? L'instinct maternel de la guerrière la fit bondir au secours du petit en détresse. Elle fonça dans les hautes fougères sans réfléchir à sa propre sécurité et s'arrêta net en apercevant entre les arbres un homme à la peau dorée et aux longs cheveux noirs ramenés en une seule tresse dans son dos. Son pagne blanc décoré de petites perles de couleur n'était pas caractéristique des peuplades d'Enlilkisar. D'ailleurs, l'homme était trop grand et trop musclé pour être un Itzaman et les sanguinaires Tepecoalts n'aimaient que le son rythmique des tambours de guerre.

Comme s'il venait de capter sa présence, l'étranger cessa de souffler dans le bel instrument de bois luisant et se tourna vers elle. Napalhuaca ne l'avait jamais vu avant ce jour et, pourtant, elle avait l'impression de le connaître. Ses yeux noirs comme la nuit la rassurèrent sur-le-champ, tout comme l'ombre du sourire qui effleura ses lèvres. Il s'approcha sans qu'elle cherche à fuir.

– Je m'appelle Napalhuaca.

– Napashni, murmura-t-il en caressant doucement la joue de la prêtresse.

– Comprenez-vous ce que je vous dis ?

– Je parle toutes les langues de l'univers.

– Comment est-ce possible ?

– Sèche tes pleurs, mon enfant. Ta place n'était pas parmi eux.

– Vous savez ce qui vient de m'arriver ? s'étonna la jeune femme.

– Rien ne peut m'être caché.

– Mais qui êtes-vous ?

– Je suis Abussos.

Onyx avait mentionné ce nom lorsqu'il parlait de la possibilité qu'ils soient tous deux des dieux !

– Le fondateur ? réussit à articuler Napalhuaca, stupéfaite.

Le dieu-hippocampe hocha doucement la tête.

– Seul, je n'aurais rien conçu, précisa-t-il. Je suis l'un des deux principes de la création du monde, l'autre étant Lessien Idril.

– Je croyais que vous étiez des esprits... mais vous avez un corps !

– Nous possédons la faculté d'être qui nous désirons. J'ai choisi cette apparence qui me représente mieux que les autres et qui me permet de jouer de la flûte.

– C'est si différent de ce qu'on m'a enseigné que je ne sais plus quoi penser.

– Beaucoup de connaissances se sont perdues ou ont été tout simplement effacées à l'arrivée des panthéons de mes petits-enfants, mais, au bout du compte, la vérité sera restaurée.

Napalhuaca ignorait de quoi il parlait, mais elle s'efforça de mémoriser ses paroles afin de les répéter au Roi d'Émeraude. Tout à coup, il était devenu encore plus urgent de le retrouver.

– Que veut dire Napashni ?

– C'est le nom que ta mère et moi t'avons donné.

– Onyx m'a expliqué qu'un éclair frappait la femme qui donnait naissance à votre enfant, mais les bébés ne sont pas conçus ainsi.

– Les nôtres, oui. C'est en moi que dort la foudre nécessaire pour assurer ma descendance, mais j'ai besoin d'un peu d'encouragement de la part de ma femme. Lorsque viendra le temps, tout deviendra plus clair pour toi. Ce qui importe, en ce moment, c'est que tu acceptes tes origines et que tu demeures forte tandis que nous réglons le cas de nos petits-enfants. C'est une bonne idée que tu joignes ta puissance à celle de Nashoba, car les humains auront besoin de votre protection.

– Nashoba ?

– Mon fils-loup qui vit de l'autre côté de ces volcans.

– C'est là que je comptais me rendre, de toute façon.

Abussos plongea la main dans la pochette de suède qui était accrochée à la ceinture de son pagne et en sortit un magnifique collier composé d'une multitude de petites pierres dorées, orange et bleues.

– Il te parlera de toi, affirma le dieu-hippocampe.

Après avoir attaché le bijou autour du cou de Napalhuaca, l'homme recula et se remit à souffler dans sa flûte. La prêtresse sentit ses paupières devenir très lourdes, puis ce fut le noir. Lorsqu'elle ouvrit les yeux, elle était allongée sur le ventre, sur une énorme branche, à quelques mètres du sol. Pourtant, elle ne se souvenait pas d'y être grimpée. « Était-ce un rêve ? » se demanda-t-elle en se redressant. Elle vit son épée double posée sur les branches voisines. Les petites perles de son nouveau bijou se mirent alors à tinter faiblement.

– Je n'ai pas rêvé...

Elle cherchait une façon de descendre de son perchoir lorsqu'elle entendit de légers craquements. Un jaguar l'avait-il flairée ? Napalhuaca s'immobilisa et guetta le pied de l'arbre. Une enfant de huit ans, Mixilzin de surcroît, passa sous elle en essayant de faire le moins de bruit possible.

– Ayarcoutec ? s'étonna la mère.

Les guerriers de sa tribu étaient-ils à ses trousses ? Avaient-ils décidé de l'offrir en sacrifice aux dieux en la balançant dans le volcan ? Napalhuaca attendit encore quelques secondes pour s'assurer que la petite était seule, puis descendit sur le sol.

– Que fais-tu ici ? reprocha-t-elle à sa fille en arrivant derrière elle.

Effrayée, Ayarcoutec fit volte-face. Puis, reconnaissant sa mère, elle se jeta dans ses bras.

– J'ai eu tellement peur de ne plus jamais te revoir... pleura l'enfant.

– Qui t'accompagne ?

– Personne.

– Combien de fois t'ai-je dit de ne pas t'éloigner seule du village ?

– Je ne me suis pas éloignée ! Je me suis enfuie !

– Retourne immédiatement auprès de ton père.

– Non ! C'est à toi que je veux ressembler, pas à lui !

Napalhuaca entendit alors un grondement sourd et comprit que leur discussion avait attiré un prédateur. Mettant son index sur ses lèvres, elle fit signe à Ayarcoutec de ne plus dire un mot. La prêtresse serra la main de l'enfant dans la sienne et courut en direction du volcan, en terrain découvert, où elle aurait de meilleures chances de se défendre. Désireuse de devenir une grande guerrière, elle aussi, Ayarcoutec la suivit sans émettre la moindre plainte.

Une fois sur le flanc de la montagne, Napalhuaca se retourna et plaça la gamine derrière elle, afin d'observer la forêt. Maintenant qu'elle avait été flairée, elle ne pourrait plus se déplacer dans la végétation. Il lui faudrait poursuivre sa route sans pouvoir échapper aux regards de ceux qui vivaient plus près du sommet. Elle attendit que le danger soit passé, puis s'assit sur le sol.

– Qu'est-ce que c'était, maman ? chuchota sa fille.

– Sûrement un animal.

– Puis-je le traquer avec toi ?

– Je n'ai pas quitté les Mixilzins pour aller chasser. On m'a demandé de partir pour toujours, Ayarcoutec.

– Je sais, mais il te faudra quand même manger en cours de route.

– C'est vrai, mon petit rayon de soleil. Je saurai me débrouiller pour survivre. Maintenant, retourne là-haut.

– Non.

– Les enfants, et surtout les princesses, doivent obéir à leurs parents.

– Je ne suis pas d'accord avec la décision d'Intimanco. Tu n'es pas un démon.

– Si tu restes avec moi, ils croiront que tu en es un toi aussi. Je veux que tu aies un bel avenir.

– Pas loin de toi ! Je suis ta seule fille, tu sais.

– C'est justement pour cette raison que tu dois retourner à la maison : c'est toi qui devras me remplacer quand tu seras grande.

– Ma maison, c'est toi. Je ne te quitterai pas.

– Même si j'ignore où je vais ?

– Moi, je m'en doute.

Le sourire espiègle de la petite amusa Napalhuaca.

– Je n'arriverai pas à te convaincre de partir, n'est-ce pas ?

Ayarcoutec secoua la tête pour dire non. Elle n'avait visiblement rien apporté pour le périple. Il leur faudrait partager leur seule couverture et laver ses vêtements de temps en temps.

– Tu devras m'obéir et ne jamais te plaindre.

– Je le promets.

– Ne restons pas ici.

La mère et la fille marchèrent pendant des heures sous un soleil de plomb en retrait de la forêt, puis s'arrêtèrent un moment tandis que Napalhuaca tentait de déterminer la meilleure route à suivre. Devant elle s'élevaient deux pics volcaniques. Elle avait le choix de passer entre eux ou de contourner celui de gauche qui surplombait les terres cultivées des Itzamans.

– Je ne veux surtout pas me plaindre, mais je commence à avoir faim, indiqua Ayarcoutec. Si tu n'as pas de nourriture dans ton sac, le mieux serait d'aller chasser.

La petite avait raison. En continuant entre les montagnes, elles éviteraient de faire de malencontreuses rencontres, mais ne trouveraient rien à se mettre sous la dent.

– Qu'as-tu envie de manger ?

– Des fruits, mais je me contenterai de ce que nous trouverons.

– Bien parlé.

Elles entreprirent donc la longue descente vers l'endroit où les arbres avaient cédé la place à une immense plaine. Là s'étendait un grand lac.

– Crois-tu qu'on pourra se baigner un peu ? voulut savoir la fillette.

– Je ne vois pas qui pourrait nous en empêcher.

– Les monstres aux grandes dents qui vivent dans l'eau...

– Je n'en ai jamais entendu parler.

– Papa m'a parlé d'eux. Crois-tu qu'ils existent ?

– Je n'en sais rien.

Elles atteignirent le pied de la montagne à la tombée de la nuit. Ayarcoutec était non seulement affamée, mais aussi morte de fatigue, et le lac était encore à plusieurs heures de marche. Napalhuaca la fit donc grimper sur son dos et poursuivit sa route sans fléchir, pour s'arrêter finalement, au milieu de la nuit, au pied d'un grand arbre sur le bord du lac. Doucement, elle réveilla la petite.

– Grimpe sur la branche juste au-dessus de nous, ordonna la mère. Restes-y jusqu'à mon retour.

Les yeux chargés de sommeil, Ayarcoutec escalada le tronc rugueux avec l'agilité d'un petit singe. Il n'allait pas être facile pour Napalhuaca de trouver à manger dans une telle obscurité, mais elle devait nourrir son enfant. Elle s'éloigna à pas feutrés, à l'écoute des bruits nocturnes, tentant de repérer des arbustes fruitiers. Une énorme bête surgit alors de nulle part et s'approcha d'elle en grondant férocement. Vive comme l'éclair, la guerrière décrocha l'épée double accrochée sur son dos et se campa sur ses pieds.

– Vous ? lâcha le prédateur, étonné.

Napalhuaca plissa les yeux pour tenter de distinguer les traits de son adversaire, car sa voix lui était familière.

– Que faites-vous aussi loin de votre village ? demanda le fauve.

– Cherrval ?

L'homme-lion se redressa sur ses pattes arrière.

– Vous êtes-vous égarée ?

– On m'a exilée, alors je me dirige vers le grand océan en espérant trouver un passage jusqu'au monde du Roi Onyx. Mais cette nuit, je cherche quelque chose à manger pour Ayarcoutec et moi.

– Où est la petite ?

– En sûreté, dans un arbre.

– C'est plus prudent. Les Scorpenas sont voraces et ils aiment la chair des enfants. Allez la rejoindre. Je vais vous apporter ce qu'il vous faut.

Napalhuaca était si épuisée qu'elle accepta cette offre sans protester. Elle retourna vers sa fille et grimpa dans l'arbre où Ayarcoutec s'était endormie, à plat ventre. La prêtresse s'assit sur la même branche qu'elle et s'appuya le dos contre le tronc. Les rayons de lune qui réussissaient à traverser les nuages faisaient briller les petites perles de son nouveau collier. « Maintenant, je comprends l'attitude incrédule d'Onyx », songea-t-elle, « car si j'étais réellement une déesse, je ne me trouverais pas dans une situation aussi humiliante. »

Cherrval revint une heure plus tard. À l'aide de ses griffes, il monta jusqu'à une branche voisine de celle qu'occupaient les Mixilzins et tendit à Napalhuaca le panier d'osier qu'il avait transporté dans sa gueule.

– Mais où as-tu déniché cela?

– Il y a un village à l'est, répondit le Pardusse. J'ai pris ce qui restait près des braises.

La guerrière avait si faim qu'elle était prête à manger même les restes de ces inconnus. Elle fut surprise et soulagée de découvrir dans le panier des morceaux de galettes de maïs, du poisson frit et des fruits entiers. Elle se sustenta la première et réveilla ensuite sa fille. Ayarcoutec mâcha sa nourriture les yeux fermés, puis se recoucha.

– Nous trouverons des aliments plus frais demain, promit Cherrval. Dites-moi ce qui s'est passé.

Napalhuaca lui raconta sa mésaventure en détail.

– Vous êtes une divinité? s'émerveilla l'homme-lion.

– Je ne suis sûre de rien. Le Roi Onyx a commencé à m'en parler, mais je n'étais pas prête à l'entendre. Je suis maintenant à sa recherche.

– Il est venu chercher l'enfant d'Azcatchi pour l'emmener chez des mages.

– Sais-tu où ils vivent?

– Il ne l'a pas mentionné, mais je crois que c'est dans son monde, parce qu'il n'y a aucun mage à Enlilkisar.

– Connais-tu le chemin pour aller chez le roi ?

– Féliss m'a raconté que ses amis étaient arrivés par la mer. Il dit que c'est très loin vers le soleil couchant et que c'est très différent d'ici.

– Je me dirige donc dans la bonne direction.

– Oui, mais vous ne devez pas passer par la forêt, princesse. C'est un territoire très dangereux.

– Je n'ai peur de personne.

– Les Scorpenas sont des monstres qui chassent en meute. À moins d'avoir des crocs et des griffes comme moi, il est impossible de ne pas crouler sous leur nombre. J'ai vu les restes de bandes de chasseurs vaillants, tant Itzamans que Tepecoalts, que les Scorpenas ont attaqués. Il ne faut pas prendre cette menace à la légère. Laissez-moi vous guider jusqu'au domaine des Ipocans.

– C'est très généreux de ta part.

– Les amis du Roi Onyx sont aussi les miens.

Ils dormirent jusqu'au matin sans être importunés. Les Scorpenas aimaient chasser la nuit, mais il arrivait que de petits groupes se manifestent également le jour. Il s'agissait, en général, de jeunes mâles pressés de prouver leur valeur. Ils étaient plus faciles à terrasser, mais Cherrval ne voulait courir aucun risque. Il guiderait les Mixilzins entre les pics volcaniques plutôt qu'à travers les bois.

À son réveil, Ayarcoutec jubila en apercevant le Pardusse, elle qui s'ennuyait déjà d'Occlo, restée au village. Dès qu'elle eut mis le pied sur le sol, la petite lança les bras autour de la crinière de l'homme-lion et le serra de toutes ses forces.

– Je croyais que tu étais retourné dans le pays des Pardusses !

– Je n'y suis plus le bienvenu, parce que je ne pense plus comme eux.

– Tu as été banni comme maman ?

– Oui, mais ça ne me cause aucun chagrin. J'aime les humains que je rencontre. Féliss et les Itzamans sont devenus ma deuxième famille. Maintenant, partons avant que notre odeur attire des créatures indésirables.

L'homme-lion déposa un panier dans les bras de l'enfant et prit les devants.

– On pourrait les tuer et les manger, suggéra Ayarcoutec en suivant les adultes.

– Elles ne goûtent pas très bon, affirma Cherrval.

Le trio progressa vers le sud sur un terrain aride, parsemé de pierres noires. À cette altitude, Napalhuaca apercevait les terres cultivées des Itzamans qui s'étendaient à perte de vue.

– Papa dit qu'il ne faut pas épuiser la terre si on veut qu'elle continue à nous nourrir, laissa tomber Ayarcoutec.

– Il a raison, l'appuya sa mère. C'est pour cela que les Mixilzins n'ensemencent pas toutes leurs terrasses en même temps. Il est préférable de les laisser se reposer quelques années.

– Qu'est-ce qu'on mange, ce matin ?

– Je m'en occupe, indiqua Cherrval en reprenant le panier des mains de l'enfant. Poursuivez votre route vers le sud. Je vous rattraperai.

Il retomba sur ses quatre pattes et dévala la pente à une vitesse foudroyante.

– Je suis contente de repartir à l'aventure avec toi, maman, déclara Ayarcoutec, qui marchait sur les talons de Napalhuaca.

– De me suivre dans mon exil, tu veux dire.

– Aussi.

Elles avancèrent pendant un peu plus d'une heure dans une chaleur de plus en plus torride. La guerrière, qui jetait régulièrement un œil au-dessus de son épaule, vit alors un nuage de poussière qui approchait. Quelques minutes plus tard, Cherrval s'arrêta devant elle et déposa le panier chargé de fruits frais.

– Je n'ai rien pris qui nécessitait de la cuisson, puisqu'il n'y a pas de bois pour allumer un feu, ici, annonça-t-il.

– Nous ne voulons pas non plus attirer l'attention des Itzamans, ajouta Napalhuaca.

La mère et la fille prirent place sur la couverture pour ne pas se brûler sur la pierre chaude, et mangèrent à satiété. Après avoir remercié leur ravitailleur, les Mixilzins se remirent en marche.

– Quand serons-nous arrivés ? demanda Ayarcoutec quelques minutes après leur départ.

– Dans plusieurs jours, répondit la mère sur un ton neutre.

– Moi, j'aimerais que ce soit demain.

« Si au moins je savais me déplacer magiquement comme Onyx », soupira intérieurement Napalhuaca.

– Si tu es vraiment une déesse, tu dois avoir des pouvoirs, non ? poursuivit sa fille, tenace.

– Je vois parfois l'avenir et j'arrive à trouver ceux qui ont disparu... mais pas toujours.

– Je pensais à une façon de faire passer le temps plus vite.

– Même si mes parents sont des divinités, ils n'ont pas pris la peine de m'enseigner ce que je devais savoir pour accomplir de tels prodiges.

– Peut-être que tout ce que tu as à faire, c'est de dire à voix haute ce que tu désires.

– Je doute que ce soit aussi simple que cela, mais je veux bien essayer pour te faire plaisir.

Napalhuaca s'immobilisa et regarda la petite droit dans les yeux en adoptant son air le plus sérieux.

– Dieux du ciel, montrez-moi comment je pourrais me rendre plus rapidement à la mer avec Cherrval et Ayarcoutec ! s'écria la prêtresse en levant les bras vers le ciel.

Un vent violent s'éleva et se mit à tourbillonner autour d'eux.

– Maman ? s'inquiéta la fillette.

Napalhuaca ressentit une grande chaleur au milieu de son corps. À sa grande stupeur, elle vit ses bras se couvrir de poils gris et tomba à genoux. Sous les yeux du Pardusse et de la petite Mixilzin, elle se transforma en un formidable animal six fois plus gros que Cherrval ! En fait, son corps ressemblait à celui de l'homme-lion, avec ses puissantes pattes armées de griffes, mais sa queue était complètement couverte de longs poils bleu sombre, tout comme son poitrail, son cou et le dessus de sa tête, qui était maintenant celle d'un aigle avec un bec crochu, de grands yeux dorés et de petites oreilles pointues.

– Maman, je ne veux plus que tu fasses de la magie ! gémit Ayarcoutec.

L'aigle-lion termina sa transformation en déployant deux magnifiques ailes, faites de plumes bleues aux extrémités blanches, qui se mirent à battre. Il poussa un cri aigu et s'éleva doucement dans les airs.

– Cherrval, fais quelque chose ! implora l'enfant.

– Je ne peux pas me mesurer à une telle créature ! protesta le Pardusse.

Napalhuaca fonça sur eux. Ils n'eurent pas le temps de fuir et furent saisis entre ses pattes de devant et de derrière. En quelques secondes à peine, ils se retrouvèrent en plein ciel.

– Je vois la mer ! cria Ayarcoutec.

– On dirait bien que ton vœu va être exaucé, répliqua Cherrval. Est-ce que tu as mal ?

– Non. Elle me tient assez serré pour que je ne tombe pas, mais pas suffisamment pour m'étouffer.

Le trajet qui aurait dû s'éterniser pendant plus d'une semaine ne dura qu'une seule journée. Le soleil venait de disparaître derrière les volcans lorsque l'aigle-lion se posa sur la plage, à l'ouest du temple du soleil, en relâchant ses passagers. Ces derniers roulèrent sur le sable et se retournèrent juste à temps pour voir l'animal reprendre sa forme humaine. Ayarcoutec se jeta dans les bras de sa mère.

– Je ne te redemanderai plus jamais d'utiliser ta magie, pleura la petite.

– Que s'est-il passé ?

– Tu ne te rappelles pas ?

– Je me souviens d'avoir senti un vent frais dans mes cheveux et de m'être sentie libre comme jamais dans ma vie.

– Tu t'es transformé en lion avec une tête d'aigle !

« Onyx se change en loup », songea Napalhuaca. « Est-ce un privilège divin ? »

– Je suggère que nous nous reposions, maintenant, intervint Cherrval. Nous sommes en sûreté sur la plage, car les Ipocans patrouillent cette côte.

– Je me sens très lasse, tout à coup, avoua la guerrière.

Elle se laissa retomber sur le sol et ferma les yeux. Ayarcoutec déroula leur couverture et couvrit sa mère pour la garder au chaud, puis alla se réfugier entre les pattes du Pardusse.

– Est-ce que nous avons rêvé, Cherrval ?

– Je crains que non. J'ai vu la même chose que toi.

– Pourquoi a-t-elle toujours ses vêtements ? Ils auraient dû être déchirés ! L'animal qu'elle est devenue était énorme !

– Je ne connais rien aux dieux, ma petite. Arrête de penser à tout ça, pour l'instant. Tu dois dormir.

Cherrval se mit à ronronner comme un chat et bientôt, le bruit sourd et continu amena l'enfant au sommeil. Lorsque le soleil réapparut au-dessus de l'océan, Ayarcoutec ouvrit les yeux. De gros oiseaux blancs planaient dans le ciel en piaillant. Curieuse, la fillette se dégagea délicatement des pattes du Pardusse et gambada sur le sable. Puisqu'il s'infiltrait dans ses sandales, elle les enleva et marcha dans l'eau sans trop s'éloigner des adultes. Elle vit une branche cassée quelques pas plus loin, la ramassa et commença à dessiner l'aigle-lion sur le sol.

– Tu as beaucoup de talent, fit une voix aiguë.

Ayarcoutec fit volte-face en adoptant une position de combat. L'adolescente qui se tenait dans l'eau jusqu'à la taille était recouverte d'écailles turquoise et ses cheveux étaient verts !

– Es-tu une déesse ?

– Non. Je suis une Ipocane. Je m'appelle Shapal.

– Moi, c'est Ayarcoutec.

La sirène s'avança jusqu'à l'enfant.

– La fille du dieu que nous vénérons est un griffon comme celui-là.

– L'animal que j'ai dessiné s'appelle un griffon ?

– Oui. Il ressemble beaucoup à Napashni.

Malgré le clapotis des vagues, Napalhuaca entendit clairement ce nom en ouvrant les yeux. Abussos l'avait prononcé lors de leur rencontre. Elle se redressa en observant la jeune fille-poisson, qui lui rappela aussitôt son périple avec Onyx.

– Maman ! s'exclama joyeusement Ayarcoutec. Tu es un griffon !

– Ta mère est Napashni ? s'étonna Shapal.

– Je pense que oui.

L'Ipocane se prosterna devant la guerrière.

– Regarde, insista Ayarcoutec en lui pointant son dessin, que les vagues commençaient à effacer. Tu ressemblais à ceci.

– C'est très inquiétant... s'étrangla Napalhuaca.

– Hommage, Napashni, la salua Shapal. Comment puis-je vous servir ?

– Je dois retrouver le Roi Onyx.

– Accordez-moi l'honneur de vous conduire à Enkidiev, où il réside.

– Vous feriez cela pour nous ?

– Avec le plus grand plaisir. Attendez-moi ici.

Shapal plongea dans la mer. Napalhuaca s'assit, troublée.

– Tous les dieux peuvent-ils se transformer comme toi ? demanda sa fille.

– Je l'ignore, ma petite fleur... Tout ce que je savais n'a plus de sens. Je suis redevenue une enfant qui doit tout apprendre de sa vie.

– Comme moi !

Elles virent alors une embarcation s'approcher sur les flots, mais personne n'était à bord. Puis Shapal sortit la tête de l'eau, avec la corde de la barque autour de ses épaules.

– Si vous voulez bien embarquer, fit-elle joyeusement, je vais vous emmener. Mais le voyage sera long.

– C'est acceptable, répondit Ayarcoutec, qui ne voulait pas voir sa mère se transformer une seconde fois. Mais que mangerons-nous ?

– Nous trouverons de quoi nous nourrir dans la mer, ne vous inquiétez pas.

– Cherrval, dépêche-toi !

– Je ne sais pas si c'est une bonne idée. Les amis du Roi Onyx m'ont dit qu'il n'y avait personne comme moi sur leur continent.

– Est-ce une façon de dire que tu as peur ?

– Moi ? Je n'ai peur de rien ! rugit le Pardusse.

Il grimpa dans l'embarcation avec les deux Mixilzins. Avec beaucoup de courage, Shapal se mit à la faire glisser sur les flots, mais elle était devenue beaucoup plus lourde. Des tourbillons se formèrent alors autour des aventuriers et une dizaine d'hippocampes géants émergèrent avec leurs cavaliers.

– Que fais-tu là, Shapal ? demanda l'un des hommes.

– Je conduis la fille d'Abussos à Enkidiev, Riga.

– Napashni ?

Napalhuaca, qui ne pouvait prétendre s'appeler ainsi, ne le nia pas non plus. Les sentinelles multicolores baissèrent la tête pour la saluer et accrochèrent des grappins sur les côtés du petit bateau.

– Accrochez-vous, leur recommanda Shapal en grimpant dans l'esquif.

Ayarcoutec se félicita d'avoir suivi son conseil, car ils se mirent à filer sur l'eau à grande vitesse.

14

SENTIMENT PATERNEL

Après l'accueil plutôt agressif que lui avait réservé Swan au Château d'Émeraude, Onyx avait choisi de rentrer à Irianeth avec le bébé Tepecoalt afin de réfléchir aux émotions qui l'envahissaient. Jadis, il était toujours parvenu à imposer sa volonté à son entourage. Les quinze années qu'il avait passées cloué au lit lui avaient-elles fait à ce point perdre sa crédibilité ? « Ou est-ce l'épisode durant lequel ma peau a bleui ? » se demanda-t-il.

Assis sur son lit, dans sa petite maison de pierre, uniquement éclairé par quelques bougies, Onyx observait le bébé qui dormait près de lui dans un berceau de bois. Son esprit avait réussi à dénicher ce meuble dans son palais, ainsi qu'une baignoire miniature, des couvertures, des langes, de petites tuniques et des biberons, qu'il avait immédiatement fait apparaître dans son nouvel antre. Le roi avait également « emprunté » des cruches de lait chaud de la même manière. Une fois lavé, changé et repus, le bambin s'était endormi sans émettre la moindre plainte.

Avec ses cheveux noirs et ses yeux bleus, le bébé rappelait à Onyx ses fils Nemeroff et Atlance, au même âge. « C'était le bon temps », déplora-t-il silencieusement. Il les avait tellement aimés... Les Tepecoalts avaient donné le nom d'Aetos à cet enfant, tandis que les Itzamans l'appelaient Palanc.

– Puisqu'il semble que tu sois appelé à faire partie de ma famille, tu deviendras Jaspe d'Émeraude, décida le père. Le Prince Jaspe.

Toutefois, Onyx n'était pas certain de pouvoir l'élever convenablement sur une terre aussi inhospitalière qu'Irianeth. Plus personne n'y habitait, malgré les fleurs qui avaient poussé partout.

– De toute façon, je ne t'aurais pas laissé jouer avec des insectes et des dragons carnassiers, chuchota le roi.

Pour se développer normalement, Jaspe aurait besoin d'une présence féminine et l'attitude de Swan laissait présager qu'elle n'accepterait pas de jouer ce rôle.

– Tu ne pourras pas apprendre à régner sur les autres si tu grandis tout seul ici, se désola Onyx.

La solution idéale aurait été de le confier à Armène en cachette, mais tout finissait toujours par se savoir au château. Que ferait Swan en l'apprenant ? Même s'il lui prouvait que Jaspe n'était pas issu d'une relation adultère, rien ne laissait présager une vie heureuse pour ce petit prince au palais d'Émeraude. Les Sholiens eux-mêmes ne voulaient pas de ce bébé. En fait, dès qu'ils apprendraient sa véritable identité, la majorité des habitants d'Enkidiev auraient la même réaction que Mann.

– Et si ton père-oiseau te reprend, il te tuera... soupira Onyx. Tu commences bien mal ta vie, petit homme, mais je suis l'exemple vivant qu'on peut réussir dans l'adversité lorsqu'on est suffisamment tenace. Je t'aiderai à survivre.

Onyx tendit la main et un des livres empilés sur une caisse de bois vola jusqu'à lui. « Je me demande si Wellan s'est aperçu que je les ai empruntés ? » songea-t-il avec un sourire amusé. Il ouvrit le vieux traité écrit par un moine Sholien et se mit à lire avec la même facilité que si le texte avait été rédigé dans la langue moderne. « Quand ai-je appris le venefica ? » se demanda-t-il.

Puisqu'il était le dernier d'une famille de sept garçons, son père n'avait plus rien à lui léguer, alors il avait décidé de lui payer une belle éducation. En même temps, il avait besoin de quelqu'un qui sache écrire et compter afin de tenir les livres du moulin. Onyx n'avait pas l'intention de passer sa vie à noter les entrées d'argent de ses frères, mais il n'aurait jamais osé désobéir à Saffron. Il avait donc été conduit au château de son royaume, afin d'étudier auprès du précepteur des enfants du roi. Cet homme étrange portait le nom de Nomar.

Onyx n'avait eu aucune difficulté à assimiler toutes ces nouvelles connaissances, à la grande satisfaction de son professeur. Ses progrès avaient été si rapides que l'Immortel avait décidé de lui enseigner une science bien différente : la magie. Le jeune Émérien avait montré un talent inné pour la manipulation surnaturelle de son environnement. Peu importe le niveau de difficulté des exercices que Nomar lui présentait, Onyx les réussissait tous. « Mais il ne m'a enseigné que la langue des anciens et celle que nous parlons aujourd'hui », se rappela-t-il.

« J'ai appris le sholien par moi-même afin de lire les aventures du Roi Ménesse. »

Les créatures célestes venaient-elles au monde avec la science infuse ? Si Napalhuaca était aussi la fille des dieux créateurs, en théorie, elle pourrait elle aussi lire le venefica. « Si j'avais apporté un des livres avec moi lorsque je suis allé la visiter dans le nouveau monde, j'en aurais le cœur net », regretta-t-il. Il se replongea dans sa lecture en attendant que le sommeil le gagne.

Tous les ouvrages des Sholiens parlaient d'une époque révolue de l'histoire de l'univers, bien avant que leur race de mages à la peau d'albâtre n'apparaisse à Enkidiev. Puisqu'ils avaient joui pendant plusieurs années d'un lien direct avec Abussos, ils avaient décidé de consigner tout ce que le dieu-hippocampe leur avait appris afin d'en faire profiter les générations subséquentes. Le plan initial de la dyade avait été fort simple : concevoir des enfants qui créeraient des mondes où la vie pourrait se manifester.

– Ça n'a jamais été une de mes ambitions, fut forcé de conclure Onyx.

Son esprit était celui d'un érudit, mais son cœur était celui d'un guerrier.

– Je préfère conquérir des territoires que de fonder des civilisations.

Si les traités des moines disaient vrai, il était le quatrième enfant d'Abussos et de Lessien Idril. Avant lui, ils avaient engendré Lazuli, Aufaniae et Aiapaec, puis lui, et ensuite Napashni, Nahélé, Nayati et Naalnish. Pourquoi les noms des trois premiers dieux ne commencent-ils pas aussi par la lettre « n » ? Onyx allait déposer le livre lorsqu'il tomba sur un passage intéressant. Les éclairs provoqués par l'union des deux puissantes créatures étaient toujours doubles. Il naissait donc deux divinités à la fois dès qu'ils frappaient quelque part. Lazuli était le pendant de Nayati, Aufaniae d'Aiapaec, Nashoba de Nahélé et Napashni de Naalnish. Ils étaient aussi différents que le jour et la nuit. Si Wellan avait bien cerné la question, sa propre contrepartie était Lassa, Nahélé selon son nom divin. « C'est vrai que nous sommes aux antipodes l'un de l'autre », concéda Onyx.

Jaspe se mit à gémir. Sans doute faisait-il un mauvais rêve. Le roi se pencha sur lui et frotta doucement son ventre avec la paume de la main jusqu'à ce qu'il se calme, puis éteignit les bougies. Cette nuit-là, il rêva qu'il était lui-même couché dans un berceau et qu'un terrible orage s'abattait autour de lui. Terrorisé, il n'osait pas bouger. Puis, la foudre tomba sur la maison et il sentit sa peau éclater ! Onyx se redressa d'un seul coup sur son lit, couvert de sueur, le cœur battant la chamade. « Ce n'était qu'un cauchemar... » comprit-il.

Dehors, le soleil commençait à poindre au-dessus des flots. Le roi s'assura que le bébé dormait encore et sortit de la maison pour laisser le vent refroidir son corps.

– Ce qu'il me manque, c'est un bassin où je pourrais me rafraîchir, constata-t-il.

Il alluma donc les paumes de ses mains et excava le roc à quelques pas de son logis jusqu'à ce qu'il obtienne un grand trou, plus ou moins rond, de un mètre de profondeur. Puis, utilisant un des talents qu'il avait hérité de Farrell, il localisa une source souterraine et creusa un petit canal. Le nouveau bain de Sa Majesté se remplit rapidement. Onyx enleva ses vêtements pour s'y tremper, même si l'eau était plutôt froide. «Le soleil finira bien par la réchauffer», se dit-il en se purifiant. Il entendit alors les pleurs de Jaspe et sortit du bassin.

– Que se passe-t-il, mon petit dragon?

Le bébé était assis dans son berceau, les yeux chargés de larmes. Le nouveau papa le cueillit dans ses bras et commença par le rassurer avant de s'occuper de ses besoins. Il le changea en le chatouillant, puis lui fit boire du lait avant de lui offrir des quartiers de fruit qu'il tailla avec son poignard.

– Je sais que tu es dépaysé, mais je te jure que c'est temporaire. Je vais trouver une solution. J'en trouve toujours.

Onyx se régala des fruits qu'il avait subtilisé dans les cuisines de son palais, puis il nettoya l'enfant, lui passa une courte tunique et l'emmena dehors, où il s'habilla lui-même.

– Nous avons beaucoup de travail à faire avant que ce pays soit vraiment habitable, dit-il à Jaspe tandis qu'il l'emmenait vers le quai taillé dans la pierre. Les fleurs, c'est joli, mais ça ne nourrit que les abeilles et les papillons, pas les petits princes comme toi. Comment allons-nous persuader des arbres de pousser ici?

Le roi déposa l'enfant par terre et le laissa faire quelques pas pour qu'il se dégourdisse les jambes. C'était le seul endroit sur son nouveau domaine où il n'y avait pas de pierres coupantes.

– Nous pourrions commencer par aplanir le sol. Qu'en dis-tu ?

Onyx prit une profonde inspiration, tandis que Jaspe s'était accroché à sa jambe pour rester debout. Il étendit les bras. Aussitôt, une formidable énergie frappa la côte, réduisant tous les rochers en galets. Cela eut aussi pour effet d'arracher plusieurs centaines de fleurs, mais elles finiraient bien par repousser.

– Il ne nous reste plus qu'à trouver des essences forestières adaptées à ce climat, déclara Onyx en baissant les yeux sur l'enfant.

Jaspe le regardait avec de grands yeux étonnés.

– Toi aussi, tu seras capable de faire la même chose quand tu seras grand.

Le roi le prit dans ses bras et l'emmena au bout de l'embarcadère, sur lequel venaient se briser les hautes vagues.

– Regarde là-bas, petit prince. Il y a un continent où, pour l'instant, je ne suis qu'un roi parmi tant d'autres. Mais un jour, j'en serai l'empereur, parce que c'est mon destin d'être à la tête du monde. J'espère qu'à ce moment-là, tu ne m'auras pas déserté comme tous mes autres fils...

Jaspe était davantage fasciné par les gouttelettes qui retombaient autour de lui que par les paroles de son père adoptif.

– Si Hadrian n'était pas aussi abattu par la disparition de Jenifael, c'est à lui que je te confierais. J'ai aussi pensé à Shola... mais puisque le Magicien de Cristal y vit, ce n'est peut-être pas une bonne idée, car nous sommes ennemis depuis des centaines d'années.

Onyx soupira avec découragement.

– En fin de compte, il n'est pas facile du tout de mettre un enfant en sécurité en ce monde.

Son nouveau fils poussa un cri de joie qui lui réchauffa le cœur. En fait, la présence du petit dans ses bras lui apportait un réconfort qu'il ne comprenait pas. « Ce sont les femmes qui aiment habituellement les bébés », songea-t-il. « Je dois avoir une fibre féminine... »

– Que dirais-tu d'aller faire un petit peu d'exploration, aujourd'hui ?

Onyx se tourna vers l'ouest. Qu'y avait-il au-delà des montagnes ? Il ne pouvait pas utiliser son vortex, car il ne servait qu'à se rendre aux endroits qu'il avait déjà physiquement visités. Il avait souvent essayé de l'utiliser pour atteindre des lieux qu'il visualisait dans son esprit, mais ces tentatives s'étaient soldées par des échecs.

– Comment allons-nous parvenir jusque-là ?

Le roi ramena Jaspe devant la maison et le serra contre lui tandis que ses sens surnaturels étaient à la recherche d'un mode de transport bien particulier. Quelques secondes plus tard, un gros cheval noir apparut devant eux, mais contrairement aux autres bêtes de sa race, deux belles ailes étaient repliées sur son dos.

– Jaspe, je te présente Hardjan. Il a appartenu à un de mes amis, qui n'a heureusement plus besoin de ses services.

Onyx tendit la main et l'approcha de la tête du cheval-dragon. L'animal, quelque peu inquiet d'être instantanément passé d'une grande prairie pluvieuse à une plage de galets ensoleillée, roula des yeux en poussant des plaintes aiguës.

– Nous sommes tes nouveaux amis, Hardjan.

Utilisant sa magie, le roi endormit la méfiance du destrier en lui touchant les naseaux. Il se hissa sur son cou, devant ses ailes et installa Jaspe entre ses genoux. D'une main, il retint le petit contre sa poitrine et, de l'autre, il agrippa solidement la crinière noire de la bête. Il enfonça doucement ses talons dans ses flancs. Hardjan se mit à battre des ailes, puis décolla au galop en s'élevant dans les airs. « Une monture digne d'un empereur », songea Onyx.

Ils filèrent vers les pics déchiquetés qui séparaient l'ouest de l'est d'Irianeth. La partie du continent habitée par les hommes-insectes était composée de roc et rien n'y poussait. Du haut des airs, il était évident que les montagnes représentaient une formidable barrière impossible à franchir pour les Tanieths. Amecareth avait-il aménagé ainsi son territoire afin de dominer ses sujets, ou était-ce une formation géologique naturelle ? Si peu de choses étaient connues de ces régions lointaines...

Onyx arrêta le cheval ailé sur une corniche entre deux colossales aiguilles de pierre. Quelle ne fut pas sa surprise de découvrir à l'horizon une profonde vallée recouverte de végétation et sillonnée par de nombreuses rivières.

– Qui aurait pensé ça ? laissa tomber le roi.

Il fit descendre Hardjan en vol plané au-dessus des arbres, jusqu'à ce qu'il aperçoive un village de petites huttes de jonc.

– Et c'est habité, en plus !

Avant d'ordonner au cheval-dragon de se poser, le souverain survola les environs pour s'assurer qu'il n'y avait aucun danger pour son petit prince. Les villageois avaient tous levé les yeux vers le ciel pour observer l'animal ailé. Ils semblaient humains.

– Allons voir qui les gouverne, décida Onyx.

Hardjan toucha le sol entre les habitations et la rivière. Au lieu de fuir, le peuple curieux s'approcha, émerveillé. Ces étrangers ressemblaient aux Mixilzins avec leurs longs cheveux bruns et leur peau basanée. Tout comme eux, ils s'enveloppaient dans des pagnes, mais de couleurs différentes. Les compatriotes de Napalhuaca préféraient le rouge, le jaune, le marron et l'orange, tandis que ces gens portaient tous des vêtements azur, roses, blancs et verts.

Onyx se laissa glisser à terre en gardant Jaspe dans ses bras. C'est alors qu'il constata que ses hôtes n'étaient pas plus grands que des enfants de dix ans, même s'ils étaient pour la plupart des adultes.

– Sois le bienvenu chez les Hokous, étranger, le salua un homme à la tignasse grise. Je suis Limou, le chef du village. Qui es-tu ?

– Je suis l'Empereur Onyx. Je règne sur ce continent.

– Mais tu ne ressembles pas à un insecte.

– Je les ai tous vaincus.

Un murmure de surprise circula parmi les Hokous.

– Même le gros scarabée ?

– Ils sont tous morts jusqu'au dernier, affirma Onyx.

– Et leurs dragons ?

– Éliminés.

Les villageois se prosternèrent aussitôt devant leur sauveur, gonflant celui-ci d'orgueil.

– Relevez-vous, leur ordonna Onyx,

– Nous pensions qu'ils finiraient par franchir un jour les montagnes, avoua Limou en lui obéissant.

– Comment saviez-vous qu'ils habitaient de l'autre côté ?

– Il y a d'innombrables lunes, un de nos guetteurs a escaladé la falaise et les a vus. Depuis, nous avons peur qu'ils découvrent notre existence.

– Vous n'avez plus rien à craindre.

– Grâce à toi. Tu es le nouveau maître de leurs terres ?

– C'est exact.

– Qu'attends-tu de nous ?

– Votre loyauté et votre fidélité.

– Elles te sont désormais acquises.

Un sourire de satisfaction apparut sur les lèvres du souverain.

– Les Hokous sont-ils des êtres magiques ? voulut ensuite savoir Onyx.

– Que veut dire « magiques » ?

Le Roi d'Émeraude tendit la main et y fit naître des flammes. Les villageois poussèrent des cris de terreur et reculèrent en s'agglutinant près des huttes. Le feu disparut, puis les fleurs qui ornaient la chevelure des femmes volèrent dans les airs pour se déposer aux pieds du visiteur.

– Je reviendrai et, à ce moment-là, j'aimerais rencontrer tous vos chefs.

– Il y aura une grande fête lors de la prochaine lune.

– Alors, j'y assisterai.

Le souverain se tourna vers son destrier et vit qu'il s'était éloigné en direction de la luxuriante forêt. Il allait le rappeler lorsqu'il distingua l'encolure d'un autre cheval, tout blanc celui-là, qui s'approchait entre les arbres pour aller faire la connaissance d'Hardjan. Une corne dorée sortait de son front !

– Qui a blessé cet animal ? se fâcha Onyx.

– Mais personne... s'étonna Limou.

– Il y a un javelot dans sa tête.

– Les licornes naissent ainsi. Elles ressemblent à votre monture, mais elles n'ont jamais d'ailes.

– Les utilisez-vous pour le transport ou pour le travail de la terre ?

– Certainement pas ! Elles sont sacrées ! Ce sont les servantes de Naalnish.

« Comment peuvent-ils savoir ce que les Sholiens ont écrit il y a des centaines d'années, alors qu'ils habitent de l'autre côté de l'océan ? » s'étonna le roi.

– Vous ne savez pas qui elle est ? demanda Limou.

– Bien sûr que je le sais.

Onyx siffla Hardjan, qui revint à ses côtés en trottinant. Il grimpa sur son dos et se tourna une dernière fois vers les Hokous.

– Je serai bientôt de retour, annonça-t-il.

Le cheval-dragon s'éleva dans le ciel en battant des ailes.

15

RAMI

La moitié du pays des Madidjins, même s'il occupait le nord d'Enlilkisar, jouissait d'un climat chaud et ensoleillé pendant presque toute l'année, grâce au courant marin en provenance du sud qui remontait le long de sa côte orientale. La région à l'ouest, de l'autre côté de la baie des Araignées, connaissait des variations de température plus importantes et il arrivait même qu'elle reçoive de la neige. La ville d'Aabit et ses environs appartenaient au Prince Fouad, le nouveau maître de Cornéliane d'Émeraude. Toujours privée de sa mémoire, la petite s'adaptait de son mieux à ce mode de vie bien différent de celui qu'elle avait connu jadis. Toutefois, elle n'en souffrait pas, puisqu'elle ne se souvenait de rien.

Les Madidjins vénéraient le panthéon aviaire, tandis que tout Enkidiev adorait les dieux reptiliens, sauf le Royaume de Béryl, qui était resté attaché à Abussos. Étant donné qu'Onyx n'avait jamais imposé quelque croyance que ce soit à ses enfants, Cornéliane ne pouvait pas se rappeler sa propre religion. Elle avait donc adopté celle de son gardien, Idriss, sans poser de question. Les sujets du Prince Fouad honoraient plus particulièrement la déesse Aquilée. Son effigie apparaissait partout: sur les façades des immeubles, les temples, les vêtements des grands prêtres et même sur la lame des sabres des guerriers. Dans la maison d'Idriss, une statuette en bronze de la déesse-aigle trônait sur le manteau de l'âtre. Ses yeux perçants semblaient ne rien perdre de ce qui se passait dans la grande pièce.

Solis avait révélé à Cornéliane sa véritable nature féline, mais l'adolescente ignorait tout du panthéon dont elle était issue. Elle n'avait parlé de ses visites à personne, même pas à Madiha, la femme d'Idriss, en qui elle avait pourtant confiance. C'était son secret à elle, la seule chose qui lui appartenait vraiment.

Cornéliane portait désormais le nom de Bahia et elle n'était certes plus traitée comme une princesse. Sa routine était simple et exigeante. Le matin, elle s'entraînait au palais avec les élèves d'Idriss, puis l'après-midi, elle revenait à la maison pour effectuer les corvées que lui assignait Madiha. Après le repas du soir, rompue de fatigue, elle participait aux prières et se mettait au lit.

Bahia ne faisait aucun cas de sa beauté. Jamais elle ne se regardait dans une glace, jamais elle ne manifestait d'intérêt pour les belles parures, même lorsqu'elle accompagnait sa maîtresse au marché. Elle restait près d'elle et portait son panier en écoutant ses commentaires à propos de tout et de rien. La fillette de douze ans n'accordait aucun regard aux jeunes hommes qui l'admiraient discrètement. Elle réservait son cœur pour celui qui la délivrerait de son esclavage et qui l'aiderait à recouvrer la mémoire.

Tous les matins, elle se levait avant le soleil, enfilait son armure de combat, jetait une cape sur ses épaule et suivait

Idriss jusqu'au palais en mangeant des dattes. Les entraînements avaient surtout lieu pendant que la chaleur n'était pas encore accablante, mais il arrivait que le maître d'armes fasse travailler ses élèves jusqu'au soir pour mesure leur endurance. Bahia était la seule fille du groupe, mais elle effectuait tous les exercices sans jamais se plaindre, même lorsqu'elle subissait une blessure, ce qui arrivait de temps à autre. Elle attachait ses cheveux blonds sur sa nuque et se lançait dans la séance d'échauffement. Jamais elle ne réclamait une pause pour boire de l'eau ou pour s'éventer. Elle attendait qu'Idriss l'ordonne à tout le groupe.

Les garçons, qui s'étaient d'abord moqués d'elle, avaient commencé à la respecter, car elle travaillait aussi fort qu'eux. De plus, elle commençait à maîtriser de mieux en mieux la langue qu'ils parlaient tous, ce qui les dissuadait de passer des commentaires qu'elle aurait compris. Idriss n'exposait pas Bahia aux coups de ses compagnons, car elle serait un jour parmi les favorites du prince. Il était donc important qu'elle ne soit ni défigurée, ni handicapée. Cependant, il avait choisi parmi ses élèves celui qui jouait franc jeu dans tous ses duels afin de mesurer les progrès de la petite.

Rami avait été capturé à l'âge de six ans dans un raid contre un autre État. Il affichait déjà une grande noblesse de caractère et un impressionnant sens du devoir. Il n'avait jamais voulu parler de son passé, mais Idriss se doutait qu'il appartenait à l'aristocratie. C'était sans doute le fils ou le petit-fils du prince lésé et on lui avait appris que sa survie dépendait de sa volonté de se taire. Même s'il se battait férocement, jamais il ne mettait Bahia en danger, comme un véritable seigneur.

Lorsque sa protégée s'entraînait avec Rami, Idriss n'avait plus besoin de la surveiller, alors il ne se rendit pas compte que des sentiments plus profonds qu'une simple amitié étaient en train de naître entre les deux enfants. Rami était à peine plus grand que Bahia, car peu de Madidjins étaient de grande taille. Il avait les cheveux bruns qui descendaient jusqu'à ses oreilles et les yeux noisette. Ses traits étaient plus raffinés que ceux des autres élèves, et ses manières aussi. Mais ce que Bahia aimait le plus, chez lui, c'était son honnêteté. Jamais il ne le faisait exprès de la laisser gagner. Lorsqu'elle l'emportait sur lui, c'était qu'elle l'avait mérité.

Rami avait enseigné à la recrue à manier le sabre. En retour, cette dernière lui avait appris le maniement de l'épée double. Cette arme était réservée à la royauté, chez les Madidjins, mais Idriss tenait à ce que ses élèves en connaissent l'utilisation, afin de mieux se défendre. Bahia était éblouissante lorsqu'elle la faisait tourner autour d'elle comme les ailes d'un moulin. Rami ne pouvait s'empêcher de sourire avec admiration lorsqu'elle en faisait la démonstration.

Lors des pauses, les deux amis se mêlaient de moins en moins aux autres élèves et s'assoyaient plutôt ensemble à l'ombre pour boire autant d'eau qu'ils le pouvaient.

– Je suis certain que tu as appris ailleurs à te battre, affirma Rami, un beau matin.

– Tu m'as pourtant déjà dit que les filles n'avaient pas le droit de prendre les armes chez les Madidjins.

– Il y a des exceptions, bien sûr. Certains princes qui n'ont pas eu de fils ont secrètement enseigné cet art à leurs filles, mais mon intuition me dit que tu n'es pas née ici.

– Sais-tu à mon sujet des choses que j'ignore ?

– Seulement ce que je peux observer.

– Tu pourrais tout aussi bien te tromper, le taquina Bahia.

– C'est vrai, mais ça ne m'arrive pas souvent.

– Vantard !

Il éclata de rire et lui lança l'eau de son gobelet.

– Comme ça fait du bien, se réjouit-elle au lieu de lui rendre la pareille.

– Je n'arrive jamais à te faire fâcher.

– Idriss dit que la colère est une pure perte d'énergie.

– Il a raison, convint Rami en baissant la tête.

– Y en a-t-il quelque part en toi ?

– Jadis... mais je n'ai pas alimenté ce feu.

– Quelle était la cause de cette colère ?

– Un jour, je te le dirai...

Idriss signala la fin du temps de repos. Les adolescents retournèrent sur le terrain pour poursuivre leurs combats. Malgré sa frêle constitution, Bahia commençait à développer de solides muscles dans les bras et ses coups se faisaient de plus en plus puissants. Ce matin-là, elle parvint à faire chuter Rami sur le dos et à l'immobiliser en pressant le manche de son épée double sur sa gorge.

– Tu gagnes... parvint à articuler le garçon.

Bahia poussa un cri de victoire et l'aida à se relever. Il commençait à faire très chaud, alors Idriss indiqua que c'était assez pour la journée. Il s'apprêtait à laisser les élèves rentrer dans leurs quartiers au palais et à retourner chez lui lorsque le Prince Fouad se présenta dans l'arène.

– J'ai besoin de m'entretenir avec toi, Idriss, lui fit-il savoir.

Le maître d'armes jeta un regard inquiet du côté de sa protégée.

– Je peux la raccompagner à votre place, maître, offrit Rami.

Puisqu'il était impossible de prévoir la durée de son entretien avec le prince, Idriss ne voulait surtout pas laisser Bahia cuire au soleil, alors il accepta l'offre du garçon d'un mouvement de la tête. Dès qu'il fut à l'intérieur, les deux amis nettoyèrent leurs armes, les accrochèrent dans l'abri et se mirent en route. La jeune fille tenait sa cape dans ses bras tandis qu'ils traversaient la plaine, en direction de la ville. Elle ne devait la porter pour dissimuler son costume que lorsqu'elle arrivait en vue des habitations, pour que personne ne sache qu'elle s'entraînait comme un homme.

– Est-ce que des souvenirs commencent à remonter à ta mémoire ? s'informa Rami tandis qu'ils marchaient côte à côte en surveillant le sol, car les serpents prenaient souvent la couleur de leur environnement.

– J'entends parfois des voix inconnues.

– Ça s'appelle sombrer dans la folie, se moqua-t-il.

Elle lui enfonça le coude dans les côtes, lui arrachant un grondement de douleur.

– Je suis parfaitement saine d'esprit !

– C'était une blague, Bahia.

– Alors, tu vois bien que je peux me mettre en colère, moi aussi.

Il éviterait donc ce genre de commentaire à l'avenir.

– Reconnais-tu ces voix ? demanda-t-il en reprenant son sérieux.

– D'après ce qu'elles me disent, je commence à croire que ce sont celles de proches parents. Ce sont surtout des conseils ou des compliments. J'ai aussi vu des objets qui me semblent familiers.

– Comme ?

– Une bague dont la pierre noire est retenue par les griffes d'un animal... Une coupe finement travaillée... Un diadème doré...

– À mon avis, ces choses confirment que tu proviens sûrement d'une famille riche.

– J'aimerais me rappeler qui je suis, mais plus j'y pense, plus j'ai mal à la tête.

– Moi, je suis content de te connaître telle que tu es maintenant.

– C'est gentil.

Ils arrivèrent devant l'oued qui alimentait Aabit en eau potable. Puisqu'il changeait constamment son parcours sur la terre sablonneuse, il aurait été parfaitement inutile d'y construire un pont. Il était large, mais peu profond, alors les gens de la région enlevaient simplement leurs sandales pour le traverser à gué.

Bahia laissa entendre un soupir de soulagement lorsque ses pieds nus pénétrèrent dans l'eau froide. Les jeunes gens avancèrent lentement en faisant bien attention de ne pas tomber, pour ne pas abîmer leurs vêtements de cuir.

– Je sens parfois que tu me caches quelque chose, avoua Rami. Pourtant, nous avons juré de ne jamais nous mentir.

– Je sais, mais je ne suis pas encore prête à en parler.

– Parce que ce serait dangereux pour toi ?

Pour toute réponse, Bahia lui jeta un regard de côté. La frayeur que le jeune homme y détecta l'attrista.

– J'attendrai que tu m'en parles, la rassura-t-il.

Ils atteignirent l'autre rive en silence. Bahia se couvrit avant de s'engager dans les rues de la cité.

– Lorsque tu sauras enfin qui tu es, est-ce que tu partiras ? s'inquiéta Rami.

– Pas si je suis une criminelle. Je resterai cachée ici.

– Il n'y a aucune méchanceté en toi, Bahia.

– Pourtant, je sais d'instinct me servir d'armes mortelles.

– Peut-être que ton père t'a enseigné leur maniement pour que tu sois en mesure de te défendre.

– C'est possible...

– Demeurerons-nous des amis ?

– Pourquoi me poses-tu ces questions étranges ?

– Que se passera-t-il si nous découvrons que nous appartenons à des tribus ennemies ?

– Rien n'ébranlera notre amitié. Je te le promets.

L'un derrière l'autre, ils se faufilèrent dans l'espace restreint entre deux bâtiments qui menait à la rue principale. Ils n'étaient plus qu'à quelques pas de la maison d'Idriss.

– Bahia, attends ! l'implora Rami.

Elle se retourna et son visage ne fut plus qu'à un centimètre de celui de son compagnon. Même en combat, ils n'avaient jamais été aussi près l'un de l'autre.

– Je veux que tu saches que peu importe ce qui arrivera, mes sentiments envers toi ne changeront jamais.

– Tu me fais peur, Rami.

– En fait, ce que j'essaie de te dire, c'est que j'éprouve un amour naissant pour toi. Je ne te vois pas seulement comme une enfant qu'on m'a demandé de former, mais également comme une magnifique jeune fille avec qui j'aimerais passer le reste de ma vie.

– Mais nous sommes des esclaves...

– Pour le moment. Chez les Madidjins, ceux qui prouvent leur valeur peuvent être affranchis. Je deviendrai un homme libre et je t'emmènerai loin d'ici.

– Après m'avoir arrachée du harem du Prince Fouad ?

– Avant que tu y entres, si les dieux le permettent.

Rami déposa un doux baiser sur les lèvres de Bahia, puis recula de quelques pas.

– Il n'est pas convenable que deux esclaves soient vus ensemble sans leur maître, dit-il. Continue seule. Tu ne risques plus rien, ici.

Le jeune homme tourna les talons et entreprit de rentrer au palais. Bahia demeura immobile pendant quelques minutes, puis toucha ses lèvres du bout des doigts en se demandant pourquoi elle se sentait si vulnérable, tout à coup.

– Ne t'attache pas à lui, l'avertit une voix.

Bahia se retourna vivement et aperçut le visage inquiet de Solis.

– Ce n'est qu'un ami, affirma-t-elle en rougissant.

– Il ne pourra pas te suivre lorsque viendra le temps pour toi de quitter les Madidjins.

– Mais ce n'est pas avant plusieurs années, n'est-ce pas ?

– Cela dépendra de notre efficacité à piéger ton principal ennemi.

– Dans ce cas, puisque je suis coincée ici, la moindre des choses serait de me laisser vivre comme je l'entends jusqu'à ce que vous ayez réussi.

Solis réprima un sourire, car il était secrètement fier qu'elle commence à répliquer.

– Votre séparation n'en sera que plus douloureuse, rétorqua-t-il, mais je t'aurai prévenue.

Le dieu-jaguar s'évanouit comme un mirage, libérant la voie dans le couloir. Bahia s'empressa de se rendre chez elle avant d'inquiéter inutilement Madiha.

16

RÉMINISCENCE

Depuis que le Sholien Briag lui avait enlevé le seul livre en venefica qu'il lui restait, Wellan était d'humeur maussade. Il avait cherché partout les ouvrages qui avaient disparu de sous son lit et avait dû en venir à la conclusion qu'Onyx les avait emmenés très loin d'Émeraude. Il erra dans la bibliothèque pendant de longues heures, marchant devant chaque étagère, incapable de trouver des traités aussi intéressants que ceux qu'il avait commencé à traduire. Même la section défendue ne le tentait pas. « J'ai besoin d'un défi », comprit-il.

Il dirigea ses pas vers la tour qu'Élund avait jadis habitée et qui était par la suite devenue le logis de Farrell, l'apprenti de Hawke, du moins, jusqu'à ce qu'on apprenne que Farrell était en réalité la réincarnation du Chevalier Onyx. Le vieux magicien, tout comme le renégat, aimaient les secrets et les intrigues. Il était donc fort possible qu'ils aient dissimulé des pistes invisibles dans ce bâtiment. Depuis que Swan avait accepté de partager les appartements royaux de son mari, plus personne n'y vivait.

Wellan grimpa le premier escalier en laissant ses sens surnaturels scruter chaque pierre autour de lui. Il atteignit le premier étage, là où Farrell avait enseigné l'histoire et la magie à de nombreux Écuyers. Le jeune homme s'immobilisa et promena son regard dans la pièce. Il fut aussitôt assailli par de vieux souvenirs. Sa fille avait étudié auprès de ce mage aux méthodes inhabituelles dont les pouvoirs surpassaient celui de son maître.

– Jenifael... murmura Wellan.

Il avait été si captivé par son travail de traduction qu'il en avait oublié la disparition de sa fille ! « Je ne suis vraiment plus digne d'être son père », déplora-t-il. Tout en traversant la salle de cours, il se mit à réfléchir à la façon de secourir Jenifael. Il s'engagea dans le second escalier, qui menait à la chambre à coucher. Farrell s'était débarrassé de la plupart des effets d'Élund en s'installant chez lui, mais il avait toutefois conservé son armoire et un coffre en cèdre. Wellan ouvrit d'abord celui-ci. Il était vide. Quant à l'armoire, elle était depuis longtemps fermée à clé. Découragé, il s'apprêtait à redescendre au palais lorsqu'il entendit un curieux frottement sur le côté du gros meuble.

Wellan s'étira le cou et vit un chat, couché sur le côté, qui tentait obstinément d'atteindre quelque chose sous l'armoire à l'aide de ses pattes de devant.

– C'est sans doute une souris, laissa tomber le jeune homme.

Pour en avoir le cœur net, il s'allongea sur le ventre et alluma sa paume pour voir ce qui intéressait à ce point le félin. L'éclat avait à peine jailli que le chat décolla en direction de l'escalier, effrayé.

– Il y a eu une époque où les animaux étaient habitués à la magie, dans ce château, remarqua Wellan.

Il crut alors apercevoir un objet plat qui reflétait la lumière.

– Il y a d'autres façons d'obtenir ce qu'on veut...

Il utilisa son pouvoir de lévitation pour faire glisser sa trouvaille jusqu'à ses yeux, puis éteignit sa paume. En s'assoyant, il ramassa ce qui ressemblait à un gros écu dans lequel était sertie une pierre rouge.

– Mais comment est-il arrivé jusqu'ici ? s'exclama le jeune homme en reconnaissant l'objet précieux.

Ce médaillon avait été fabriqué par l'Immortel Danalieth. C'était grâce à ses pouvoirs que l'esprit de Wellan avait pu se rendre auprès de son père mourant au Royaume de Rubis sans que son corps quitte le Château d'Émeraude. C'était également avec l'aide de ce bijou magique que le grand commandant des Chevaliers avait retrouvé Atlance après son enlèvement par Akuretari.

– L'arène de cristal à laquelle Mali a rêvé est la grotte où se cachait le dieu déchu pour que nous ne sentions pas sa présence à Enkidiev ! Le quartz transparent bloque nos facultés télépathiques. Si Jenifael ne peut pas communiquer avec nous, ce n'est pas parce qu'elle a été emmenée de l'autre côté des volcans, mais parce qu'elle se trouve dans cette cachette.

Avant d'utiliser à nouveau le médaillon, Wellan voulut d'abord questionner la seule personne à Émeraude qui avait vu cet endroit de ses propres yeux. Il dévala les deux escaliers et sortit du palais sous la pluie. Obsédé par sa nouvelle mission, il courut jusqu'à la maison du forgeron et frappa sur la porte.

– Wellan? s'étonna Jahonne en lui ouvrant. Si c'est Morrison que tu veux voir, il est à la forge.

– Non, c'est à toi que je veux parler.

Elle le fit entrer dans la maison où brûlait un bon feu et le fit asseoir près de l'âtre.

– J'étais en train de faire du thé, lui dit l'hybride à la peau violette. Puis-je t'en offrir ?

– Seulement si c'est du thé sholien.

– Tu t'en souviens ?

– C'était mon seul réconfort lorsque nous étions dans cet étrange monde souterrain.

Jahonne versa la boisson chaude dans des gobelets. Wellan huma son arôme unique au monde et en avala une première gorgée en fermant les yeux.

– J'ai de la difficulté à croire que c'est bien toi quand je regarde ton visage, avoua l'hybride.

– Je réagis comme toi chaque fois que je m'arrête devant un miroir, plaisanta-t-il. Je n'ai plus la même stature et je ne suis plus aussi fort, mais j'ai conservé mes souvenirs et tout mon savoir.

Il but encore un peu et déposa le récipient en céramique sur la table.

– Je suis venu te parler de l'enlèvement d'Atlance, fit-il plus sérieusement.

– Cet enfant a été retrouvé, depuis. Tu devrais plutôt t'inquiéter de Jenifael.

– Justement, je suis d'avis que les deux événements sont reliés.

– Ce ne peut pas être le même ravisseur, tu le sais bien. C'est d'ailleurs toi-même qui as tué Akuretari.

– Ce n'est pas lui qui m'intéresse, mais l'endroit où il a emprisonné Atlance, jadis.

– La grotte de cristal...

– Exactement. Dis-moi tout ce dont tu te souviens.

Jahonne plissa le front tandis qu'elle ramenait cet éprouvant épisode de son passé à sa mémoire.

– Je sais seulement que c'était sous terre.

– Comment en es-tu sortie ?

– J'ai pris le petit dans mes bras et j'ai cherché une issue. J'ai vu de la lumière au bout d'une galerie et j'ai couru. Maintenant que j'y pense, il s'agissait probablement d'un vortex, car j'ai eu très froid pendant un instant, puis je me suis retrouvée dans la forêt.

– Y avait-il, dans la caverne, quelqu'un capable de créer un vortex ?

– Non... Tous les hybrides étaient déjà morts et le dieu déchu ne nous aurait certes pas aidés à fuir.

« Évidemment », songea Wellan.

– Qui as-tu vu en sortant de la lumière ?

– Toi et le Roi Onyx.

– Il est suffisamment puissant pour créer un maelstrom jusque sous la terre.

– Mais il ignorait où nous étions.

– C'est donc à lui que je dois m'adresser.

– Je suis désolée de ne pas pouvoir t'aider davantage...

– Au contraire, Jahonne, tes réponses m'ont grandement éclairé.

Wellan but le reste du thé et retourna au palais. Puisqu'il n'avait pas appris à communiquer par télépathie de façon individuelle, il hésita à appeler Onyx, car tous les êtres magiques l'auraient entendu. La Reine Swan tentait régulièrement de contacter son mari, mais ce dernier ne répondait jamais. Il n'était pas impossible que le roi se soit aventuré encore une fois dans le nouveau monde. « Pourquoi ne reste-t-il pas à Émeraude pour s'acquitter de ses devoirs de souverain ? » se demanda Wellan. « Il a travaillé si fort pour acquérir le trône de ce royaume. Maintenant qu'il l'a obtenu, pourquoi n'en profite-t-il pas ? »

– Il doit sûrement exister une façon de trouver l'emplacement précis de cette grotte, marmonna l'adolescent en s'assoyant à sa table préférée de la bibliothèque.

– Tu vas encore partir ? demanda Marek en approchant.

– Je dois localiser l'endroit où Jenifael est retenue. Est-ce que tu le sais, toi ?

– Je n'en ai pas rêvé.

– Maintenant que tu n'es plus un bébé, ce serait une bonne idée que tu apprennes à maîtriser ton don.

– Comment ?

– En prenant des leçons d'une personne qui a un talent similaire.

– Un augure ?

– Oui, mais pas Mann. S'il a été un vaillant Chevalier autrefois, il est devenu un homme plutôt instable qui pourrait t'embrouiller au lieu de t'aider.

– Je vais étudier ta proposition, déclara Marek avec un air sérieux.

– Mais où apprends-tu à parler comme ça ?

– Avec Shvara, bien sûr.

Marek tourna les talons et se dirigea vers la sortie. Juste avant de sortir de la pièce, il pivota vers son grand frère.

– Le roi n'est pas de l'autre côté des volcans, indiqua-t-il, mais il est loin d'ici. Il veut juste avoir la paix.

Wellan se perdit dans ses pensées tandis que l'enfant quittait la bibliothèque. Si Onyx avait besoin de prendre congé de sa famille, il accepterait peut-être de parler à une personne qui n'en faisait pas partie. Il commença donc à dresser la liste de ceux qui savaient comment communiquer en privé grâce à leur esprit.

– Hadrian !

L'ancien roi était retourné chez lui, dans sa tour à la frontière des Royaumes d'Argent et d'Émeraude. Probablement cherchait-il lui aussi le lieu où était retenue la jeune femme qui n'avait été son épouse que pendant quelques secondes. Wellan avait autrefois possédé la faculté de se déplacer à l'aide de bracelets magiques, mais dans son corps présent, aussi effilé que celui des Elfes, bien qu'il ressemblait physiquement à Onyx, il n'avait malheureusement pas hérité des mêmes pouvoirs.

– Et je suis censé être un dieu !

Deux choix s'offraient à Wellan : se rendre chez Hadrian à cheval ou demander à quelqu'un qui savait encore comment se téléporter de l'emmener jusqu'à sa tour. Le jeune homme aurait pu aussi demander à l'érudit de rentrer à Émeraude, mais il n'avait pas envie que cette mission devienne encore une fois un prétexte pour monter une expédition de sauvetage. Celui qui avait enlevé Jenifael était un puissant magicien. Il détecterait trop facilement l'approche d'un large groupe de personnes. En revanche, si Wellan partait seul avec Hadrian, il aurait de meilleures chances de délivrer la déesse.

Il choisit donc de partir à cheval. Puisqu'il avait seize ans, il ne se sentit pas obligé de prévenir ses parents de sa démarche. Il retourna à sa chambre, mit quelques vêtements de rechange dans ses sacoches de selle, s'empara de sa cape de peaux cousues, puis se rendit aux cuisines pour prendre des provisions et remplir sa gourde d'eau. Les palefreniers semblèrent surpris de le voir arriver à l'écurie, car personne ne sortait durant la saison des pluies à moins d'y être obligé.

Wellan sella sa jument en se perdant dans ses souvenirs. Avant de se déplacer par vortex, les Chevaliers d'Émeraude le faisaient toujours à cheval. L'urgence de la guerre en avait voulu ainsi. Maintenant qu'ils vivaient dans un temps de paix, l'ancien soldat était heureux de renouer avec cette vieille tradition.

– Êtes-vous sûr de vouloir partir par un temps pareil, jeune Wellan ? s'enquit le plus âgé des palefreniers.

– Je n'ai pas le choix.

– Les chemins sont boueux et les rivières trois fois plus larges que durant la saison chaude.

– Je serai prudent.

Wellan connaissait bien la campagne d'Émeraude et l'emplacement des ponts qui résistaient aux crues. Hadrian habitait à quelques jours du château, mais les tempêtes qui s'abattaient à répétition sur le continent pourraient bien doubler la durée du voyage. Alors, une fois que le jeune homme eut traversé le pont-levis et qu'il se fut aventuré sur la route qui menait vers l'ouest, il se mit à songer aux pouvoirs que possédaient les dieux.

« Lazuli est le fils des dieux fondateurs et je suis le fils de Lazuli », raisonna-t-il. « Donc, en théorie, je suis à égalité avec les enfants d'Aufaniae et d'Aiapaec. Parandar, Theandras, Akuretari, Lycaon et Étanna sont mes cousins. » La pluie fouetta le visage de Wellan. « Il y a fort à parier que je suis aussi puissant qu'eux, alors je devrais normalement être capable d'effectuer de petits miracles, moi aussi. »

Tandis que le cheval continuait d'avancer dans la tourmente, la tête basse, Wellan se concentra aussi profondément qu'il le pouvait en visualisant la tour du Roi d'Argent. Il sentit alors sa tête tourner et il s'accrocha à sa selle. Sa monture s'ébroua, ce qui fit sursauter son cavalier. Ce dernier essuya l'eau sur son visage et n'en crut pas ses yeux lorsqu'il aperçut la maison d'Hadrian, à un demi-kilomètre à peine devant lui.

– J'ai réussi ! s'exclama-t-il en poussant la bête vers l'écurie.

Il entra dans le bâtiment, où s'abritaient déjà Staya et le cheval de Jenifael.

– Je regrette de ne pas t'avoir fait faire plus d'exercice, déclara Wellan en dessellant sa jument, mais je suis certain que tu aimeras mieux être au sec.

Wellan remit sa cape, sortit de l'écurie et en referma les portes. Heureusement, la tour n'était pas trop éloignée, car le vent gagnait en violence. Ce ne fut qu'en arrivant près de l'entrée que le jeune homme vit Hadrian qui l'y attendait. Celui-ci lui tendit la main et le tira à l'intérieur.

– Mais qu'est-ce que tu viens faire ici par un temps semblable ? s'étonna l'ancien souverain.

– J'avais besoin de te parler.

Hadrian le débarrassa de sa cape, qu'il suspendit à un clou planté sur le bord de la porte.

– À quel sujet ?

– Je sais où le dieu-tigre détient Jenifael !

– Partons tout de suite.

– Ce n'est pas aussi simple que ça. Je connais l'endroit, mais j'ignore où il se trouve exactement.

L'érudit haussa les sourcils.

– Tu as certainement entendu parler de l'enlèvement d'Atlance.

– Onyx m'en a parlé plusieurs fois.

– Afin de découvrir la cachette du dieu déchu, j'ai utilisé le médaillon de Danalieth. Mon esprit est parvenu à se rendre jusqu'au petit et j'ai vu la grotte de cristal.

Wellan montra le bijou à son ami.

– Je pourrais l'utiliser à nouveau pour tenter de localiser la grotte.

– Combien de fois t'en es-tu servi, jusqu'à présent ?

– Deux fois.

– La troisième te tuerait, affirma Hadrian. Ne te souviens-tu pas du chemin que tu as suivi pour arriver à la caverne ?

– Malheureusement non, mais je suis certain que c'est là que le félin garde ta femme prisonnière. J'ai pensé qu'en unissant nos cerveaux, nous pourrions répertorier les endroits où une telle caverne pourrait s'être formée.

Hadrian emmena son jeune ami s'asseoir près de l'âtre.

– Le quartz se forme dans les endroits souterrains où de l'eau très chaude est contenue sous pression ou lorsqu'il y a du magma refroidi près de la surface.

– Les volcans sont encore actifs, alors elle n'est pas de ce côté, conclut Wellan.

– On trouve des sources thermales un peu partout à Enkidiev. Les plus importantes sont au Royaume de Fal.

– Près du Désert... Je n'ai jamais vu de cartes de cette immense région dans la bibliothèque.

– Il n'en existe aucune, parce que les géographes ne voulaient pas s'y aventurer.

Wellan garda le silence pendant quelques minutes.

– Jahonne m'a affirmé avoir quitté l'antre d'Akuretari au moyen d'un vortex. Or elle ne peut pas en créer elle-même.

– Quelqu'un l'a donc fait pour elle...

– Je suis certain que ce n'était pas le dieu déchu, qui n'avait aucune raison de la laisser partir. Toutefois, je me demande si Onyx ne m'a pas suivi avec son esprit quand je suis parti à la recherche d'Atlance au moyen du médaillon.

– Il a certainement le pouvoir de faire une chose pareille, admit Hadrian. Je le connais depuis des centaines d'années et j'ignore toujours ce dont il est vraiment capable.

– C’est peut-être lui qui a facilité l’évasion de Jahonne.

– Si c’est lui, il peut sûrement se rappeler l’endroit où il a fait apparaître son vortex.

– Le problème, c’est qu’il ne répond aux appels de personne.

– Onyx est un homme remarquable, mais aussi très têtu. S’il a décidé de s’isoler, il a sans doute pris des mesures draconiennes pour ne pas être dérangé.

– Vous êtes de bons amis, tous les deux...

– Sauf quand il s’agit de sa vie privée, avoua Hadrian. Dans ce domaine, il ne demande l’avis de personne.

Néanmoins, l’ancien roi accepta d’essayer encore une fois de communiquer avec l’indomptable renégat. Au bout de longues minutes, force lui fut d’admettre que la réclusion de son ami était absolue.

– Les tribus du Désert savent peut-être quelque chose, laissa alors tomber Wellan.

– Je n’ai jamais eu le temps d’explorer cette fascinante contrée.

– J’y suis allé, il n’y a pas longtemps, et j’ai appris que bien souvent, les légendes ont des fondements dans la réalité.

– Je me demande à quoi ressemble la température là-bas durant notre saison des pluies.

– Il n'y a qu'une façon de le savoir.

– Le peu que je sais du Désert, c'est qu'il est couvert de sable et que les points d'eau y sont rares. Commençons par nous préparer avant de partir.

– Je suis d'accord.

– Possèdes-tu encore ton vortex ? s'enquit Hadrian en se dirigeant vers la partie de la tour où il entreposait ses provisions.

– Celui dont la Reine Fan m'a fait cadeau a disparu, mais il semblerait que j'en ai acquis un nouveau dans cette deuxième incarnation. Je m'en suis servi tout à l'heure pour me déplacer du Château d'Émeraude jusqu'à la rivière Mardall, bien que je ne sache pas tout à fait comment j'ai fait.

– Si tu ne peux pas nous transporter tous les deux à l'endroit que tu as déjà visité là-bas, laisse-moi nous emmener là où cette rivière se jette de la falaise entre Zénor et le Désert. Je ne suis malheureusement pas allé plus loin.

Wellan lui donna un coup de main et bientôt, ils ajoutèrent les vivres de l'ancien roi à ceux du jeune homme.

– Je ne crois pas que nous ayons besoin d'une cape, indiqua-t-il. Si ces immenses étendues de sable sont soumises au même climat que le centre du continent, il sera préférable que nous rebroussions chemin et que nous attendions la fin de la saison des tempêtes.

– J'approuve tout à fait.

Ils passèrent les bandoulières des besaces par-dessus leur tête et Wellan accrocha ses sacoches sur son épaule. Ils étaient prêts à partir.

– J'aime bien tes oreilles pointues, déclara Hadrian avec un sourire moqueur.

– Je ne suis pas un Elfe.

Le jeune homme saisit le bras de l'érudit et se laissa emporter dans le vortex du premier commandant des Chevaliers d'Émeraude.

17

AGAPES

Toute sa vie, Kira avait détesté la saison froide. Même si son apparence était humaine, elle ne pouvait renier le sang insecte qui circulait dans ses veines, surtout lorsqu'il pleuvait. Elle avait réussi à s'habituer aux bains chauds du palais, mais le contact sur sa peau d'une seule goutte d'eau en provenance du ciel l'horripilait. Petite, elle n'avait jamais cherché à sortir pendant les longs mois de tempête, se limitant à regarder par la fenêtre de ses appartements les éclairs qui sillonnaient le ciel. Une fois devenue Écuyer, elle n'avait pas eu souvent à sortir et s'était entraînée à se battre à l'intérieur, dans le hall des Chevaliers. Il était arrivé que certains combats contre les scarabées de l'Empereur Noir se produisent sous les averses, mais sa concentration lui avait alors permis de faire son devoir en ignorant son aversion pour les déluges.

Après la naissance de ses enfants, ces horribles mois lui avaient tout à coup paru moins difficiles à vivre, car il y avait toujours quelque chose à faire dans la maison. Maintenant, avec les nouveaux jumeaux, elle ne voyait plus du tout le temps passer. Kaliska et Lassa lui donnaient un coup de main avec les repas à préparer, la lessive, les travaux du ménage et les petits moments intimes avec chacun des enfants. Lassa observait son épouse en se demandant à quel moment sa routine finirait par lui peser. Après tout, elle n'était pas une femme comme les autres. Kira était une formidable guerrière, qui avait mis fin au règne de son terrible père et qui avait ramené la paix sur le continent. Il arriverait sûrement un jour où elle aurait envie d'un peu plus d'action.

Ce soir-là, Kira et son mari étaient en train de peler des légumes en gardant un œil protecteur sur les jumeaux qui gazouillaient dans leur berceau lorsqu'on frappa à la porte de leurs appartements.

– J'y vais, décida Lassa.

Il déposa son couteau et alla ouvrir. Anoki le salua d'un mouvement sec de la tête digne d'Onyx lui-même.

– La Reine Swan convie vous à sa table, ce soir, annonça-t-il.

– C'est très gentil de sa part, mais...

– Pas d'excuse de jumeaux à surveiller. Elle dit : emmenez-les.

Anoki fit une courbette et gambada vers l'escalier au lieu de retourner aux appartements royaux, ce qui voulait dire que le repas était sur le point d'être servi dans le hall du roi. Lassa retourna donc dans la cuisine pour répéter les paroles de l'enfant à sa femme.

– Avec les jumeaux ? s'étonna Kira. Nous ne serons jamais capables de manger et encore moins de discuter si nous sommes obligés de les garder dans nos bras pendant tout le repas.

– Pas si j'apporte leurs berceaux. Tu as besoin de te distraire comme tout le monde, mon amour. Le hall n'est pas dans un autre royaume. Il est deux étages plus bas. Ce n'est pas un gros dépaysement, mais ça te fera du bien.

– Dis oui, maman ! implora Marek en arrivant derrière elle pour passer ses bras autour de ses hanches et coller sa tête blonde sur ses reins.

– Qu'est-ce que vous avez tous à vouloir me changer les idées ? répliqua-t-elle. Avez-vous quelque chose à vous faire pardonner ?

– Je pense qu'on a surtout besoin d'un divertissement, expliqua Kaliska.

– Vous n'aimez plus le train-train de notre famille ?

– C'est ennuyant de toujours faire la même chose, gémit Marek.

– Bon, vous gagnez, mais vous allez tous me donner un coup de main dans cette expédition.

Elle fit donc porter à Marek un sac où elle avait rassemblé tout ce dont pourraient avoir besoin les jumeaux pendant la soirée et demanda à Kaliska de transporter son petit frère

Kylian, tandis qu'elle se chargeait de Maélys. Lassa prit un berceau sous chacun de ses bras et ouvrit la marche.

Wellan, ce serait gentil de te joindre à nous dans le hall du roi, fit Kira par télépathie. La réponse de son aîné la prit de court. *C'est impossible, Kira. Je ne suis pas au château.*

– Il est peut-être allé au musée, suggéra Kaliska.

– Sous cette pluie ? s'inquiéta Lassa.

– Et sans nous le dire ? ajouta la mère, mécontente.

Où es-tu, jeune homme ? demanda-t-elle. *Je suis à la recherche de Jenifael dans le Désert avec Hadrian.* Lassa et Kira échangèrent un regard inquiet. *Wellan, c'est un endroit dangereux durant la saison des pluies,* intervint le père. *L'imperméabilité du sol est responsable de crues subites qui tuent autant de gens que les tempêtes de sable.*

– D'où tiens-tu cette information ? s'étonna Kira.

– On m'en a parlé lorsque je suis allé dans le Désert avec Wellan pour trouver sa fameuse pierre.

Ne vous inquiétez pas pour moi. Si je vois que la température se détériore, je reviendrai à Émeraude, mais pour l'instant, il ne pleut pas.

– À moins que tu aies envie d'aller le chercher, soupira Lassa, je ne vois pas comment nous pourrions l'empêcher de poursuivre cette aventure.

– Pourquoi c'est toujours permis pour lui et jamais pour moi ? claironna Marek.

– Parce qu'il est plus âgé que toi, répondit le père. Regarde où tu mets les pieds dans l'escalier.

– Quand je serai grand, je disparaîtrai moi aussi sans rien dire à personne.

Kira secoua la tête avec découragement, mais ne jeta pas d'huile sur le feu. Elle s'attendait à trouver Swan seule avec ses fils devant l'immense âtre du hall. Quelle ne fut pas sa surprise d'apercevoir une table beaucoup plus longue où Nogait, Amayelle, Kevin, Maïwen, Bridgess, Santo et leurs enfants étaient assis.

– Vous avez bravé les éléments pour venir manger avec nous ? lança la Sholienne, agréablement surprise.

– En réalité, on nous a fait une offre que nous ne pouvions pas refuser, répondit Nogait.

– Et nous n'avons pas reçu une seule goutte d'eau sur la tête, ajouta Kevin.

– Ça sent la magie, remarqua Lassa en déposant les berceaux près des sièges où Kira et lui s'installeraient.

– J'ai demandé à Fabian et à Shvara d'aller chercher mes invités, expliqua Swan. J'avais envie d'avoir un peu de compagnie.

– Nous, fit la petite Djadzia, nous étions déjà au château.

Une fois les jumeaux installés dans leurs petits lits, Kaliska alla s'asseoir avec Malika, Maiia, Opaline et Anoki. Marek la suivit aussitôt, afin de ne pas se retrouver coincé entre des adultes qui passeraient la soirée à le reprendre sur chacun de ses gestes. Kira et Lassa serrèrent leurs amis dans leurs bras, heureux de les revoir, pendant que les serviteurs déposaient les plats au milieu de la longue table.

– Il y en a pour une armée ! s'exclama Marek, les yeux écarquillés.

– Pour des enfants en pleine croissance, lui expliqua Anoki. Pour devenir grands et forts.

Les filles chuchotaient déjà entre elles, même celles de Santo et Bridgess qui n'avaient que huit et sept ans, comme si elles ne voulaient pas que les garçons les entendent.

– Je suis content de te revoir, Maximilien, lui dit Lassa.

– Et moi, d'être de retour à la maison, répondit le prince que Swan avait fait asseoir directement à côté d'elle. Je n'aurais jamais dû partir.

– Mais si tu ne l'avais pas fait, intervint Fabian, tu n'aurais jamais su la vérité au sujet de ta véritable famille.

– Je dois donc conclure que tu n'as pas aimé ce que tu as trouvé, déduisit Kevin.

– J'ai surtout compris que bien souvent, les choses se passent d'une certaine façon pour une bonne raison, même lorsque ce n'est pas évident pour la personne concernée. Si les dieux m'ont arraché à cette famille, c'est qu'ils désiraient m'offrir un meilleur destin.

– Bien dit, approuva Santo.

Ils levèrent leurs coupes à la santé du Prince Maximilien.

– Comment ça se passe à la campagne ? demanda Lassa à ses compagnons d'armes qui vivaient désormais sur des fermes.

– Nous en profitons pour resserrer nos liens familiaux, affirma Nogait.

– Il n'y a rien d'autre à faire quand il pleut autant, précisa Amayelle.

Son petit garçon était sagement assis sur ses genoux et observait les adultes comme s'il n'en avait jamais vus de sa vie.

– On enseigne l'elfique à papa, ajouta Malika, mais il n'est pas très doué.

– Si vous voulez mon avis, il faut être né avec leurs organes pour arriver à prononcer ces sons impossibles, se défendit Nogait.

– Chez nous, on fait des guirlandes de fleurs et on les suspend partout pour se faire croire qu'on est toujours dans la saison chaude, déclara Maiia.

L'air découragé, Kevin hocha doucement la tête pour le confirmer.

– Elles jouent toute la journée, leur mère en tête, les informa-t-il.

– Les Fées sont des créatures joyeuses, fit observer Maïwen.

– Chez nous, ce sont les serins, rapporta Shvara.

Fabian allait lui faire remarquer que ce commentaire était superflu lorsqu'ils entendirent des pas dans le hall. Liam arrivait avec Aydine et Mali. Cette dernière maintenait la petite Kyomi contre sa poitrine grâce à un châle attaché autour de ses épaules.

– Merci d'avoir accepté mon invitation, les salua Swan.

– Il n'a pas été facile de convaincre cette mère poule de sortir de nos appartements, signala Liam.

– Tiens donc, commenta Lassa.

Kira lui décocha un regard chargé d'avertissement.

– Kyomi a besoin de beaucoup de calme pour se développer normalement, se justifia Mali.

– Mais elle doit aussi apprendre à socialiser, rétorqua Santo.

– Rien ne presse, intervint Bridgess. Elle est encore bien petite pour saisir tout ce qui se passe autour d'elle.

– Finalement, ce n'est pas un repas, indiqua Marek. C'est un banquet.

Les femmes se levèrent pour aller voir le petit minois de la fille de Mali, qui n'était pas plus grosse qu'un chaton, et firent des compliments à la nouvelle maman qui en prenait bien soin. Aydine en profita pour aller s'installer à table, devant ce festin digne d'un roi. Elle aperçut alors le regard velouté de Maximilien qui l'observait avec un intérêt certain.

– Je croyais connaître tout le monde dans ce palais, fit-il avec un sourire.

Puisque ce jeune homme avait été adopté à sa naissance par le couple royal, il ne ressemblait pas du tout aux autres princes. Ses yeux étaient noisette et ses cheveux bruns, alors que le reste de la famille avait les yeux bleus et les cheveux profondément noirs ou blond très clair.

– Je m'appelle Aydine. Je suis originaire d'Enlilkisar.

– Et moi, je suis le Prince Maximilien d'Émeraude.

– Prince ? Mais où est donc votre princesse ?

– Je ne suis pas marié.

Les invités reprirent place autour de la table.

– J'espère que vous n'avez pas commencé à manger sans nous ! s'exclama un nouvel invité, à l'entrée du hall.

Nartrach s'avança au bras d'Améliane. Ils étaient accompagnés de Cameron et de sa fiancée Danitza. Ils étaient si trempés que les serviteurs eurent pitié d'eux et leur apportèrent des serviettes de bain pour se sécher.

– Mais d'où arrivez-vous ? demanda Nogait, surpris.

– Du Royaume des Fées, avec une courte halte au Royaume des Elfes, répondit Nartrach. Avec l'orage qui approche, il a été impossible de persuader mon dragon Nacarat de grimper plus haut que les nuages.

– Il a peur des orages ? s'étonna Marek.

– C'est le dragon le plus poltron que je connaisse. Il ne veut pas traverser les volcans et il a peur des souris.

– Mais il est mille fois plus gros qu'une souris !

– Il souffre d'une grave crise d'identité.

– Au fait, où est ce dragon, en ce moment ? s'enquit Swan.

– Il est couché dans la cour, avec la tête à l'intérieur de la vieille tour qui servait de prison, répondit Nartrach.

– Pourquoi il fait ça ? demanda Anoki.

– Parce que cette grosse mauviette se croit invisible lorsqu'elle se cache la tête.

Les enfants éclatèrent de rire. Lassa embrassa alors Kira sur la joue en chuchotant à son oreille qu'il avait quelque chose d'important à faire et qu'il serait de retour dans quelques minutes tout au plus. La Sholienne ne le questionna pas devant les autres, mais sa soudaine absence l'inquiéta.

Debout près de Nartrach, Améliane examinait les mets qui leur étaient offerts. Il y avait des légumes à profusion, mais on les avait faits pour la plupart bouillir dans de l'eau, ce qui leur enlevait toutes leurs propriétés nutritives. Les Fées ne mangeaient pas de viande, pas plus que les Elfes d'ailleurs. En fait, la nourriture préparée par les humains les rendait malades. Alors, la plupart de ces créatures magiques faisaient discrètement apparaître ce dont elles avaient besoin pour se sustenter, mais Améliane n'avait aucune retenue. Ne trouvant rien sur la table qu'elle puisse se mettre sous la dent, elle s'assit et matérialisa dans son assiette ce qui ressemblait à un gros gâteau blanc sans aucune décoration.

– Qu'est-ce que c'est ? demanda Kaliska, curieuse.

– C'est de la nourriture de Fées, répondit Améliane.

– Ça ne goûte absolument rien, leur apprit Kevin.

– Pour lui donner de la saveur, il faut savoir s'y prendre, répliqua Améliane. Elle peut être sucrée, salée, goûter le miel ou le nectar de fleurs. C'est moi qui décide.

Maiia et Opaline se tournèrent en même temps vers leur mère pour lui demander silencieusement pourquoi elles ne pouvaient pas faire la même chose. Mais Maïwen avait quitté son royaume à un si jeune âge qu'elle ne savait faire apparaître que de petites portions de cette manne rassasiante.

– Madame, puis-je y goûter ? s'enquit Shvara, qui tenait à en apprendre le plus possible sur son nouveau monde.

– Je ne ferais pas ça si j'étais toi, l'avertit Nogait. J'ai appris, par expérience, que ce qui nourrit ces êtres étranges n'est pas nécessairement fait pour les humains.

– Est-ce que tu parles des Elfes ? se fâcha Amayelle.

– Mais non, ma chérie.

Améliane, toujours heureuse de partager, découpa un petit morceau du gros gâteau et le déposa sur l'assiette du dieu-busard. Shvara commença par le humer, puis, ne captant aucun arôme, décida de l'avaler. Le silence était tombé dans le hall : les invités étaient tournés vers lui pour voir sa réaction. Tout semblait parfait, puis soudain, les yeux du rapace parurent sortir de leur orbite. Il se leva d'un bond, recula en poussant des cris aigus d'oiseau de proie.

– Mais qu'est-ce qu'il a ? s'alarma Kira.

Shvara se mit à tourner en rond, puis s'écroula sur les tuiles. Nogait et Kira se portèrent aussitôt à son secours, mais lorsqu'ils se penchèrent sur lui, un large sourire apparut sur le visage du dieu aviaire.

– C'est délicieux ! lâcha-t-il, à la grande surprise de ses sauveteurs.

Fabian, qui se retenait depuis le début de cette farce, éclata de rire.

– Ils ont le cerveau dérangé, tous les deux, grommela Maximilien.

Swan mit la main sur le bras de son fils pour l'apaiser et lui recommander le silence. Heureusement, le retour de Lassa dans le hall détendit l'atmosphère, car il ramenait Lazuli, Aurélys et Cyndelle avec lui. Il laissa les petits s'asseoir avec ceux de leur âge et reprit sa place près de Kira.

– Je trouvais injuste qu'ils se morfondent dans leur tour, murmura-t-il à l'oreille de sa femme.

– Tu es adorable, Lassa d'Émeraude.

Tous mangèrent avec appétit, même Shvara, à qui les serviteurs avaient finalement servi une tranche de viande saignante. Les invités parlèrent de leurs activités, de leurs espoirs pour la prochaine saison et écoutèrent les blagues de Nogait sur les Elfes. C'est alors qu'Améliane proposa une activité pour rendre le dessert plus intéressant.

– Chez les Fées, on fait des nœuds dans les queues des cerises en n'utilisant que la langue.

– Ma langue ne peut pas faire ça ! s'exclama Marek. Elle n'a pas de mains !

Améliane cueillit une cerise dans le grand bol, la montra à tout le monde, puis en arracha la queue et la mit dans sa bouche. Les enfants observèrent avec attention les mouvements des joues de la jeune Fée jusqu'à ce qu'elle laisse tomber dans sa main la queue au milieu de laquelle il y avait bel et bien un nœud !

Voyant que les enfants allaient se précipiter tous ensemble sur les fruits, Lassa fit la distribution des cerises en donnant une généreuse portion à chacun. Il haussa les sourcils lorsque Liam tendit la main pour en avoir à son tour.

– J'ai le droit d'essayer, non ?

Les autres adultes présents à la table en demandèrent aussi, alors Lassa les contenta et retourna s'asseoir pour s'apercevoir que Kira effectuait les mêmes grimaces qu'Améliane quelques secondes plus tôt.

– Pas toi aussi ?

Pendant un long moment, ce fut le silence complet, tout le monde tentant d'égaler l'exploit de la Fée.

– Je l'ai eu ! s'exclama Liam en leur montrant son chef-d'œuvre.

– Les humains sont bien étranges, confia Shvara à son ami Fabian, car lui-même avait préféré avaler la cerise qui, chez les oiseaux, servait de nourriture.

– C'est moi le champion ! lança Nartrach. J'en ai déjà fait deux.

Amayelle et Kira déposèrent discrètement sur le bord de leur assiette les trois nœuds qu'elles avaient réussi à faire dans trois queues différentes.

– Moi également, annonça plus modestement Kaliska.

– Mais à quoi sert ce jeu exactement ? voulut savoir Bridgess.

– C'est pour voir qui embrasse le mieux ! s'écria joyeusement Améliane.

Kira se cacha les yeux dans la main pour masquer son découragement, tandis qu'Aydine s'assurait que Maximilien remarque les nœuds de la dizaine de queues de cerise qu'elle tenait entre ses doigts.

18

FRIAND DE MIEL

Kira remonta chez elle au milieu de la soirée pour allaiter les jumeaux, les laver, changer leurs langes et les remettre au lit. Elle était heureuse d'avoir accepté l'invitation de Swan, car elle sentait renaître son courage. La saison des pluies n'était pas facile à traverser pour un peuple qui aimait vivre dehors. Lassa était resté dans le hall avec les enfants afin de leur permettre de profiter le plus longtemps possible de la présence de leurs amis. «J'ai le plus merveilleux de tous les maris», songea Kira en agitant doucement les berceaux pour endormir ses petits. «Sage aurait-il agi de la même façon si nous avions eu des enfants ?» Elle l'avait vu interagir avec son fils Lazuli une seule fois et il lui avait paru tendre, mais lorsque Lycaon avait demandé au père-épervier de lui livrer l'enfant, ce dernier n'avait pas hésité une seule seconde à lui obéir. «Lassa n'aurait jamais accepté de remettre un de nos enfants à quelque dieu que ce soit», conclut la Sholienne.

Dès que les jumeaux eurent fermé l'œil, Kira se prépara pour la nuit puis s'installa dans son lit pour lire un peu. Kaliska et Marek lui posaient sans cesse des questions auxquelles elle ne connaissait pas la réponse. Alors, au lieu de leur dire n'importe quoi, la mère cherchait à se renseigner le plus possible. Elle n'avait pas terminé le chapitre sur la géographie du continent que Lassa rentrait avec les plus jeunes en tentant de faire le moins de bruit possible. Kira tendit l'oreille, mais ne s'en mêla pas. Il était important que leurs petits tissent avec leur père des liens aussi solides qu'avec elle.

Une fois qu'il eut conduit Kaliska et Marek dans leur chambre, Lassa rejoignit sa femme. Il jeta un coup d'œil dans les berceaux et commença à se dévêtir.

– Tout s'est bien passé ? voulut savoir Kira.

– À mon avis, oui. Ils étaient si fatigués quand nous avons accompagné Lazuli jusqu'à la tour d'Armène qu'ils n'avaient plus la force de gémir. Marek s'est endormi en mettant la tête sur son oreiller. Quant à Kaliska, eh bien, tu connais son interminable rituel avant de se mettre au lit.

Lassa se faufila sous les draps et se colla contre Kira.

– Elle l'abrégera quand elle aura un bébé, se moqua la Sholienne.

– As-tu aimé ta soirée ?

– Énormément. J'avais oublié que j'étais un être sociable.

– Il faudrait se rencontrer plus souvent, surtout pendant cette misérable saison.

Kira éteignit toutes les bougies et se blottit dans les bras de son mari. Elle se mit à penser à l'avenir de ses jumeaux. Que choisiraient-ils de faire dans la vie ? Resteraient-ils à Émeraude ?

Elle finit par sombrer dans le sommeil en les imaginant à l'âge adulte.

Au matin, lorsqu'elle ouvrit les yeux, Lassa dormait encore profondément et les jumeaux semblaient vouloir l'imiter. Elle aurait eu du mal à dire l'heure qu'il était, puisque le ciel sombre donnait souvent l'impression que c'était encore la nuit. Kira se dégagea tout doucement de l'étreinte de son mari pour se pencher sur les bébés. Ils ne montraient aucun signe de réveil. « Je vais pouvoir manger, ce matin », se réjouit-elle.

Elle enfila une tunique et quitta la chambre sur la pointe des pieds. Il n'y avait aucun bruit dans la maison. Elle poursuivit son chemin dans le long corridor, puis crut entendre une plainte sourde. Son instinct maternel lui indiqua aussitôt que l'un de ses petits était en difficulté. Elle s'élança et s'immobilisa sur le seuil de la cuisine.

– Par tous les dieux...

Marek était juché sur deux bancs en équilibre précaire l'un par-dessus l'autre et s'étirait pour tenter de s'emparer du pot de miel. Si Kira le rangeait dans un endroit aussi inaccessible, c'était pour éviter que ses enfants en abusent. Son jeune fils le savait pertinemment et comprit qu'il serait puni une fois redescendu sur le sol.

– Marek d'Émeraude... siffla Kira entre ses dents.

Le pot de miel entre les mains, le garçon se retourna vivement, honteux d'être découvert, mais son geste fit céder l'échafaudage sous lui. Kira se précipita pour l'attraper au vol, mais, en plus de recevoir son fils sur les bras, le pot s'écrasa sur son crâne, éclatant en mille morceaux ! La mère tomba assise sur le plancher et lâcha Marek, qui roula plus loin. Elle sentit alors la substance visqueuse couler sur ses tempes et sur son front.

– Si tu voyais la tête que tu fais ! s'exclama le petit scélérat avec un large sourire.

– Au lieu de te moquer de moi, tu pourrais peut-être m'aider.

Marek s'agenouilla devant sa mère et se mit à lui lécher le visage.

– Ce n'est pas ce que j'ai voulu dire ! protesta-t-elle en le repoussant.

Kira parvint à se lever et marcha jusqu'à l'évier pour aller chercher un linge humide. Elle commença par ramasser les morceaux de céramique, mais comprit assez rapidement que seule de la chaleur pourrait décoller la matière qui collait aux carreaux.

Le fracas de la chute des meubles avait réveillé Kaliska, qui s'était empressée de venir voir ce qui se passait dans la cuisine.

– Maman ?

– Tu tombes à point, ma chérie. Fais chauffer de l'eau et essaie de nettoyer ce dégât. Marek va t'aider.

– Mais... protesta l'enfant.

Le regard noir de sa mère lui fit comprendre que s'il n'obéissait pas, il passerait le reste de ses jours dans sa chambre. Bien plus obéissante que son petit frère, Kaliska avait déjà allumé un feu magique dans le poêle.

Kira retourna dans sa chambre, où les autres dormaient toujours. « Les hommes ne se rendent jamais compte de rien », grommela-t-elle intérieurement en entrant dans leur salle de bain. Elle déclencha le mécanisme qui faisait monter l'eau chaude du sous-sol jusqu'au dernier étage du palais et remplit le bassin. À grand peine, elle réussit à ôter sa tunique toute collée, puis descendit dans l'eau pour faire fondre le miel. Elle parvint à en débarrasser son visage, ses oreilles et ses épaules, mais il restait obstinément fixé à ses cheveux.

– Chérie ? l'appela son mari.

– Je suis ici...

Lassa entra dans la pièce, pensant la rejoindre dans l'eau pour profiter d'un court moment d'intimité avec elle, mais il s'immobilisa sur le seuil.

– Qu'est-il arrivé ? s'étonna-t-il.

– Est-ce que ce n'est pas assez évident ?

– Qu'est-ce que tu as dans les cheveux ?

– Du miel. Au lieu de me regarder comme si j'étais un monstre, pourquoi ne viens-tu pas m'aider ?

Il sauta dans l'eau et se mit à frotter la grosse barre de savon sur la tête de Kira, mais sa chevelure, même si elle paraissait humaine, ne l'était pas du tout. Plus Lassa la frictionnait, plus le miel créait des nœuds dans ses mèches.

– Je n'y arrive pas, se désola Lassa.

– Pourtant, l'eau est suffisamment chaude...

– Mais tes cheveux sont anormaux.

– Quoi ?

– C'est comme pour les chevaux-dragons. On dirait qu'ils ont du poil comme les vrais chevaux, mais leur peau ressemble à celle des grenouilles.

Piquée au vif, Kira se tourna vivement vers son amoureux.

– Est-ce que tu viens de me comparer à un animal ?

– Pas tout à fait. J'ai utilisé cette image pour que tu comprennes qu'on ne peut pas s'attendre à ce que tu réagisses normalement.

– C'est ce que tu penses de moi ?

– Non ! Calme-toi et écoute-moi. Tes cheveux ressemblent aux nôtres, mais la texture est si différente que le miel s'y change en mortier.

– Mais il doit bien exister quelque chose qui pourrait le faire fondre...

– Je ne suis pas maçon...

– Essaie avec ta magie.

– Je n'ai jamais fait ça non plus.

– Il y a toujours une première fois, Lassa. Je ne vais tout de même pas passer le reste de ma vie ainsi.

Le soldat magique n'avait jamais utilisé ses pouvoirs de cette façon, alors il tenta de s'imaginer aux prises avec les barreaux d'une prison végétale. Il lança un premier rayon très mince sur les longues mèches violettes de sa femme. À sa grande stupeur, elles s'enflammèrent.

– Lassa !

Il appuya sur les épaules de Kira et la submergea quelques secondes pour éteindre le feu. Dès que sa tête fut sortie de l'eau, la pauvre femme s'accrocha à son mari avec terreur.

– Je suis désolé, mon amour, mais tes cheveux brûlaient.

– Je ne sortirai plus jamais d'ici... pleura-t-elle.

– Il y a une autre solution, à laquelle nous aurions dû penser pour commencer.

Lassa alla chercher des ciseaux.

– Je n'ai pas le choix, n'est-ce pas ? se résigna Kira.

Il hocha la tête négativement. Heureusement, Kira avait une épaisse chevelure, alors il ne coupa que les mèches qui étaient durcies.

– Le miel est parti, annonça fièrement le porteur de lumière.

– Est-ce que je suis laide ?

– C'est ton cœur que j'aime.

Kira sortit de la grande baignoire et risqua un œil dans le miroir. Jamais elle n'avait eu les cheveux aussi courts. Elle se tourna d'un côté, puis de l'autre. Lassa n'avait pas vraiment prêté attention à la symétrie...

– Je te trouve encore plus séduisante ainsi... chuchota son mari en frottant le bout de son nez contre son oreille.

– Tu dis ça juste pour me faire plaisir, ronronna la Sholienne.

– Tu sais pourtant que je ne mens jamais.

Il la fit pivoter vers lui et l'embrassa avec passion.

– C'est toi qui puniras Marek, décida-t-elle, après le baiser. Nous lui avons défendu de prendre du miel en notre absence et il l'a fait quand même. S'il nous avait obéi, je n'aurais pas l'air d'un épouvantail.

– Tu es le plus bel épouvantail qu'il m'a été donné de voir.

Ils s'étreignirent encore un peu, puis Lassa s'habilla et alla évaluer la situation dans la cuisine. Kaliska avait tout nettoyé. Elle avait même installé son petit frère convenablement pour son premier repas de la journée, sans miel.

– Je l'ai obligé à manger des céréales en guise de châtiment, expliqua la fillette.

Le père s'assit de l'autre côté de la table, pour faire face au garçon.

– Combien de fois t'avons-nous demandé de ne pas grimper là ?

– Au moins cent fois.

– Pourquoi l'as-tu fait ?

– Le pot m'appelait...

– Vous devriez le faire entrer dans l'armée, où il y a de la discipline, laissa tomber Kaliska.

– Je suis bien trop petit.

– Ils ont quand même besoin de valets pour laver les planchers et cirer les bottes.

– Est-ce que c'est vrai, papa ?

– Oui, mais ce n'est pas de ça que je désire te parler. Tu n'es plus un bébé, Marek.

– Wellan me l'a déjà dit.

– Si nous voulons continuer d'être heureux dans cette famille, nous devons tous y mettre du nôtre, toi y compris. À partir de maintenant, tu vas nous obéir et cesser de répliquer.

Marek baissa la tête, malheureux.

– Et tu vas commencer par demander pardon à maman pour ce que tu lui as fait tout à l'heure.

– Est-ce qu'elle est blessée ?

– C'est bien plus profond que ça. Ne me déçois pas, jeune homme.

– Promis, papa.

Lorsqu'il eut terminé son repas, Marek attendit que sa mère revienne dans la cuisine, mais elle n'en fit rien. Il rassembla donc son courage et alla voir si elle était dans sa chambre.

– Est-ce que je peux entrer ? demanda-t-il.

Kira venait de déposer Kylian dans son lit, après l'avoir allaité.

– Oui, Marek, répondit-elle en faisant de gros efforts pour rester calme.

Le garçon avança de quelques pas et ouvrit tout grand les yeux.

– Pourquoi as-tu fait ça à tes cheveux ?

– Je n'ai pas eu le choix, puisque le miel n'a pas voulu partir.

– Tu dois être furieuse contre moi...

– En effet, mais ce qui me fâcherait davantage, c'est que tu recommences.

– Même si je le voulais, je ne le pourrais pas. Il ne reste plus de miel.

– Viens ici.

Marek s'approcha sans cacher sa réticence, mais au lieu de le gronder, Kira le serra dans ses bras.

– J'espère que tu as compris que lorsque nous te demandons de ne pas faire quelque chose, c'est qu'il peut y avoir de fâcheuses conséquences, tant pour toi que pour les autres. C'est une leçon que tu dois graver dans ton cœur.

– Je ne sais pas encore écrire, mais j'essaierai...

Toute la journée, Kira s'arrêta devant les miroirs de la maison pour se regarder. Les premières fois, elle sursauta, puis, d'heure en heure, elle finit par s'habituer à sa nouvelle apparence. Le soir venu, après le repas familial, ce fut à son tour de coucher les grands. Elle commença par Kaliska, qui n'avait pas vraiment besoin de quelqu'un pour lui dire quoi faire, puis termina par Marek. Frais sorti du bain et portant une tunique propre, il avait l'air d'un petit dieu, assis en tailleur sur son lit.

– J'ai bien réfléchi à mon avenir, maman.

– Depuis ce matin ?

Il confirma d'un mouvement de la tête.

– Bon, qu'est-ce que c'est, cette fois ? demanda Kira en s'assoyant devant lui.

– Je serai Sholien.

– Pour l'être, il aurait fallu que tu naisses à Shola.

– Hawke est un Elfe et ils l'ont bien accepté dans leur école de magie, et ses fils aussi.

– Ce n'est pas une école de magie, Marek. C'est un sanctuaire pour les mages qui vivaient jadis sous la terre à Alombria.

– Mais il n'y a qu'eux qui peuvent m'apprendre à maîtriser mes dons !

– As-tu oublié que tu as les plus puissants parents du monde ? Si on se fie à ce que prétend Wellan, Lassa est le fils d'Abussos. Quant à moi, je suis la nièce de Parandar.

Marek plissa le nez en essayant de comprendre cette hiérarchie.

– Et Parandar, qu'est-ce qu'il est par rapport à Abussos ?

– C'est son petit-fils.

– Ça veut dire que papa est ton oncle ?

Kira ouvrit la bouche pour répondre, mais les mots ne voulurent pas en sortir.

– En théorie... finit-elle par articuler.

– Donc moi, je serais...

– Arrêtons-nous là, si tu le veux bien. Tout ce que tu dois retenir, ce soir, c'est que les moines Sholiens sont des créatures très différentes de nous. Ils sont issus d'un lointain croisement entre les Fées et les Elfes.

– Moi, je suis un léopard des neiges ! s'égaya l'enfant.

– Raison de plus pour que tu oublies cette folle idée d'aller étudier sous terre. Et maintenant, au lit.

Elle le borda, l'embrassa sur le front et lui recommanda de les attendre pour manger le lendemain matin. Puis, Kira retourna dans sa chambre, où Lassa berçait Maélys dans le fauteuil à bascule.

– Son frère s'est endormi, chuchota le père, mais notre petite princesse résiste au sommeil.

Collé contre la poitrine de Lassa, le bébé avait les yeux bien ouverts. Sa mère s'accroupit devant elle et caressa gentiment son petit dos en lui transmettant une vague d'apaisement. Maélys battit des paupières et s'assoupit.

– N'avons-nous pas convenu de ne jamais utiliser la magie à la maison ? lui rappela Lassa en déposant la petite dans son berceau.

– C'était avant que nous ayons six enfants.

Kira commença à se dévêtir.

– J'admire de plus en plus ma sœur, qui en a eu six en même temps, poursuivit-elle.

Le couple se glissa sous les draps en tendant une dernière fois l'oreille. Ils entendirent les bruits normaux du rituel de Kaliska, puis plus rien. Ils fermèrent enfin l'œil.

Au milieu de la nuit, Kira fut réveillée par un froid intense. Elle se redressa en se demandant ce qui se passait. Il était déjà arrivé une ou deux fois que la pluie se change en neige à Émeraude en raison de forts vents en provenance du nord. Elle quitta la chaleur de son lit pour aller s'assurer que les jumeaux étaient bien couverts. Une lueur blanche dans le coin opposé de la pièce attira son attention.

– Mère ?

La déesse Fan se matérialisa sous ses yeux.

– Il était à peu près temps que vous fassiez la connaissance de vos derniers petits-enfants.

– Ils ne sont pas d'essence divine, laissa tomber la grand-mère.

– Ce sont bien les seuls...

Fan se pencha au-dessus des berceaux.

– Pourquoi les dieux m'ont-ils si souvent choisie pour mettre leurs enfants au monde ? lui demanda Kira.

– Certaines femmes humaines ont dans leur sang une substance de plus que les autres. Celle-ci attire les créatures divines comme la flamme attire les papillons de nuit. Elles n'y peuvent rien.

– Aucun des enfants que vous avez portés n'était de Shill, n'est-ce pas ?

– Non.

– Afin d'éviter que mes bébés ne soient recouverts de glace dans les prochaines minutes, que diriez-vous de poursuivre cette conversation ailleurs ?

– Sur la plage de Zénor ?

– Mon salon fera l'affaire.

Kira prit les devants. Elle parcourut le couloir et trouva Fan déjà dans la pièce lorsqu'elle y arriva.

– Mon père était-il bien l'Empereur Noir? demanda la Sholienne en s'assoyant en tailleur sur le sofa.

– Malheureusement, oui. Je comprends maintenant pourquoi. Il fallait que ce soit son propre enfant qui mette fin à son règne.

– Et Myrialuna?

Pour la première fois, Kira crut percevoir de l'hésitation sur le visage d'albâtre de sa mère.

– Solis croit qu'elle est sa fille, laissa finalement tomber la déesse.

– Le père est un autre dieu félin, donc.

– Oui, mais d'un univers différent du nôtre.

– De grâce, ne compliquez pas les choses davantage...

– Cette étrange créature s'est réfugiée à Shola quand tu n'étais encore qu'un poupon. Il avait la faculté de se métamorphoser. Quand je l'ai trouvé, c'était un homme blessé, en train de mourir dans la neige. Je n'ai découvert que plus tard qu'il était également un lion.

– Et il ne fait pas partie du panthéon félin parent avec le vôtre?

– Curieusement, non. Je ne sais pas d'où il vient ni pourquoi il se trouvait à Enkidiev. Il n'est pas resté longtemps. Dès que ses plaies ont été guéries, il a disparu.

– Comment s'appelait-il ?

– Kimaati. Je n'en ai jamais parlé à personne. Lorsque Solis s'est présenté à Shola, j'étais déjà enceinte de Myrialuna, alors, pour sauver les apparences, je lui ai fait croire qu'elle était de lui.

– Pourquoi vous sentiez-vous en danger de parler de Kimaati ?

– Je n'étais qu'un maître-magicien, à l'époque. Je craignais que les moines me rejettent en apprenant que j'avais eu des relations avec un dieu qui n'était pas relié à Abussos. Mon destin était d'apprendre tout ce que je pouvais d'eux avant ma mort, afin de pouvoir te venir en aide à partir de l'au-delà.

– Vous avez fait preuve d'un sacré courage, car moi, je serais incapable d'abandonner mes bébés pour quelque raison que ce soit.

– C'est ce qu'on attendait de moi, Kira. Je n'ai jamais remis en question les intentions des dieux qui nous ont créés.

– Est-il vrai qu'Onyx, Lassa et Wellan sont les enfants des dieux fondateurs ?

– Il semblerait que oui, mais cela ne me regarde pas.

– Même s'ils font partie de votre famille ?

– Ce concept de filiation ne fonctionne pas de la même façon là où je vis. Nous sommes les parties d'un tout qui ne peut survivre que si nous faisons chacun notre travail.

– Et l'amour ?

– C'est une invention humaine, je le crains. Je dois retourner auprès de Parandar, maintenant. Ne laissez pas les querelles des enfants des dragons détruire ce monde qui est si cher à Abussos.

Avant que Kira puisse ajouter un mot, Fan avait disparu.

19

ÉCLAIRCISSEMENTS

Après avoir ramené son fils Mahito à Enkidiev, Anyaguara s'était réfugiée dans la forêt de Jade, afin de réfléchir à son avenir. La querelle qui opposait les trois panthéons risquait de provoquer la fin du monde d'un jour à l'autre, mais il appartenait aux triades d'agir, pas à elle. «Qu'ai-je vraiment envie de faire du temps qu'il me reste ?» se demanda-t-elle. Étanna lui avait demandé de retrouver Cornéliane et de la protéger contre ses ennemis, mais Solis avait mis la main sur la petite avant elle. Le dieu-jaguar l'avait si bien cachée qu'Anyaguara ne ressentait même plus sa présence dans le monde des mortels. La panthère ne pouvait donc plus s'acquitter de sa mission. De toute façon, son esprit était davantage préoccupé par Mahito, qui avait grandi loin d'elle.

Anyaguara était très fâchée contre Danalieth, qui ne lui avait pas révélé l'existence de son fils, même s'il l'avait apparemment élevé convenablement. Ce qu'elle avait capté dans le cœur du jeune homme l'avait bouleversée. «Il souffre de sa solitude, et pourtant, il n'entretien aucune haine envers qui que ce soit», songea-t-elle. Anyaguara l'avait laissé partir, car elle ne savait pas quoi lui dire. Mahito avait-il vraiment besoin d'une mère ? Il n'y avait qu'une seule façon de mettre fin à ces pensées obsédantes : le retrouver.

Elle venait tout juste de quitter son antre lorsqu'elle entendit la sommation d'Étanna dans son esprit. La déesse-jaguar, qui régnait sur le panthéon félin, ne mentionnait jamais pourquoi elle voulait voir ses sujets lorsqu'elle les rappelait auprès d'elle. Anyaguara savait qu'elle ne pouvait pas la faire attendre.

Forcée de remettre ses recherches à plus tard, elle marcha jusqu'au point d'eau le plus proche et s'assura que personne ne l'épiait, car le vortex vers le monde des dieux resterait ouvert quelques minutes après son passage et elle ne voulait surtout pas qu'un humain s'y aventure par mégarde. Certaine d'être seule, elle plongea dans l'eau claire d'un étang et se retrouva instantanément dans la vaste forêt des félidés.

Elle fonça entre les gros arbres jusqu'à l'entrée du terrier royal. Elle flaira la présence de la déesse suprême, mais aussi celle d'un autre félin. «Rogva...» Depuis plusieurs années, Étanna se servait de la déesse-puma afin d'épier non seulement les humains, mais également les divinités qu'elle dirigeait. Rogva lui obéissait, par amour pour elle, sans se rendre compte que son comportement la rendait de moins en moins populaire auprès des siens.

La panthère noire s'écrasa sur le sol au milieu de la grande pièce, en signe de soumission. Allongée sur son lit de fourrures, Étanna leva la tête et examina Anyaguara un long moment avant de lui adresser la parole.

– Heureuse de te revoir, la salua-t-elle finalement.

– Je réponds à votre appel, vénérable Étanna.

Le puma était couché sur le côté, à la gauche du trône, silencieux et attentif.

– Rogva m'a rapporté que de curieux événements se sont produits sur la terre des hommes, en commençant par les agissements insensés de Solis qui vont à l'encontre de mes ordres.

– Il me masque la cachette de Cornéliane.

– Mais tu es aussi forte que lui, Anyaguara. Tu aurais dû la retrouver depuis longtemps.

– J'étais sur sa piste lorsque j'ai été attaquée par Azcatchi.

Étanna reprit sa forme humaine. Malgré la colère qui se lisait sur son visage, c'était une très belle femme aux cheveux châtains striés de mèches blondes et aux yeux dorés. Ses vêtements, qui imitaient les motifs de sa robe tachetée de féline, ne tentaient pas de cacher ses courbes voluptueuses.

– J'ai rencontré secrètement Theandras il y a quelques nuits, avoua la déesse-jaguar. Elle m'a aussi parlé de l'attitude rebelle du fils de Lycaon. Elle est d'accord pour que nous l'éliminions le plus rapidement possible.

– En d'autres mots, elle aimerait que les félins s'acquittent de cette tâche honteuse.

– Il n'y a rien de honteux à sauver notre monde, ma fille.

La panthère garda le silence, mais le frémissement de ses oreilles trahissait son émotion. Anyaguara n'aimait pas les remontrances, ni les conseils d'ailleurs. C'était pour cette raison qu'elle n'avait pas pu vivre un grand amour auprès de Danalieth.

– Est-ce là ma nouvelle mission ?

– C'est maintenant le devoir de tous les félidés. Je récompenserai grassement celui ou celle qui me rapportera la tête du dieu crave.

– Il est plus puissant qu'il ne le paraît et c'est un fourbe.

– Toutes les créatures mortelles et immortelles ont une faiblesse. Et nous sommes les meilleurs chasseurs de tous les panthéons.

– J'ai tenté de le tuer, mais j'ai échoué.

La nouvelle sembla vivement déplaire à la déesse.

– Ce n'est qu'un oiseau ! tonna-t-elle.

Anyaguara se retint de lui lancer d'aller l'assassiner elle-même.

– L'un de vous est sûrement assez intelligent pour le déjouer !

Étanna se changea en fauve et grimpa sur ses fourrures, sa queue fouettant l'air.

– J'ai aussi appris qu'un autre dieu félin vagabondait parmi les humains, continua-t-elle sur un ton dur. Un tigre, apparemment. Son pelage est doré. Ce ne peut donc pas être Napishti, qui est blanc. Est-ce que tu sais de qui il s'agit, Anyaguara ?

– C'est mon fils...

– Pourquoi ne m'en as-tu jamais parlé ?

– Je l'ignorais moi-même.

– Comment une mère peut-elle mettre un bébé au monde sans le savoir ? s'étonna Étanna.

– Son père possède la faculté de porter des enfants. Il l'a acquise au contact des Fées.

– Je ne sais rien de ce peuple et je vois mal comment c'est possible. Mais qu'importe. Dis-moi qui est le père de ce tigre.

Anyaguara hésita.

– Un membre de notre panthéon ? demanda la déesse-jaguar.

– Non...

– Un humain ?

– Non plus.

Étanna commençait à s'impatienter.

– La vérité, Anyaguara.

– C'est un Immortel.

Il n'y en avait que dans le panthéon de Parandar.

– Tu as conçu un enfant avec un demi-dieu reptilien? s'horrifia Rogva.

– Je l'ai même aimé, ajouta la panthère.

– Nos races sont incompatibles, lui rappela Étanna.

– Ici, sans doute, mais pas dans le monde des humains. Nous avons mis nos différences de côté afin d'en apprendre davantage l'un sur l'autre... et le reste s'est fait tout seul.

– La loi prévoit que tous les nouveau-nés doivent m'être présentés. Tu dois l'emmener ici dès que tu pourras.

– Je crains que ce soit impossible, vénérable Étanna, à moins que vous acceptiez de me suivre à Enkidiev.

– C'est ma volonté.

– Je ne vous refuse pas cet honneur de plein gré. Mon fils ne survivrait pas dans le monde des félidés.

– Il n'est donc pas un dieu.

– Détrompez-vous. Il possède nos pouvoirs ainsi que ceux de son père.

– Il doit prononcer son serment d'allégeance au panthéon félin, comme le veulent nos coutumes.

– Faites-moi signe lorsque vous serez disposée à le rencontrer.

– Mais quel est ce mouvement de révolte qui s'installe parmi mes enfants ? D'abord Solis, puis toi ?

– J'ignore comment mon frère jaguar vous a déplu, vénérable Étanna, mais pour ma part, il s'agit uniquement d'un concours de circonstances.

La déesse suprême sauta sur le sol et se mit à arpenter son terrier en grondant de mécontentement. Anyaguara n'osait même plus respirer. Elle était persuadée que, d'une seconde à l'autre, les crocs d'Étanna se planteraient dans sa gorge. « Tout compte fait, il est peut-être préférable qu'elle n'en apprenne pas davantage au sujet de Mahito », songea la panthère.

– Theandras m'a également appris qu'un dieu-tigre avait enlevé sa fille, indiqua Étanna. Puisqu'il ne s'agit pas de ton frère, j'imagine que le coupable est ton fils.

– Enlevée ?

« Mahito n'est que bonté et amour », songea Anyaguara. « Comment aurait-il pu faire une chose pareille ? »

– Au moment même où elle prononçait ses vœux de mariage devant le Roi d'Émeraude.

– Je l'ignorais...

– Tu vas retrouver ce tigre et me le livrer à l'endroit de ton choix dans le monde des humains.

– Mais Cornéliane ?

– Tu repartiras à sa recherche lorsque tu auras rendu sa fille à Theandras.

– Mais...

– Je ne tolérerai aucun échec, cette fois, Anyaguara. Pars, maintenant.

La panthère quitta la tanière et fonça dans la forêt sans demander son reste. Elle connaissait la cruauté de la déesse-jaguar lorsqu'elle se sentait trahie. « Mais ai-je vraiment envie de lui présenter ce fils que je connais à peine ? » se demanda-t-elle en atteignant le ruisseau qui murmurait non loin. En plongeant dans l'eau claire, Anyaguara songea aux paroles de sa mère. « Elle ne m'a imposé aucun délai ! » se réjouit-elle.

Lorsqu'elle arriva au Royaume de Jade, elle ne perdit pas de temps et se dématérialisa pour atteindre le Château d'Émeraude le plus rapidement possible. C'était à cet endroit que devait commencer son enquête. Elle apparut au milieu de la cour et ressentit tout de suite un faible courant d'énergie qui ressemblait à celle de son fils. « Il est bien venu ici. Mais pourquoi aurait-il enlevé la fille de la déesse du feu ? » Un des chefs du panthéon aviaire ou reptilien exerçait-il un odieux chantage sur ce jeune homme ? Il lui fallait obtenir plus d'information sur ce qui s'était passé, alors elle se rendit jusqu'aux appartements royaux.

Le serviteur qui lui ouvrit la porte de l'antichambre ne put que bégayer ses salutations en l'apercevant dans ses vêtements moulants d'inspiration jadoise. Avec ses longs cheveux noirs, ses yeux vert bridés et son corps de déesse, elle ne laissait personne indifférent.

– Je veux voir la reine tout de suite, ordonna la panthère.

L'homme lui fit une courte révérence et s'empressa d'aller prévenir Swan. Intriguée, la souveraine déposa la missive qu'elle était en train de lire.

– Faites-la entrer, répondit-elle au serviteur.

Avec une démarche aguichante, la déesse fit son apparition dans le salon privé de Swan.

– Êtes-vous venue me dire que vous avez retrouvé ma fille ? espéra la reine.

– Je sais où elle est, mais je ne peux pas la ramener à Émeraude. Elle est sous la garde du dieu Solis, qui la protège d'Azcatchi. Elle vous sera rendue lorsque les hostilités seront terminées entre les dieux.

– Mais ces êtres célestes sont immortels. Ce conflit pourrait durer des siècles.

– Ou se régler très rapidement. Ne perdez pas la foi.

– Si vous n'êtes pas ici pour me parler de Cornéliane, dites-moi ce qui vous amène chez moi.

Anyaguara lui avoua s'intéresser à l'enlèvement de la fille de Theandras. Swan lui raconta alors le peu que tout le monde savait. Un tigre sorti de nulle part s'était emparé de Jenifael et était disparu avec elle.

– Quelqu'un a-t-il retrouvé leur trace ? s'enquit la panthère.

– J'ai entendu dire que Wellan et Hadrian les cherchaient dans le Désert, mais nous n'avons pas encore de nouvelles. Je vous serais vraiment très reconnaissante de rendre la jeune mariée à son époux.

– Je ferai ce que je pourrai.

La panthère quitta la pièce avec un peu plus d'espoir, car la reine venait de circonscrire ses recherches.

20

LE PLUS HAUT PIC

Le périple maritime de Napalhuaca dura quelques semaines. Heureusement, tout au sud d'Enkidiev, le temps était clément et la mer pas trop agitée. Riga et les autres cavaliers Ipocans faisaient de leur mieux pour ne pas trop secouer les passagers de la barque et lorsqu'ils s'apercevaient que leur visage se mettait à pâlir, ils faisaient une pause pour qu'ils puissent remettre leur estomac à l'endroit. Il était facile pour ces créatures aquatiques de procurer de la nourriture à leurs trois protégés, mais l'eau douce devint rapidement un problème.

– Mon odorat est suffisamment fin pour trouver de l'eau sur terre, affirma Cherrval.

– Mais il n'y a que du sable à perte de vue ! lui fit remarquer Ayarcoutec.

– Kirsan m'a dit que de nombreuses tribus vivent dans des oasis, leur apprit Shapal.

– Qu'est-ce que c'est ?

– Un endroit où des arbres poussent autour d'un petit lac.

– Les oasis sont-elles près des côtes ? demanda Riga.

– Combien de temps serons-nous arrêtés ici ? s'enquit Cherrval.

– Quelques heures. Nous en profiterons pour chasser. Soyez de retour avant le coucher du soleil.

Napalhuaca, qui ne se sentait pas très bien, remit toutes leurs gourdes à l'homme-lion et alla s'allonger sur le sable. Elle n'était plus sur l'eau et pourtant, elle sentait le sol bouger sous elle.

– Est-ce que tu vas être malade, maman ? s'inquiéta Ayarcoutec en s'assoyant près d'elle.

– Non, ma petite chérie. Ça ne paraît peut-être pas, en ce moment, mais je vais de mieux en mieux.

– Nous approchons de Zénor, tenta de l'encourager Shapal. Dès que nous arriverons à l'endroit où le grand fleuve tombe de la falaise pour se jeter dans l'océan, vous n'aurez qu'à le suivre pour arriver chez le roi.

– Il habite vraiment loin, soupira Ayarcoutec, découragée.

– Lui, il se sert de sa magie pour se déplacer, répliqua Napalhuaca.

– Je préfère voyager sur l'eau que dans les airs. Il fait moins froid, même si c'est plus long.

– Sois assurée que je n'endure tous ces maux que pour toi.

– Je t'aime, maman, et je suis heureuse que nous soyons ensemble. Est-ce que je peux aller jouer dans l'eau avec Shapal ?

– Seulement si vous ne vous éloignez pas trop.

– Promis.

Napalhuaca se couvrit avec sa couverture pour ne pas cuire au soleil et ferma l'œil, ce qu'il lui était impossible de faire dans une embarcation qui les secouait constamment. Contente d'avoir une amie, même plus âgée qu'elle, Ayarcoutec courut sur le sable et se jeta dans les vagues. Elle n'avait jamais vu autant d'eau de toute sa vie, sauf quand les pluies diluviennes s'abattaient sur les flancs des volcans. Même si elles emportaient parfois des maisons, les Mixilzins les voyaient comme une bénédiction et recueillaient toute l'eau qu'ils pouvaient dans des barils de bois.

Lorsqu'elle fut trop fatiguée pour jouer, Ayarcoutec s'assit sur le sable et laissa sécher ses vêtements avant leur départ. Shapal s'installa près d'elle.

– Avant de te voir, je n'aurais jamais cru qu'il existait des êtres comme toi, avoua la fillette.

– J'ai eu la même réaction lorsque j'ai rencontré mes premiers humains.

– C'est difficile de croire que tu respires dans l'eau.

– Je ne suis pas comme toi, à l'intérieur. Mes poumons sont complètement différents des tiens.

Ayarcoutec toucha la peau brillante de Shapal du bout du doigt.

– Ces petites écailles nous protègent du froid, car plus on s'enfonce dans la mer, plus la température chute.

– Tu étais comme ça même quand tu étais bébé ?

– Oui, mais j'étais toute petite.

La Mixilzin éclata de rire.

– Est-ce que vous apprenez à vous battre, dans ton monde ?

– Seulement les garçons qui veulent devenir des gardiens comme Riga.

– Que faites-vous, alors ?

– Nous restons collés à nos mères pendant plusieurs années. Nous ne devons pas la quitter une seule seconde, car certains prédateurs s'aventurent parfois près de nos grottes. Puis, lorsque nous avons atteint un certain nombre de révolutions, nous passons toutes nos journées auprès des anciens, qui nous racontent l'histoire de notre peuple. Ils nous parlent aussi des autres dangers qui nous attendent à l'extérieur et ils nous enseignent les sages paroles d'Abussos.

– C'est un Ipocan, lui aussi ?

– Il a créé les Ipocans, mais il n'en est pas un, même s'il est une créature marine.

– Fait-il partie des prédateurs ?

– Non ! s'exclama Shapal en riant. C'est le dieu fondateur, celui qui a créé tout ce que tu vois.

– Les Mixilzins également ?

– Absolument tout !

– Je croyais que c'était Parandar...

– Parandar est son petit-fils.

– Donc, c'est mieux d'adorer le grand-père ?

– C'est plus réaliste. Attends-moi ici.

Shapal plongea dans les flots avec l'aisance d'un dauphin et revint quelques minutes plus tard en traînant de larges plantes vertes derrière elle.

– Qu'est-ce que c'est ?

– Ce sont des algues. Elles contiennent plus de nutriments que le lait de nos mères et elles coupent la faim. Mieux encore, on en trouve partout !

– Dans le fond de l'eau, tu veux dire. Il n'y en a pas sur les volcans.

– Je n'ai jamais osé m'aventurer aussi loin.

Shapal déchira un ruban de plante aquatique et l'offrit à la Mixilzin. Celle-ci commença par le humer, puis en lécha la surface du bout de la langue.

– C'est salé...

– Évidemment ! se moqua son amie.

Aventureuse de nature, Ayarcoutec mordit dans la collation et se mit à mâcher.

– Ce n'est pas si mal que ça, s'étonna-t-elle. Mon père cuisine parfois des mets qui goûtent franchement moins bon.

Shapal porta alors son regard sur le désert. Ayarcoutec pivota aussitôt sur ses fesses pour découvrir ce qui retenait son attention.

– C'est Cherrval, annonça la femme-poisson.

Les deux enfants coururent à la rencontre du Pardusse. Autour de son cou pendaient une dizaine de gourdes en plus des leurs.

– Mais où as-tu trouvé tout cela ? se réjouit Ayarcoutec.

– Sur le bord de l'étang. À cette heure-ci, tout le monde dort dans les tentes. Comment va ta mère ?

– Nous l'avons laissée dormir.

En les entendant approcher, Napalhuaca se redressa. Elle avait bien meilleure mine.

– Finalement, je manque seulement de sommeil, leur dit-elle pour ne pas les inquiéter.

– Nous aurons à boire pendant plusieurs jours, déclara Cherrval en déposant son butin.

Sur l'entrefaite, les Ipocans revinrent avec un gros thon qu'ils avaient harponné. Ils en retirèrent les écailles et le vidèrent de ses entrailles sous le regard intéressé d'Ayarcoutec, qui fut d'ailleurs la première à goûter à sa chair riche en fer.

– Moi, j'aime bien voyager ! s'exclama-t-elle.

Napalhuaca ne fit aucun commentaire, car elle avait surtout envie de recommencer à vivre sur la terre ferme. Néanmoins, après le repas plus que succulent et quelques gorgées d'eau, elle remonta bravement dans la barque.

– Vous auriez dû m'avouer que vous étiez malade, déesse, lui dit Shapal, assise directement derrière elle. Ma grand-mère m'a enseigné un traitement très efficace contre le mal de mer.

– Je suis prête à essayer n'importe quoi pour me sentir mieux.

L'Ipocane plaça ses mains sur les tempes de la guerrière et se mit à les masser doucement en prononçant des mots incompréhensibles. En quelques secondes seulement, la tête et l'estomac de Napalhuaca avaient cessé de tourner.

– C'est incroyable...

Le reste du trajet jusqu'à la rivière Mardall fut beaucoup moins pénible pour la Mixilzin. Les manipulations de Shapal l'avaient débarrassée de tous ses maux. Une fois à destination, Napalhuaca remercia profusément les cavaliers Ipocans qui les avaient menés à bon port.

– Tu ne peux pas continuer avec nous? se chagrina Ayarcoutec en serrant Shapal dans ses bras.

– Je ne survivrais pas dans de l'eau sans sel, mais je suis certaine que nous nous reverrons.

– Oui. Maman me laisserait revenir sur la plage pour jouer avec toi.

Pendant que les petites se faisaient leurs adieux, les yeux de la guerrière suivirent la rivière jusqu'à la falaise d'où elle se jetait en une formidable cascade.

– Au moins, nous aurons de l'eau, fit remarquer Cherrval. Il ne restera qu'à trouver à manger.

– Onyx m'a dit que sa maison se situait au pied du plus haut pic de son pays.

Ils ne pouvaient pas voir la Montagne de Cristal, car la falaise leur bloquait la vue. Toutefois, ils distinguaient au sommet de la falaise les contours d'une forteresse toute blanche qui se découpaient sur un fond de nuages gris menaçants. Le vent poussait la tempête vers le nord, après avoir copieusement arrosé le Désert pendant des semaines.

– C'est peut-être là, se risqua Napalhuaca.

Ayarcoutec regarda disparaître les Ipocans sur leurs beaux hippocampes géants, puis rejoignit sa mère et Cherrval.

– Ils ont laissé la barque sur la plage, annonça-t-elle.

– Peut-être servira-t-elle à quelqu'un, un jour, la réconforta sa mère.

– Nous ne retournerons jamais chez nous, n'est-ce pas ?

– Moi, non. Quant à toi, si tu as trop le mal du pays, je suis certaine qu'Onyx pourra te ramener chez ton père.

– Ma situation n'est pas encore trop critique.

– Je suis ravie de l'entendre.

Ils se mirent en route, marchant le long de cette étrange rivière peu profonde dont on pouvait voir le fond. Ils apercevaient des arbres au loin, mais ils ne les atteindraient pas avant des heures. Ils étaient à la frontière du Désert et pourtant, il n'y faisait pas aussi chaud qu'à Enlilkisar. Lorsque le soleil se mit à descendre, toutefois, ils apprirent que les nuits étaient très froides à cet endroit. Cherrval se coucha sur le côté et invita les Mixilzins à se blottir contre sa poitrine, puis les couvrit de la couverture.

– Personnellement, je trouve cette fraîcheur très réconfortante, avoua-t-il. J'aime déjà ce pays.

– Pas moi, grommela Ayarcoutec en claquant des dents.

Napalhuaca aurait bien voulu dormir, mais son esprit était assailli de centaines de questions. Onyx ne savait pas qu'elle était en route pour le voir. Comment réagirait-il à son arrivée ? Y avait-il seulement une place pour elle dans ce nouveau pays ? Pourrait-elle élever convenablement sa fille ? Lui assurer un bel avenir ? Ferait-il aussi froid toutes les nuits ?

– Y a-t-il des Pardusses par ici ? demanda Ayarcoutec, qui grelottait contre elle.

– Le roi et ses amis ne nous en ont jamais parlé, répondit Cherrval.

– Que feras-tu si tu es le seul de ta race ?

– J'étais déjà le seul homme-lion sur le territoire des Itzamans et j'étais parfaitement heureux, car j'avais des amis et une raison de vivre.

– Mais qu'arrivera-t-il si tu n'arrives pas à te faire des amis ?

– Je m'en fais toujours, petite fleur.

– Est-ce que les gens mangent la même chose que nous, à Enkidiev ?

– Il se peut que les légumes et les fruits soient un peu différents, mais je suis certain qu'ils sont tout aussi nourrissants.

– Que ferons-nous s'ils n'ont pas de cacao ?

– Ayarcoutec, je t'en prie, essaie de dormir, soupira sa mère.

– Ça me réchauffe de parler...

Alors Napalhuaca la chassa de son esprit afin de récupérer ses forces pour la marche du lendemain. Quant à la petite, elle n'aurait qu'à monter sur le dos du Pardusse si elle était trop fatiguée pour les suivre.

– Maman, est-ce que tu dors ?

– Oui, répondit la guerrière en souriant.

– Si c'était vrai, tu ne me répondrais pas.

– Laisse-moi me reposer, mon petit rayon de soleil, sinon je ne serai pas capable d'atteindre mon but.

– Je vais essayer...

Napalhuaca la ramena contre sa poitrine pour lui fournir encore plus de chaleur.

21

UN PLAN DÉMONIAQUE

Quand Onyx eut fini de lire tous les livres qu'il avait subtilisés à Wellan, il comprenait un peu mieux l'histoire de la création de l'univers, mais il ne savait toujours pas quel rôle il était censé jouer dans les plans des dieux fondateurs. Le petit Jaspe s'attachait à lui, mais, curieusement, il semblait devenir de plus en plus anxieux. Les derniers soirs, au moment de le mettre au lit, Onyx avait essuyé des crises de sanglots qui lui brisaient le cœur. Il avait même été obligé de dormir avec l'enfant dans les bras pour le rassurer. Le Roi d'Émeraude dut se rendre à l'évidence : le bébé ne pouvait tout simplement pas vivre en ermite comme lui. « À cet âge, il aurait aussi besoin d'une mère », songea-t-il. Même lorsque Swan était allée à la guerre avec les Chevaliers d'Émeraude, pendant que leurs enfants étaient en bas âge, elle revenait régulièrement à la maison pour les cajoler et leur faire sentir qu'ils avaient deux parents.

Alors, un matin, Onyx rappela Hardjan, mais ne monta pas sur son dos. Il était inutile de lui faire traverser le détroit qui séparait Irianeth d'Enkidiev tandis que de terribles tempêtes sévissaient sur les côtes, là-bas. Le roi prit Jaspe dans ses bras et le cacha sous la cape de peaux qu'il portait, puis, utilisant son vortex, il se transporta avec le cheval et l'enfant dans la cour de sa forteresse. Le temps était maussade et l'endroit désert.

Serrant Jaspe contre lui pour le protéger de la pluie, Onyx commença par conduire Hardjan à l'écurie, où non seulement il serait au sec, mais où il aurait autre chose à manger que des fleurs.

Les palefreniers parurent étonnés par le retour de leur souverain, dont le peuple était bien trop souvent sans nouvelles. Ils furent doublement surpris d'apercevoir le cheval ailé sur ses talons.

– Majesté... le saluèrent les jeunes gens en se courbant devant lui.

– Ça fait des années que nous n'avons pas revu cet animal, ajouta l'un d'eux. Où l'avez-vous trouvé ?

– Sur les plaines des Elfes. Il est à moi, maintenant. Donnez-lui à boire et à manger et prenez-en bien soin.

Onyx caressa l'encolure du cheval-dragon et attendit qu'il soit installé dans un grand compartiment avant de quitter l'écurie. Il dirigea ensuite ses pas vers la tour d'Armène, car il était important que Jaspe ne soit pas avec lui lorsqu'il tenterait d'amadouer sa femme. Le roi poussa la porte et grimpa dans le bâtiment circulaire, accueilli par une réconfortante chaleur et les arômes du premier repas de la journée.

– Sire ! s'exclama Armène, lorsqu'elle le vit sur le palier. Quelle joie de vous revoir !

– Il vient un temps où un homme éprouve enfin le besoin de rentrer chez lui.

Lazuli, Aurélys et Cyndelle avaient arrêté de manger pour observer ce roi dont ils ne voyaient que les longs cheveux trempés par-dessus une cape qui descendait jusqu'au sol. Quant à elle, la gouvernante avait capté un mouvement inhabituel sous le vêtement.

– Que nous cachez-vous là ?

– Le but de ma visite.

Onyx détacha sa cape, révélant le bébé qui, effrayé, s'accrochait à sa tunique.

– Mais d'où vient-il, celui-là ? s'étonna Armène.

– C'est un petit orphelin que j'ai ramené du nouveau monde.

– Vous avez l'intention de l'adopter ?

– Dans mon esprit, c'est déjà clair. Il faut maintenant que je convainque la reine.

L'enfant se mit à gémir en voyant la nourriture sur la table.

– On dirait qu'il a faim, remarqua Armène.

Elle apporta une chaise haute, laissa Onyx y asseoir le bébé, puis passa une longue pièce de tissu autour de sa taille pour l'attacher au meuble.

– Sait-il manger seul ?

– Il se débrouille avec les fruits et le pain rôti, affirma le père adoptif.

– Voyons voir s'il apprendra à se servir d'une cuillère.

Armène plaça un bol de céréales chaudes devant Jaspe et prit une bouchée devant lui avec le minuscule ustensile. Le bébé l'examina attentivement, mais refusa de toucher à la cuillère lorsque la gouvernante voulut la lui mettre dans la main. Il leva plutôt des yeux implorants sur Onyx.

– Le mieux serait que vous mangiez vous aussi avec nous, sire.

Le roi prit donc place à table, tout près du bambin. Il plongea sa propre cuillère dans le bol que la gouvernante venait de lui servir et se mit à manger sans exercer aucune pression sur le nouveau prince. Celui-ci scruta tous ses gestes, puis finit par l'imiter, d'abord maladroitement, puis avec de plus en plus de précision.

– Si vous l'avez amené ici, est-ce pour me le confier? demanda Armène.

– J'aimerais en effet que vous vous occupiez de lui jusqu'à ce que Swan accepte de l'adopter. Après, nous verrons.

– Comment s'appelle-t-il ?

– Jaspe.

– C'est un très beau nom.

Armène offrit ensuite des tranches de pain grillé recouvertes de miel au père et au fils, ainsi que des pommes en provenance des chambres froides du palais. Rassuré, Jaspe avait commencé à examiner son nouvel environnement, et surtout les jouets, épars sur le sol.

– Puis-je partir sans lui causer de la détresse ? s'enquit Onyx.

– Il est certain qu'il sera inquiet de voir disparaître la seule personne qu'il connaît, mais ce n'est pas le premier bébé dont je m'occupe.

– Nous jouerons avec lui, ajouta Cyndelle.

– Après les devoirs et les leçons, c'est tout ce qu'il nous reste à faire de toute façon, grommela Lazuli.

– Tout se passera très bien, sire. Faites ce que vous avez à faire.

– Merci, Armène.

Onyx embrassa Jaspe sur le front.

– Sois sage, petit dragon. Je serai de retour très bientôt. Profites-en pour t'amuser.

Les yeux bleus anxieux de Jaspe ressemblaient tellement à ceux de Nemeroff que le père en éprouva un vertige. Il recula de quelques pas, puis tourna sur ses talons en s'emparant de sa cape avant de changer d'idée et de rester avec l'enfant.

Onyx traversa la cour sans se presser. Il pouvait entendre le tonnerre gronder au loin, comme le jour où il était né... Il entra dans le palais et eut à peine le temps de retirer le vêtement trempé qu'un serviteur s'en emparait.

– Où est la reine ? s'enquit Onyx.

– Dans ses appartements, Majesté.

Plutôt que d'utiliser son vortex, le Roi d'Émeraude grimpa les deux volées de marches et entra chez lui, espérant que Swan n'ait pas eu l'audace d'y réinstaller ses fils. Il traversa l'antichambre et entra dans la section réservée au couple. N'y voyant pas sa femme, il utilisa ses sens magiques pour la localiser. Elle était dans leur installation de bain privée. Il passa la tête dans l'ouverture de la salle complètement recouverte de marbre et vit qu'elle se prélassait dans l'eau parfumée. Onyx préférait le savon ordinaire, mais il était prêt à sentir les fleurs pour couronner de succès ses efforts de séduction.

Il entra donc dans la pièce, se planta devant les marches qui descendaient dans le bassin et attendit que Swan ouvre les yeux, ce qu'elle fit quelques secondes plus tard.

– Depuis combien de temps es-tu là ?

– Bonjour à toi aussi, répliqua-t-il en répétant une réponse qu'elle lui avait faite par le passé.

– Où est ton bébé ?

Au lieu de répondre, il ôta ses vêtements afin de la rejoindre dans l'eau chaude. Swan recula jusqu'à la partie la plus éloignée du grand bain.

– Réponds-moi, exigea-t-elle.

– Il est en bonne compagnie.

– Qui sont ses parents ?

– La grande prêtresse des Tepecoalts et Azcatchi.

– As-tu complètement perdu la raison ? s'exclama Swan, effrayée.

Onyx choisit de demeurer à l'autre extrémité du bassin. Une fois qu'il aurait contenté la curiosité de sa femme, sans doute consentirait-elle à un autre type de rapprochement.

– En le laissant chez les Itzamans, j'aurais condamné tout le peuple qui a été si bon pour nous.

– Et les Émériens, eux ?

– Ma première idée, c'était de le confier aux Sholiens, mais Mann, qui habite désormais au sanctuaire, est devenu hystérique quand il a su que je venais d'arriver au pied de la falaise.

– N'importe quel homme sain d'esprit aurait réagi comme lui.

– Il prétend que la destruction d'Enkidiev commencera avec l'arrivée d'un bébé étranger.

– Et il a fallu que ce soit toi qui l'y introduises...

– Ce n'est peut-être même pas celui-là. Des bébés, il en naît à toutes les minutes.

– Pourquoi l'as-tu emmené au palais l'autre soir ?

– Il a besoin d'une mère...

– Tu veux en adopter un autre ?

– J'aime les bébés ! se défendit Onyx. Ils sont purs, innocents et reconnaissants.

– Mais ils finissent par grandir et, à ce moment-là, tu les rejettes.

– Puis-je te rappeler que je n'ai pas vu grandir nos fils parce que j'étais très malade ? Quand j'ai fini par guérir, ils étaient devenus des inconnus qui ne reconnaissaient pas mon autorité.

– Ils étaient devenus des hommes capables de prendre leurs propres décisions.

– Moi, je n'ai choisi mon propre destin que lorsque mon père est mort. Jusqu'à son dernier souffle, j'ai respecté sa volonté. Je sais que c'est difficile pour quelqu'un qui a quitté ses parents à l'âge de cinq ans de comprendre comment ça se passe dans une vraie famille.

– Qu'est-ce que tu insinues ?

– Tu es une bonne mère, Swan, mais tu n'as eu aucun modèle sur lequel te fonder. Tu es arrivée au Château d'Émeraude quand tu étais toute petite. J'ai manqué mon coup avec mes aînés, mais je suis encore capable de me reprendre avec les plus jeunes.

– Est-ce que tu parles de Cornéliane, par hasard ?

– Elle est sous la protection des dieux félins.

– Mais elle n'est pas avec sa famille, Onyx.

– Solis a raison sur un point : nous ne sommes pas capables de la protéger, ici.

– Et le fils d'Azcatchi, lui ?

– Il ne manifeste aucun pouvoir magique qui pourrait attirer son père ici, du moins pour l'instant. De toute façon, la pierre sur le balcon n'est-elle pas censée l'éloigner ?

– Il a essayé de la détruire en lançant d'énormes pierres dans la cour. C'est Fabian et Shvara qui l'ont mis en déroute.

– Maintenant que je suis de retour, il n'osera plus revenir.

– Mais c'est justement toi qu'il cherchait, Onyx !

– Qu'importe. J'ai eu le dessus sur lui la dernière fois que nous nous sommes affrontés.

– Tu t'es battu contre un dieu-rapace ? Es-tu devenu complètement fou ?

– Je n'ai peur de personne... sauf de toi.

– De moi ?

Onyx s'assit dans les marches de façon à avoir de l'eau jusqu'au cou.

– Je sens bien que tu ne m'aimes plus.

– C'est difficile d'aimer quelqu'un qui nous fait continuellement enrager.

– Est-ce ainsi depuis que nous sommes ensemble ?

– C'était moins fréquent au début, mais ces dernières années, tu t'es vraiment montré intraitable.

– Alors, c'est bel et bien fini entre nous ?

– Je n'en sais rien... J'ai besoin de réfléchir.

– J'attendrai ta réponse.

Le roi rebelle sortit du bassin, agrippa un drap de bain au passage et quitta la pièce. Il se sécha, puis fouilla dans la grande penderie et en sortit une de ses tuniques noires préférées, un pantalon de cuir et sa ceinture sertie de têtes de dragons. Il enfila des bottes sèches et quitta les appartements royaux. Il y avait un grand nombre de chambres inoccupées dans l'aile des

Chevaliers, alors il s'y installerait jusqu'à ce que Swan prenne une décision au sujet de leur couple. En attendant, il avait envie de renouer avec son château.

Il se rendit dans le hall et alla s'asseoir sur le trône en se rappelant tous les efforts qu'il avait déployés pour l'acquérir. « Si elle ne veut plus de moi, je partirai avec Jaspe à la conquête de tous les mondes habités », décida-t-il. Il était perdu dans ses pensées lorsqu'il entendit des pas feutrés dans la vaste salle. Mali s'avança vers lui.

– Ne me dites pas que vous avez encore fait d'autres rêves que personne ne comprendra, se désespéra-t-il.

– Non, sire. Depuis que j'ai donné naissance à ma fille, mes rêves prémonitoires ne se sont plus manifestés.

– Excellent.

– Quand j'ai entendu dire que vous étiez de retour, j'en ai tout de suite profité pour venir vous faire une requête.

– Les nouvelles circulent vraiment vite, ici. Que puis-je faire pour vous, Mali ?

– La coutume veut que le roi admette officiellement l'existence juridique de tous ses nouveaux sujets.

– Lors d'une audience publique, précisa Onyx.

– Pas nécessairement. J'ai vérifié. Alors, voilà l'acte de reconnaissance pour ma fille Kyomi.

– Où est-elle ?

– Avec son père. Elle est toute menue et nous la ménageons autant que nous le pouvons.

Onyx lut le document qu'elle lui remit, puis fit apparaître une plume dans sa main avant que Mali lui propose d'aller en cherche une. Il apposa sa signature sur le papyrus et le tendit à la prêtresse.

– Longue vie à Kyomi, souhaita-t-il.

– Liam et moi vous remercions infiniment, sire. En passant, félicitations pour le nouveau bébé.

– Tout le monde est au courant ?

– Non... La reine ne l'a annoncé qu'à ses proches.

– Quand ? s'étonna Onyx, qui venait à peine de laisser Swan dans leurs appartements.

– Dès qu'elle l'a su, il y a quelques jours.

« Elle ne parle donc pas de Jaspe », conclut le roi.

– Selon elle, il naîtra à la fin de la prochaine saison chaude, ajouta Mali. À mon avis, c'est une excellente idée de vous constituer une seconde famille.

– Merci...

Mali quitta le hall en ne faisant pas plus de bruit qu'une souris. « Swan est enceinte », comprit Onyx. « De moi ou d'un autre dieu ? » Il avait été parti suffisamment longtemps pour qu'elle succombe aux charmes d'un félin ou d'un rapace. À cette idée, il se renfrogna, puis il se souvint du sortilège qu'il avait lu dans le grimoire d'un sorcier. Il s'agissait d'une pratique peu courante, qui remontait à des siècles et qui n'avait pas connu beaucoup de succès. « Probablement parce que les magiciens qui l'ont tenté n'étaient pas aussi forts que moi », devina Onyx.

Il entendit des rires en provenance du vestibule. Deux de ses fils entrèrent en compagnie d'un inconnu. Les jeunes hommes avaient tellement de plaisir qu'ils ne virent pas tout de suite le roi assis sur son trône. Ce fut Shvara qui remarqua le premier sa présence.

– Est-ce votre père ? chuchota-t-il.

Fabian et Maximilien scrutèrent la pièce et s'immobilisèrent en apercevant le souverain.

– Nous sommes de retour, tenta le plus âgé des deux princes.

Pour toute réponse, Onyx se dématérialisa sous leurs yeux.

– Était-ce une vision ? demanda Shvara.

– Non, déplora Maximilien. Il fait ça quand il n'a pas envie de nous parler.

– Moi, j'interprète cette disparition comme une démonstration de pouvoir, répliqua Fabian. Il nous montre que c'est lui le roi et qu'il ne répond de personne.

– Il semble tout de même moins terrible que mon propre père, commenta Shvara.

– Ne te fie pas aux apparences.

Les trois compagnons allèrent s'asseoir devant le feu pour se réchauffer.

– Comment réglerez-vous cette situation ? voulut savoir le rapace.

– Nous ? fit moqueusement Fabian.

– Il n'y a rien que nous puissions faire, ajouta Maximilien. Ce sera sa décision à lui.

Ils entendirent le tintement léger de clochettes.

– C'est la belle Madidjin, les informa le busard. Son peuple adore les dieux aviaires.

– Viens, Shvara, l'invita Fabian. Je vais te montrer l'écurie.

– Pourquoi ? Je n'ai certes pas besoin de monter à cheval.

Le prince lui saisit le bras et le tira vers la porte.

– Je me déplace beaucoup plus rapidement avec mes ailes, continua de protester l'oiseau.

Alors qu'ils passaient devant la Madidjin, Fabian la salua en penchant légèrement la tête et mena son ami à l'extérieur du hall, afin de laisser son frère en tête à tête avec cette femme qui semblait l'intéresser de plus en plus.

– Bonjour, lui dit Maximilien avec un sourire invitant.

Aydine s'assit sur le fauteuil près du sien.

– Je n'ai pas été honnête envers vous, Prince d'Émeraude.

– À quel sujet ? Nous avons à peine échangé quelques mots.

– Je vous ai dit que j'étais originaire d'Enlilkisar.

– Et c'est faux ?

– Ce n'est pas tout à fait exact. Je suis née à Baliaza, au pays des Madidjins, et je ne suis pas une vulgaire servante comme je l'ai affirmé aux vaillants explorateurs d'Enkidiev qui m'ont secourue. Je suis la Princesse de Baliaza.

– Vous leur avez menti ?

– Seulement pour me protéger.

– De qui ?

– Des guerriers de mon père qui sont à ma recherche.

– Avez-vous commis un crime ?

– Oh non ! Laissez-moi vous expliquer. Dans mon pays, ce sont les parents qui choisissent le mari de leurs filles. Or depuis que je suis toute petite, tout ce que je désire, c'est me marier par amour.

– Vous vous êtes enfuie parce que vous ne vouliez pas épouser celui que les vôtres avaient choisi pour vous ?

– Le Prince Nedal est un homme cruel qui fait assassiner tous ceux qui s'opposent à sa volonté, mais mon père croit qu'une alliance entre son État et celui de ce tyran découragera les ennemis de Baliaza de l'attaquer.

– Si vous êtes une princesse, pourquoi n'avez-vous pas aussi pris en considération le bien de vos sujets ?

– Parce que Nedal ne respectera pas sa parole. En l'épousant, j'aurais condamné mon peuple à subir son oppression...

Des larmes se mirent à couler sur son beau visage.

– Pourquoi me dites-vous ceci ? s'étonna Maximilien.

– Parce que je ne veux pas que vous pensiez que je suis une soubrette. J'ai du sang royal, moi aussi.

– Dans ce cas, laissez-moi vous en dire un peu plus sur moi-même. Je ne suis pas le fils légitime du Roi d'Émeraude.

Il m'a adopté lorsque j'étais bébé. Mes vrais parents étaient des paysans.

– Cela ne vous empêche pas d'être un homme très séduisant.

Aucune femme avant Aydine n'avait osé faire une telle déclaration au jeune homme, probablement parce que les chevaux avaient longtemps été son seul intérêt.

– Ce n'est pas à moi que mon père léguera son royaume.

– N'avez-vous pas écouté ce que je viens de vous dire ? Je ne veux pas épouser un titre de noblesse. Je veux vivre avec un homme que j'aimerai et qui m'adorera. N'est-ce pas ce que vous voulez aussi ?

– Je n'ai jamais pris le temps d'y penser...

– Vous me briserez le cœur si vous me dites que vous n'éprouvez pas la moindre attirance pour moi, mais je m'en remettrai.

– Je ne sais pas encore ce que je ressens, mais je ne suis certainement pas indifférent, avança le prince.

– Alors, faites-moi la cour, Maximilien.

Elle s'avança, déposa un baiser sur ses lèvres et quitta la pièce en faisant tinter toutes les petites pièces de métal cousues à son vêtement rose qui cachait à peine ses formes. Troublé, le jeune homme resta assis devant le feu. Il n'allait pas être facile pour lui de démêler toutes les émotions qui se bousculaient dans son cœur.

Au même moment, dans la bibliothèque d'Émeraude, Onyx s'était retiré dans un coin isolé et étudiait l'enchantement qu'il avait retrouvé. Il possédait certes la puissance requise pour le réussir et il ne rêvait que du jour où il serait réuni avec son fils Nemeroff décédé alors qu'il n'était qu'un enfant.

22

UN GRAND SECRET

Les révélations de sa mère avaient bouleversé Kira au point où elle était distraite dans ses tâches ménagères. Alors, après avoir trouvé les assiettes propres dans le salon et les biberons dans la salle de bain, tout en écoutant les plaintes des enfants qui n'avaient pas reçu les bonnes piles de vêtements frais lavés dans leur chambre, Lassa attrapa Kira par la taille et l'isola pour lui parler en privé.

– Dis-moi ce qui te tracasse, réclama-t-il en la regardant droit dans les yeux.

– Je ne veux pas t'embêter avec ça, répondit sa femme, avec un air triste.

– Quand tu mets la maison sens dessus dessous, je ne peux pas faire autrement que d'exiger une explication.

– Ma mère est venue voir les jumeaux au milieu de la nuit.

– Et ?

– Elle m'a dit que certaines femmes ont dans leur sang une substance qui attire les dieux comme la flamme attire les papillons de nuit. Elle m'a aussi révélé que le père de Myrialuna était un dieu d'un univers différent.

– Mais il n'y a pas d'autres univers, voyons.

– Il s'appelait Kimaati.

– Ce sont ces informations qui te mettent dans un état pareil ?

– D'une part, j'ai peur que ma flamme ne soit pas encore éteinte et, d'autre part, je trouve vraiment dommage que Myrialuna ne sache pas la vérité.

– Dans ce cas, j'ai une solution à te proposer. Pourquoi ne vas-tu pas passer un jour ou deux chez ta sœur pour en discuter avec elle ?

– Tu n'y penses pas ! s'exclama Kira, effrayée. Je ne peux pas emmener les jumeaux à Shola. Ils ne sont pas habitués au froid extrême et à la neige.

– Ils resteront ici.

– Mais je les allaite, Lassa.

– Ils boiront du lait de chèvre, pour une fois.

Kira se mordit les lèvres avec hésitation.

– Tu as besoin de parler avec Myrialuna, insista son mari. Ne remets pas à plus tard ce que tu peux faire maintenant.

– Tu as raison.

– Je ne suis jamais allé à Shola, mais je pourrais au moins t'emmener jusqu'au pied de la falaise, chez les Elfes, offrit Lassa.

– L'escalade nécessite une journée complète ! Il est préférable que je tente de m'y rendre moi-même avec mon propre vortex.

– Mais tu n'atterris jamais tout à fait là où tu veux aller, ma chérie.

– Au pire, si je manque vraiment mon coup, je reviendrai à la maison ou je t'appellerai au secours.

– Alors, va t'habiller chaudement.

Kira l'embrassa et fit ce qu'il lui conseillait. Elle caressa la tête des jumeaux qui s'étaient rendormis, puis tenta de localiser Kaliska et Marek avec ses sens magiques.

– Je leur dirai où tu es lorsqu'ils reviendront de leurs cours, promit Lassa. Pars maintenant tandis qu'il fait encore clair.

La Sholienne serra son mari comme si elle n'allait jamais plus le revoir, puis se dématérialisa sous ses yeux. À la grande surprise de Kira, lorsque le vortex la relâcha, elle se trouvait dans la neige jusqu'aux genoux. « Ça ne veut pas dire que je suis au bon endroit », raisonna-t-elle en s'efforçant de ne pas paniquer. « Ces conditions climatiques existent de Shola jusqu'à Espérita. »

Puisqu'elle ne pouvait rien distinguer au loin, en raison des gros flocons qui tombaient en abondance, Kira se servit de ses facultés surnaturelles afin de s'orienter. Elle se figea : six créatures avançaient vers elle à pas prudents. « Y a-t-il des loups dans ces contrées sauvages ou quelque animal dont on ne m'a jamais parlé ? » se demanda la Sholienne. Elle demeura immobile et attentive, car la plupart des prédateurs aimaient pourchasser leurs proies.

« De la lumière leur ferait sans doute peur », songea Kira. Elle alluma ses paumes, ce qui rendit l'éclat de la neige immaculée très difficile à supporter pour ses yeux sensibles.

– Qui êtes-vous ? cria-t-elle.

Les bêtes avaient commencé à l'encercler.

– Je m'appelle Kira d'Émeraude ! Je ne vous veux aucun mal !

– Tante Kira ? s'enquit une voix cristalline.

La Sholienne s'attendait à voir apparaître une adolescente dans la tourmente, mais ce fut un gros chat marron qui s'avança vers elle.

– Que faites-vous ici ? articula clairement le félin.

– Je suis venue rendre visite à ma sœur.

– Suivez-moi.

Cinq eyras identiques au premier se rapprochèrent de Kira, comme pour lui servir de cortège.

– Comment faites-vous pour vous retrouver dans cette blancheur ? voulut savoir la Sholienne.

– C'est grâce à notre odorat. Le château est par là.

– Le château ?

Dans le rideau de neige, Kira n'en aperçut finalement que les portes d'acier enchâssées dans un mur de blocs transparents. Les six fauves se transformèrent en filles, vêtues de chaudes fourrures. La première poussa la porte et Kira la suivit à l'intérieur.

Le décor ne ressemblait pas à celui qu'elle avait connu durant sa courte vie à Shola. Ou bien Myrialuna avait rebâti le palais selon sa propre fantaisie, ou bien elle n'avait aucun souvenir du château original et avait fait n'importe quoi. Le grand escalier ne menait nulle part, puisqu'il s'appuyait sur le plafond...

– Maman ! Viens voir ce que nous avons trouvé !

Une trappe s'ouvrit dans le plancher.

– Combien de fois vous ai-je dit de ne pas ramener vos prises dans la maison ? fit la voix de Myrialuna tandis qu'elle grimpait les dernières marches.

Le cœur de Kira se réchauffa d'un seul coup lorsqu'elle aperçut les cheveux roses de sa sœur. Tout comme ses enfants, Myrialuna portait des vêtements de peaux.

– Kira ?

– J'avais envie de te voir.

Myrialuna poussa un cri de joie et sauta dans les bras de la visiteuse.

– J'avais tellement hâte de te montrer tout ce que nous avons fait ici !

– Comme un escalier qui ne sert à rien ?

– Nous n'avons construit que le rez-de-chaussée pour l'instant, puisque nous ne pouvons vraiment travailler que durant la saison chaude.

– Vous fabriquez de la glace durant la saison chaude ?

– Ce n'est pas de la glace.

La maîtresse des lieux emmena sa sœur près du mur et l'invita à toucher sa surface.

– C'est du verre !

– Exactement. Nous ne voulons pas que notre forteresse se mette à fondre à tout moment. En fouillant dans les soubassements de l'ancien château, nous avons trouvé la recette de ce matériau dans les notes qu'ont laissées les moines sholiens.

Maintenant, tout le monde en bas ! Il va commencer à faire froid à cet étage d'une minute à l'autre.

Les six adolescentes se changèrent en eyras et se précipitèrent dans l'escalier.

– Nous sommes encore forcés de rester sous terre, mais dès que le palais sera terminé et que nous aurons installé toutes les pierres chauffantes, nous pourrons enfin vivre à la lumière du jour.

Myrialuna referma la trappe et suivit Kira dans les marches. De petits joyaux incrustés dans les murs leur procuraient juste assez de lumière pour qu'elles voient où elles mettaient les pieds. Lorsqu'elles arrivèrent en bas, Kira écarquilla les yeux. Contrairement à ce qu'elle avait imaginé, ce n'était pas une caverne qui s'ouvrait sous la construction de verre, mais une salle aussi grande que le hall du roi à Émeraude, creusée à même le roc. Le plafond arrondi était soutenu par de solides colonnes sculptées et le plancher était composé de larges carreaux gravés de symboles mystérieux.

– C'était déjà là quand nous sommes arrivés, affirma Myrialuna en voyant l'étonnement de sa sœur.

– Je ne me rappelle pas cet endroit...

– Et ce n'est pas tout !

Elle conduisit Kira dans une galerie qui aboutissait à une autre immense salle, puis à une troisième, où les filles étaient maintenant allongées sur des fourrures blanches, devant un âtre magnifiquement orné de festons. Le feu qui y brûlait était évidemment magique, puisqu'il n'y avait aucun arbre à Shola et que les Elfes n'auraient jamais permis qu'ils coupent ceux qui poussaient dans leurs forêts.

Kira promena son regard autour d'elle. De grosses pierres carrées étaient encastrées dans tous les murs et émettaient une lumière d'apparence presque naturelle. Ce qui faisait cruellement défaut au logis surréel de sa sœur, c'étaient des meubles.

– Où est Abnar ? demanda la Sholienne.

– Viens, je vais te montrer.

Myrialuna l'emmena encore plus loin dans le sous-sol. Elles entrèrent dans un quatrième hall, où des milliers de blocs de verre étaient entassés en colonnes. Tout au fond, le Magicien de Cristal était en train d'en façonner d'autres sur une grande table en bois, sans aucun autre outil que ses mains nues.

– Ce travail ne nécessite-t-il pas un four et une canne à souffler ?

– Pas selon les Sholiens, répondit Abnar en laissant son travail en plan et en s'approchant de Kira.

Ils s'étreignirent un instant, puis l'ancien Immortel recula pour la regarder.

– Nous avons été très déçus que tu n'accompagnes pas Myrialuna lors de sa dernière visite à Émeraude, lui reprocha la Sholienne.

– Comme tu peux le voir toi-même, j'avais fort à faire. Si nous voulons finir un jour ce château, je me dois de ne pas relâcher mon zèle.

– Vous faites tout ce travail vous-mêmes ?

– Nous avons d'abord construit une maquette, expliqua Myrialuna, puis nous avons commencé à fabriquer les blocs. Abnar est le plus doué, mais nous savons tous le faire.

– Nous les façonnons pendant les mois de tempête, puis, au retour du soleil, nous les transportons à la surface et nous les assemblons, ajouta son mari.

– Ça semble si simple quand vous en parlez, mais j'imagine que cela requiert des efforts monstres, laissa tomber Kira.

– Nous utilisons la magie, bien sûr, affirma sa sœur. Mais surtout, c'est une activité de famille qui nous rapproche. Le palais ne ressemblera peut-être pas à celui que nos ancêtres avaient édifié jadis, mais il sera très beau.

– Je n'en ai aucun doute. Mais que mangez-vous dans ce pays glacial ?

– Nous avons découvert une pièce non terminée, alors durant la belle saison, nous y entassons toutes les provisions que nous pouvons acheter aux chasseurs d'Opale, répondit Myrialuna.

– Acheter avec quoi ?

– Les murs de notre chambre froide sont tapissés de pierres précieuses.

– Ces fourrures viennent aussi des Opaliens ?

– Oh non. Nous avons trouvé des dragons blancs échoués sur la plage à l'ouest. Puisqu'ils étaient morts, nous n'avons pas vu de mal à les dépecer. Aimerais-tu boire un thé ?

– Ce ne serait pas de refus.

– Je vais aller faire chauffer l'eau.

– Puis-je voir comment vous faites du verre ? demanda Kira en pensant que Wellan aurait donné cher pour assister à une telle démonstration.

Abnar la convia à l'accompagner à la grande table où gisait un bloc à moitié formé.

– Il faut posséder un minimum de magie pour y parvenir, expliqua-t-il, et une grande quantité de petits cailloux. Nous en ramassons dans la rivière Mardall dès que les pluies cessent.

Le Magicien de Cristal plongea la main dans une grande cuve en pierre et en ressortit un fragment de pierre qu'il déposa sur la table. Il prononça ensuite une incantation dans une langue mélodieuse qui fit frémir les oreilles de Kira. C'était évidemment du sholien, mais elle avait cessé d'en entendre à l'âge de deux ans et elle ne s'en rappelait plus.

Le galet se mit à frétiller, comme s'il était vivant, puis il s'étira en longueur et en largeur, jusqu'à ce qu'il devienne une plaque parfaitement rectangulaire d'environ quarante centimètres sur soixante centimètres. Abnar s'arrêta un moment, puis récita la seconde partie des paroles magiques. La tablette pierreuse devint transparente et se mit à prendre de l'épaisseur pour former un bloc d'une hauteur de trente centimètres. À côté d'elle, l'autre bloc poursuivit en même temps sa formation.

– C'est extraordinaire ! s'exclama Kira.

Elle tenta de soulever l'un des deux morceaux de verre, mais en fut incapable. Avec un sourire, Abnar leva l'index et le fit voler jusque sur la pile.

– Tu as oublié les notions fondamentales de magie que je t'ai enseignées, on dirait, se moqua-t-il.

– Depuis que j'ai une famille, j'essaie de m'en servir le moins possible, pour élever mes enfants normalement.

Myrialuna les appela pour le thé.

– Vas-y seule, Kira, décida Abnar. Je sens que vous avez beaucoup de choses à vous dire.

La Sholienne dut utiliser ses sens surnaturels pour retrouver son chemin dans ce labyrinthe souterrain. Sa sœur l'attendait dans une pièce plus petite attenante au grand hall où les filles bavardaient devant l'âtre. Il s'agissait plus ou moins d'une cuisine, avec un comptoir en pierre où Myrialuna conservait certains aliments et ustensiles.

– Mangez-vous debout ? demanda Kira en notant l'absence de meubles.

– Certainement pas. Nous aimons nous asseoir devant le feu.

Kira se concentra profondément et fouilla le grenier du Château d'Émeraude, où les serviteurs entassaient les meubles, les coffres et tout ce dont on ne se servait plus au palais. Elle transporta magiquement jusqu'à Shola une longue table et douze sièges.

– Oh ! s'exclama la femme-eyra.

La Sholienne commença par dépoussiérer les meubles, puis s'installa sur un des bancs.

– Ils sont confortables, annonça-t-elle.

Myrialuna l'y rejoignit aussitôt avec les tasses de thé.

– C'est maintenant que tu vas me révéler le véritable but de ta visite ?

– Tu l'as lu dans mes pensées ?

– Je ne sais pas comment faire apparaître le mobilier d'une maison, mais je sais déchiffrer les émotions des gens sur leur visage. Dis-moi ce qui te tracasse.

– Tu sais que mon père est l'ignoble empereur des hommes-insectes.

– Tout le monde le sait.

– Eh bien, le tien n'est pas le Roi Shill.

– C'est Amecareth ? s'horrifia Myrialuna.

– Non. C'est un dieu-lion, mais qui ne fait pas partie de la descendance d'Étanna.

– Comment est-ce possible, puisque c'est le seul panthéon félin ?

– Mère m'a dit qu'il provenait d'un autre monde et qu'il s'appelait Kimaati. Il s'est arrêté quelque temps à Shola, puis il est reparti.

– Où est-il allé ?

– Elle n'en sait rien.

Kira lui parla aussi de la constitution particulière de certaines femmes qui attirait irrésistiblement les dieux désireux d'avoir une descendance.

– Est-ce que ça m'arrivera à moi aussi ? s'inquiéta Myrialuna.

– Tu as déjà eu six filles avec un demi-dieu reptilien.

Les deux sœurs parlèrent alors des progrès de leurs enfants, de leur bonheur familial et des rêves qu'il leur restait à réaliser. Quelques heures plus tard, Kira rentra chez elle et faillit atterrir dans les douves du Château d'Émeraude. « Mais au moins, je suis dans le bon royaume ! » s'encouragea la Sholienne en marchant vers le pont-levis.

De son côté, Myrialuna s'était rendue dans la salle de travail de son mari et s'était appuyée dans son dos pour se réconforter.

– Que se passe-t-il ? s'inquiéta Abnar.

– Je veux que tu me parles des autres mondes.

– Tout de suite ?

– Quand tu seras prêt. J'ai besoin de savoir qui est Kimaati et comment je pourrais le retrouver.

Le visage du magicien s'assombrit, mais il fit attention de ne pas se retourner pour éviter que sa femme le voie.

– Nous en reparlerons plus tard, se contenta-t-il de répondre.

Myrialuna passa les bras autour de son torse et le serra avec amour.

23

UNE ÉTONNANTE RENCONTRE

Chargés de provisions et de gourdes d'eau, Hadrian et Wellan s'étaient matérialisés au sud de Zénor, près de l'estuaire de la rivière Mardall, une journée avant que les Ipocans y déposent Napalhuaca, sa fille et leur ami Cherrval. Les deux hommes furent surpris de découvrir qu'il n'y avait qu'une mince couche de nuages devant le soleil et qu'il ne pleuvait pas. Tout comme les Mixilzins, ils avaient suivi le cours d'eau, à l'affût de toute trace d'énergie inconnue, aussi minime fut-elle.

– Il y a très, très longtemps, j'ai établi un campement ici avec Onyx, se rappela Hadrian.

– Durant la première invasion, c'est ça ?

L'ancien soldat hocha la tête d'un air nostalgique.

– C'est sur le bord de cette rivière qu'il m'a enseigné à méditer.

– Onyx ? s'étonna Wellan.

– Il ne faut surtout pas le juger en fonction de sa conduite égocentrique actuelle. Il y a cinq cents ans, c'était un magnifique guerrier qui tenait à prouver sa valeur sur le champ de bataille. Il n'avait peur de rien et il était toujours prêt à exécuter tous les plans que ses commandants échafaudaient. Ce n'est que lorsque nous avons attendu l'ennemi en cet endroit même que j'ai enfin compris la source de ses fantastiques pouvoirs. Il possède une intense concentration qui lui permet d'aller chercher tout au fond de lui la force dont il a besoin.

– Le fait qu'il soit le fils des dieux fondateurs n'est pas à négliger non plus.

– C'est surprenant qu'il n'en sache rien.

– À mon sens, les seuls qui connaissent vraiment leurs origines sont les dieux-dragons Aufaniae et Aiapaec, parce qu'ils sont restés dans les mondes célestes. Les autres ont été conçus par un éclair qui a voyagé longtemps avant de trouver sa cible. S'ils étaient nés adultes, sans doute auraient-ils deviné qui ils étaient, mais en étant obligés de commencer leur vie comme tous les autres bébés, ils ont dû l'oublier.

– Mais toi, tu te souvenais de tout.

– Je ne suis pas un fils de la foudre. Mon âme et mon esprit ont quitté l'antichambre de la mort, intacts.

– Campons ici, si tu le veux bien.

– Il est encore tôt.

– Je sais, mais je ressens le besoin de faire un court pèlerinage en ces lieux.

Hadrian se perdit dans ses vieux souvenirs.

– Laquelle des deux guerres a été la plus terrible ? demanda Wellan.

– C'est sans contredit la première. Nous ne savions pas à qui nous avions affaire et la plupart de mes hommes ignoraient comment utiliser leur magie. Les pertes de vie ont été énormes.

– Je ne me suis jamais habitué à voir mourir mes amis. Je suis heureux que la paix soit enfin revenue sur le continent.

– Je crois que s'il doit y avoir un autre conflit, ce sera entre les panthéons, et nous ne pourrons pas y changer quoi que ce soit.

Assis en tailleur, Hadrian laissa son regard se perdre à la surface de l'eau que le vent faisait frissonner. Wellan l'imita. Il faisait si bon d'être enfin au sec. Avant de méditer, il s'assura qu'ils étaient seuls, puis laissa sa conscience quitter tout doucement son corps. Autrefois, il se rendait en pensée dans une petite grotte de cristal sur les berges de la rivière Sérida, mais depuis qu'il était revenu à la vie, il ne parvenait plus à retrouver son sanctuaire. Immanquablement, il ouvrait les yeux dans une forêt dont les essences des arbres lui étaient tout à fait inconnues. Il marchait dans la semi-obscurité jusqu'à une clairière d'où il pouvait observer le réveil des étoiles. Le sentiment de paix qui l'habitait alors ne ressemblait à rien de ce qu'il avait vécu auparavant. En général, il réintégrait son corps au moment où une odeur de feu de camp chatouillait ses narines, suivie de la triste mélodie d'une lointaine flûte. Cette fois-ci, il se sentit le courage de partir à la recherche du musicien fantôme. Il se leva et se mit à marcher entre les arbres.

– Wellan ! l'appela une voix.

Le jeune homme ouvrit vivement les yeux et aperçut le regard inquiet d'Hadrian.

– Quelqu'un approche.

Wellan secoua la tête pour reprendre ses sens. L'ancien roi disait vrai : trois énergies différentes progressaient vers eux, en provenance du sud.

– Ce ne sont pas des gens du Désert, observa-t-il.

Les deux aventuriers restèrent sur leurs gardes et attendirent que le trio soit en vue. Le soleil avait commencé à descendre au-dessus de l'océan. Ses rayons orangés se faufilaient entre les nuages, porteurs d'espoir pour les hommes.

– C'est Cherrval... distingua d'abord Hadrian.

Il plissa davantage les yeux.

– La Princesse Napalhuaca et la petite Ayarcoutec l'accompagnent.

– Qui sont-elles ?

– Des Mixilzins.

De son côté, l'homme-lion avait humé le vent et reconnu l'odeur des deux personnes assises près de la rivière.

– C'est le Roi Hadrian et le fils de Kira, annonça-t-il à ses compagnes.

– Quel âge a-t-il ? demanda Ayarcoutec.

– C'est presque un homme.

Lorsque les trois représentants d'Enlilkisar arrivèrent enfin au campement, il faisait nuit. Wellan avait allumé un grand feu magique pour qu'ils puissent les voir facilement.

– Majesté, c'est un plaisir de vous revoir, les salua Hadrian. Wellan, je te présente Napalhuaca et sa fille Ayarcoutec, princesses de leur peuple. Tu connais déjà Cherrval. Wellan est le fils de Kira.

– Nous ne sommes plus Mixilzins, précisa la petite. Maman a été rejetée par la tribu.

– Tais-toi, lui ordonna sèchement Napalhuaca.

– Je vous en prie, assoyez-vous, les invita Hadrian.

– Pourquoi est-ce que tu les comprends et pas moi ? s'étonna Wellan.

Napalhuaca pencha la tête de côté, indiquant qu'elle ne saisissait pas non plus les paroles du jeune homme.

– Tu n'étais pas là lorsque la sorcière Anyaguara nous a lancé un sort d'interprétation, expliqua Hadrian. Tu ne peux donc pas déchiffrer leur langue et, de leur côté, les Mixilzins ne peuvent pas te comprendre.

– Est-ce un enchantement compliqué à exécuter ? demanda Wellan, désireux de participer activement à la conversation.

– Je n'en ai pas la moindre idée, alors je traduirai ce que vous désirez vous dire.

Voyant que les nouveaux arrivés ne transportaient pas de nourriture, Wellan se concentra et tenta d'imiter Onyx en empruntant des vivres dans les cuisines du Château d'Émeraude. Un gros plat de sanglier rôti tomba du ciel et s'écrasa sur le sable en créant toute une commotion dans le groupe. Cherrval poussa un rugissement terrifiant, tandis que les guerrières bondissaient sur leurs pieds et adoptaient une position de combat.

– Ce n'est que le repas... s'excusa Wellan.

Le fumet de la viande convainquit leurs invités qu'ils n'avaient rien à craindre. Hadrian tira l'assiette devant la princesse et lui offrit de choisir le premier morceau.

– La petite a raison, avoua-t-elle. Je ne mérite plus cet honneur.

– Si les Mixilzins vous ont rejetée, vous n'en demeurez pas moins une princesse dans mon cœur, répliqua Hadrian avec un sourire charmant.

– Vous savez bien manier les mots, répliqua-t-elle.

Napalhuaca planta son poignard dans la viande, mais c'est à sa fille qu'elle offrit la pièce de choix. Ils mangèrent en silence pendant un moment. Wellan ne put s'empêcher de fixer intensément la guerrière qui, selon les écrits des Sholiens, était la fille des dieux fondateurs.

– Êtes-vous Napashni ? demanda-t-il finalement.

La Mixilzin se redressa brusquement, comme si un insecte l'avait piquée.

– Vous connaissez ce nom, n'est-ce pas ?

Hadrian commença à traduire.

– Onyx m'a dit que c'était mon véritable nom et un homme appelé Abussos, que j'ai rencontré dans la forêt en quittant les miens, me l'a confirmé.

– Vous avez croisé Abussos ? s'étonna Hadrian.

– Il m'a dit que ma place n'était pas parmi les Mixilzins, mais il n'a pas voulu me dire où je devais aller. Il a aussi dit qu'il me fallait accepter mes origines et demeurer forte pendant qu'il s'occupait d'autre chose. Il veut que je joigne ma puissance à celle de Nashoba, pour que nous puissions protéger les humains.

– Onyx... murmura Wellan. C'est lui, Nashoba.

Hadrian raconta alors à Napalhuaca tout ce que Wellan et lui avaient appris en fouillant dans la bibliothèque d'Émeraude.

– Lessien Idril et Abussos ont eu huit enfants, ajouta le jeune homme, mais il n'y en a que quatre qui vivent dans notre monde.

– Nashoba, Napashni, Nahélé et Naalnish, les énuméra Napalhuaca une fois qu'Hadrian eut interprété le discours de Wellan.

Elle demeura songeuse si longtemps qu'elle ne se rendit pas compte que sa fille s'était endormie entre les pattes de Cherrval. Ce dernier suivait la conversation avec intérêt en se demandant quel serait son rôle dans toute cette histoire.

– Pourquoi êtes-vous ici, loin de tout village ? voulut savoir la guerrière.

– Ma femme a été enlevée par un dieu-tigre et nous sommes à sa recherche.

– Je peux vous aider, affirma le Pardusse. Je suis capable de flairer d'autres fauves.

– J'accepte votre collaboration avec plaisir. Quant à vous, princesse...

– Appelez-moi Napashni, désormais. Napalhuaca appartient à un passé que je veux oublier.

– Pourtant, tout ce que nous faisons dans la vie finit toujours par nous servir un jour, répliqua Hadrian. Rien n'est jamais perdu.

– Je veux devenir Napashni. Tel est le vœu de mon père.

– Alors, je le respecterai aussi. Puis-je vous ramener à Émeraude à l'aide de ma magie ?

– Non. Je veux également vous soutenir dans votre quête.

Hadrian savait qu'elle n'était pas une femme sans défense. Il l'avait vue écraser Onyx dans un duel à l'épée double...

– Soit, accepta-t-il. Nous partirons à l'aube.

Wellan fit disparaître les restes du repas pour ne pas attirer de bêtes sauvages durant la nuit, puis s'enroula dans sa couverture. Il ne put s'empêcher de penser, en s'endormant, que c'était là le genre d'aventure dont il avait rêvé depuis sa première vie.

Au matin, le jeune érudit offrit des fruits à la petite troupe. Ils plongèrent les gourdes vides dans la rivière et consultèrent Cherrval. Il ne humait encore rien.

– Je vais nous transporter dans une oasis où vivent les hommes du Désert, expliqua Wellan. Si un tigre rôde dans les parages, il est certain que quelqu'un l'aura vu.

Napashni hocha vivement la tête pour dire qu'elle était d'accord lorsque Hadrian eut traduit ses mots.

– C'est quoi, un tigre ? demanda Ayarcoutec.

Personne n'eut le temps de le lui expliquer. Ils furent entraînés dans un gouffre froid et sombre pendant quelques secondes, puis rejetés sur le sable à proximité d'un village de tentes colorées.

– Encore ! s'écria l'enfant, réjouie.

– Une fois suffit, répliqua plutôt Cherrval. Et pour répondre à ta question, un tigre, c'est une bête mythique dont le pelage est marqué par un grand nombre de rayures. Les anciens Pardusses racontent qu'il y en a déjà eu sur leurs terres il y a des milliers d'années.

Le groupe marcha lentement pour que les sentinelles aient le temps de comprendre qu'ils n'étaient pas hostiles. Toutefois, leur réaction fut plutôt inusitée. Un vent de panique souffla sur l'oasis et en quelques minutes, les guerriers enturbannés foncèrent sur les étrangers, sur le dos de dromadaires.

– Arrêtez ! ordonna l'un d'eux.

Wellan s'avança.

– Est-ce le village de Zharan ?

– Zharan est mort. Qui êtes-vous ?

– Je suis Wellan d'Émeraude. C'est moi qui ai déterré la citadelle des dieux non loin d'ici.

– Je te reconnais, mais pas les autres.

– Ce sont mes amis. Qui dirige le village, maintenant ?

– C'est Chokri.

– Keyah est-il encore parmi vous ?

– Il vit toujours.

– Alors, je demande à le voir.

– La bête ne doit pas s'approcher de nos tentes.

Il faisait évidemment référence au Pardusse, qui s'était laissé retomber sur ses quatre pattes pour ne pas les effrayer davantage.

– Cherrval est pacifique, assura Wellan.

Le Danakis secoua négativement la tête.

– Je vous attendrai ici, chuchota le Pardusse.

– Et je resterai avec lui, annonça Ayarcoutec.

– La petite sera en sûreté avec moi.

Hadrian traduisit leurs paroles à son jeune ami.

– C'est entendu, accepta Wellan.

Il fut donc escorté par la moitié des guerriers, en compagnie de Napashni et de Hadrian, tandis que le reste du groupe surveillait le lion et la petite fille. Le chef des sentinelles ouvrit le pan de toile qui donnait accès à la tente du vieil homme et laissa entrer ses visiteurs.

– Jeune Wellan... se réjouit Keyah en serrant ses mains. Es-tu ici pour découvrir une autre cité perdue ?

– Cette fois, je cherche un tigre avec mes compagnons, Hadrian et Nap... ashni.

– Un gros chat rayé ?

– Exactement.

– Les chasseurs en ont aperçu un à quelques kilomètres au sud. Ils lui ont donné la chasse, mais il leur a échappé, comme s'il s'était évaporé soudainement.

– Qu'est-il arrivé à Zharan ?

– Tout de suite après ton départ, il a commencé à se sentir malade et il est mort durant la nuit. Je crois qu'il a été piqué par un scorpion.

– Je suis tellement navré...

– Les dieux nous donnent la vie et les dieux nous la reprennent quand ils en ont envie. L'animal que vous cherchez est-il dangereux ?

– Il ne vous attaquera pas, le rassura Wellan, car ce n'est pas un véritable prédateur. C'est un dieu qui adopte cette forme quand bon lui semble. Il n'appartient pas au panthéon de Parandar.

– Dans ce cas, il ne devrait pas se trouver ici.

– C'est ce que nous allons lui faire comprendre.

– Avez-vous besoin d'une escorte ?

– Non, Keyah, mais je vous remercie de nous l'offrir. Il est préférable que nous réglions nous-mêmes cette affaire céleste.

– Que les dieux vous assistent et revenez me rendre visite.

– Je vous en fais la promesse.

Les aventuriers retournèrent auprès de Cherrval, qui jouait aux devinettes avec Ayarcoutec, puis se dirigèrent vers le sud. Les guerriers, à dos de dromadaire, ne les suivirent pas.

– Si Keyah a raison, nous devrions commencer à ressentir quelque chose, indiqua Wellan.

– Tu sais encore comment te faire des amis.

– Je remercie souvent Theandras de ne pas m'avoir enlevé la mémoire, car il y a plusieurs choses que j'ignorerais encore si j'étais un adolescent normal.

Ils marchèrent pendant de longues heures, se protégeant la tête avec leurs couvertures, jusqu'à ce que le Pardusse émette un son sourd et menaçant. Wellan plissa les yeux en regardant au loin. Un tigre se tenait aux aguets au sommet d'une dune !

– Ne me demandez pas comment je le sais, mais c'est le dieu que vous cherchez, affirma Napashni.

– Cherrval, ne le faites pas fuir, recommanda Hadrian.

L'homme-lion cessa ses grognements et le groupe continua d'approcher en s'efforçant de ne pas adopter une attitude hostile. Le tigre demeura d'abord immobile, puis disparut.

– Où est-il ?

– Il essaie sans doute de regagner l'entrée de la grotte, devina Wellan.

Cherrval s'élança sans attendre d'en avoir reçu l'ordre, car il avait compris que les humains ne rattraperaient jamais le félin avant qu'il plonge sous terre. Il n'était pas facile de courir dans le sable, mais Wellan y mit tous les efforts qu'il pouvait. Hadrian le suivit de son mieux et la guerrière saisit la main de sa fille pour qu'elle ne perde pas de terrain. Avant même qu'ils n'arrivent au sommet de la petite colline, ils entendirent les grondements féroces des deux fauves qui s'affrontaient. Cherrval possédait une grande force physique, mais le tigre qu'il affrontait n'était pas un animal normal. D'un puissant coup de patte, Mahito fit rouler son adversaire dans la poussière, puis d'un bond, s'attaqua à sa gorge.

– Non ! hurla Ayarcoutec.

Son cri stoppa le geste du tigre. Il jeta un dernier regard aux humains et s'éloigna en toute hâte. Tandis que Hadrian volait au secours du Pardusse avec la petite Mixilzin, Wellan et Napashni restaient sur place, à suivre des yeux la course de l'animal en fuite, persuadés qu'il filait vers sa tanière. Lorsqu'il ne fut plus qu'un petit point sur le sable, ils rejoignirent les autres.

– Il est gravement blessé, annonça Hadrian.

L'ancien roi voulut refermer les plaies du Pardusse à l'aide de sa magie, mais rien ne se produisit.

– Nous sommes sans doute au-dessus de la grotte de cristal, conclut Wellan. C'est elle qui bloque notre magie.

– Nous ne pouvons pas le laisser dans cet état.

– Je vais tenter de nous ramener à Émeraude. Peut-être que mon sang divin me permettra de déjouer les pouvoirs du quartz. Je vous en prie, mettez tous la main sur Cherrval.

Les Mixilzins lui obéirent aussitôt. Quant à Hadrian, il appuyait déjà ses paumes sur la plaie du Pardusse pour arrêter l'hémorragie. Wellan ferma les yeux en se concentrant de toutes ses forces. Le groupe se dématérialisa instantanément.

24

LE RITUEL

Pendant que tout le Château d'Émeraude s'était mobilisé pour venir en aide à Cherrval, Onyx était si fasciné par l'envoûtement qu'il se proposait d'entreprendre que rien ne l'aurait arraché à sa lecture. Toujours assis dans un coin reculé de la bibliothèque, il révisa la liste des objets qu'il devait rassembler ainsi que les conditions idéales pour forcer l'ouverture des grandes plaines de lumière. « Un endroit isolé, un soir d'orage, un article ayant appartenu à la personne invoquée et un anneau ensorcelé par un dieu », mémorisa-t-il. Celui qui voulait réussir cette opération magique devait aussi posséder une puissance magique hors du commun. « Ce ne sera pas un problème », se dit le roi. « Mais où trouver cet anneau ? »

Il ferma les yeux et laissa errer son esprit, d'abord dans son propre royaume, puis dans les contrées environnantes. Un tintement cristallin résonna dans ses oreilles tandis qu'il survolait la forêt de Turquoise. « Il est là... » comprit-il. Onyx referma le livre de sortilèges, le fit léviter jusqu'au rayon le plus élevé de la section défendue pour que personne ne puisse mettre la main dessus, puis se dématérialisa. Durant ses deux vies, il avait parcouru tout Enkidiev à cheval, dont les bois du Royaume de Turquoise. Il y réapparut au milieu d'une averse et commença à ratisser l'endroit avec ses sens surnaturels.

Un son aigu lui confirma qu'il était dans la bonne direction lorsqu'il se tourna vers l'est. Il se mit à avancer, sans s'occuper de la pluie qui commençait à traverser ses vêtements. De toute façon, il lui faudrait se purifier avant d'entreprendre le rituel de nécromancie. Il s'arrêta au pied d'un grand chêne et leva les yeux. Un tout petit objet brillait au milieu du feuillage.

Onyx tendit la main. Les branches s'agitèrent violemment jusqu'à ce que l'anneau s'en dégage et tombe sur la paume du sorcier. « Plus rien ne peut m'arrêter, maintenant », se réjouit-il. Il retourna au palais pour se préparer. La vieille prison était le seul endroit paisible où il pourrait méditer jusqu'à ce qu'il retrouve le chemin menant au grand hall céleste, où résidaient les dieux qui avaient perdu leur pérennité.

Le soir venu, il s'abstint de manger, laissant Swan en compagnie de ses fils, puis se rendit aux bains pour procéder à ses ablutions. Il enfila ensuite l'une des longues tuniques blanches habituellement réservées à ceux qui avaient une requête spéciale à faire au roi, comme un magicien désireux de le servir, par exemple. Il se réfugia une fois de plus dans la prison et attendit que tout le palais soit endormi. Lorsque la dernière bougie fut éteinte, il apparut dans sa chambre à coucher et posa doucement une paume sur le front de Swan qui reposait dans leur grand lit.

Une fois certain qu'elle n'allait pas se réveiller, il la souleva doucement et se dématérialisa avec elle, pour réapparaître un instant plus tard au milieu du vieux cromlech, dans la forêt derrière la forteresse. Il la déposa doucement sur la table de pierre et croisa ses bras sur sa poitrine, puis glissa sous ses mains une petite chemise de nuit ayant appartenu à Nemeroff. La pluie s'abattait sur Swan, qui ne réagissait même pas.

– Tout est parfait, se félicita Onyx.

Il plaça ensuite l'anneau doré sur le front de sa bien-aimée et entra en transe. Ayant appris par cœur l'incantation qu'il avait déchiffrée, il se mit à psalmodier dans la langue céleste, comme s'il l'avait toujours parlée. Ses yeux devinrent lumineux tandis qu'un orage s'apprêtait à frapper la région. Au milieu des éclairs et du tonnerre, le jonc s'éleva doucement dans les airs, à un mètre au-dessus de la femme enceinte, et se mit à tourner sur lui-même, de plus en plus rapidement. Un éclair aveuglant pénétra dans le cercle de pierres et frappa l'anneau, qui s'enflamma. Encouragé, Onyx récita de nouveau les paroles destinées à mettre fin au repos éternel de son fils adoré.

Le bijou devint incandescent, puis décolla à la verticale pour finalement exploser en un millier de petites étincelles multicolores. Onyx se tut. Une forme blanche descendit alors du ciel. Elle ressemblait à une sphère diaphane de laquelle partaient une centaine de longs rubans. L'entité tourna autour des deux humains pendant de longues minutes. L'air devint si froid que le sorcier grelotta, mais rien ne l'arrêterait avant que le sortilège soit complété. Il demeura attentif et immobile jusqu'à ce que l'âme de son enfant se mette à flotter au-dessus du corps de Swan et qu'elle se fonde en elle.

Onyx sentit tous les muscles de son corps se relâcher. Il avait réussi là où des centaines d'autres avaient échoué. Il avait ramené Nemeroff de la mort. Profondément heureux, il souleva

Swan et la pressa contre lui en pleurant. Dans quelques mois, ce serait son fils qu'il serrerait de la même façon dans ses bras. Il ramena magiquement sa femme dans leurs appartements et lui ôta la robe de nuit collée contre son corps. Il la sécha, lui passa un autre vêtement et la recoucha dans son lit.

Au même moment, à Zénor, en proie à une terrible douleur, Katil se réveilla en poussant un cri de terreur, faisant sursauter son époux qui dormait près d'elle.

– Que se passe-t-il ? s'alarma Atlance.

– Le bébé !

Les contractions étaient si violentes que la pauvre femme crut qu'elle allait perdre conscience.

– Fais ce que je t'ai expliqué, arriva-t-elle à articuler malgré la douleur qui lui déchirait les entrailles.

Atlance la transporta sur la table de la cuisine, ce qui ne fut pas une mince affaire, puisqu'elle se tortillait comme un ver de terre.

– Dépêche-toi... pleura Katil.

Son mari roula le bas de sa robe de nuit afin d'avoir suffisamment d'espace pour aider le bébé à naître.

– Respire par saccades, recommanda-t-il.

Au lieu de faire ce qu'il lui demandait, Katil poussa une plainte si déchirante qu'Atlance sentit son cœur se serrer.

– Pousse ! ordonna-t-il entre deux hurlements de sa femme.

Heureusement qu'il avait choisi de se placer au pied de la table, car une seconde plus tard, il reçut un projectile gluant et sanglant au milieu de la poitrine. C'était le bébé ! Katil avait cessé de se plaindre, mais son souffle était court.

– Aide-le à respirer... murmura-t-elle.

Atlance déposa le nouveau-né aux pieds de sa mère et tenta de le nettoyer en utilisant ses mains, puisqu'il n'avait même pas eu le temps de préparer des linges humides. Il se mit alors à donner des chiquenaudes sur le talon du bébé.

– Ses voies respiratoires...

N'ayant rien à la portée de la main, Atlance eut recours à la magie pour faire sortir de son minuscule nez le liquide qui bloquait ses narines. Un sourire illumina le visage de la nouvelle maman lorsqu'elle entendit pleurer son enfant. Elle parvint à s'asseoir en gémissant et vit le poupon.

– Tu aurais pu au moins me dire que c'était un garçon, se moqua-t-elle.

Le visage blanc comme de la craie, Atlance se mit à chanceler.

– Mon chéri...

Il s'écroula sur le plancher comme une poupée de chiffon.

– Atlance !

En fait, Katil avait bien pensé que les choses se passeraient ainsi, puisque son mari ne pouvait pas supporter la vue du sang. Elle étira les bras et réussit à prendre son fils. Elle contempla son petit minois grimaçant.

– Ne te fie pas à ce que tu viens de voir, petit prince, murmura-t-elle. Ton père est habituellement beaucoup plus brave que ça.

Lorsqu'elle voulut se tourner sur le côté pour descendre de la table, son corps se crispa. « Nous avons besoin d'aide », comprit-elle. Son père était magicien, mais il avait perdu sa faculté de se déplacer par magie lorsqu'il avait remis ses bracelets aux dieux. Sa mère n'avait aucun pouvoir. Quant à Swan, sa belle-mère, elle ne possédait pas de vortex personnel. Pas question de demander à son beau-père de la secourir. Il aurait refusé de toute façon, puisqu'il n'avait jamais approuvé son mariage avec son fils. *Fabian!* appela-t-elle par voie de télépathie. *Je viens d'accoucher et Atlance a perdu conscience...* Elle attendit en vain, puisque tout le monde dormait au Château d'Émeraude. Quelques coups furent alors frappés à la porte, mais Atlance avait placé la barre de bois sur ses supports pour qu'elle ne puisse pas être ouverte de l'extérieur.

– Qui est là ? demanda Katil en serrant son fils contre elle.

À sa grande surprise, la pièce de bois se souleva d'elle-même et retomba sur le plancher.

– Atlance, réveille-toi ! l’implora Katil.

La porte s’ouvrit, dévoilant le visage du visiteur.

– Prince Zach ? s’étonna-t-elle.

– Je marchais sur les galets quand j’ai entendu vos cris.

« Que faisait-il sur la plage à une heure pareille ? » s’étonna la maman. Cet homme appartenait toutefois à la monarchie de Zénor. Il pouvait bien faire tout ce qu’il voulait. Le prince se pencha d’abord sur Atlance, qu’il ranima avec de petites tapes sur les joues. Puisque le père n’avait rien de cassé, le prince alla ensuite constater l’état de la maman, dont le bas de la robe de nuit était imbibé de sang. Il passa la main au-dessus du ventre de Katil, qui ressentit un grand soulagement.

– J’ignorais que vous étiez guérisseur, Majesté.

– Il n’y a pas que mon jeune frère qui ait hérité de merveilleux talents. Me permettez-vous de m’occuper de l’enfant pendant que vous vous nettoyez et que vous vous changez ?

– Vous êtes trop aimable.

Zach approcha les mains du bébé naissant. À la stupéfaction des deux adultes, celui-ci émit un grondement sourd ressemblant à celui d’un chat effarouché.

– C’est peut-être son estomac, voulut l’excuser sa mère.

Le prince avait plissé le front en se demandant ce qui se passait. Il fit un second essai et essuya la même réaction de la part de l'enfant.

– Peut-être que son père aura plus de succès, suggéra Katil.

Malgré la nausée qui menaçait de le faire vomir d'un instant à l'autre, Atlance accepta d'aller chercher son fils. Il tendit les mains pour le prendre et les retira aussitôt: elles étaient couvertes de sang. Le père regarda d'abord ses doigts striés de coupures, puis porta son regard sur l'enfant. Pendant une fraction de seconde, il le vit se transformer en minuscule dragon d'un bleu aussi pâle que les yeux de son père.

– Mais... s'étrangla Atlance.

– Il ne peut pas t'avoir infligé ces blessures, protesta Katil. Il n'a ni dents, ni ongles !

Le père tenta de trouver une explication sur le visage de Zach, qui était devenu très grave.

– Dites-moi que c'était une hallucination, le supplia Atlance.

– Cet enfant n'est pas normal, répliqua-t-il.

– Je n'ai vraiment pas besoin d'entendre ça, les avertit Katil.

– Nous avons pourtant juré de toujours nous dire la vérité, lui rappela son mari.

– Essaies-tu de me dire qu'il a des facultés magiques ?

Atlance ouvrit la bouche pour répondre, mais Katil ne lui donna pas le temps de s'exprimer.

– Il me semble qu'il fallait s'y attendre, puisque nous en avons tous les deux.

– Je ne veux pas te faire peur, ni te faire de peine...

– Ce n'est tout de même pas un démon, hoqueta Katil.

Les deux hommes demeurèrent muets.

– Je suis sûre que vous vous trompez...

L'enfant se mit à gémir dans ses bras.

– Allez-vous-en, ordonna la mère, effrayée. Je ne vous laisserai pas y toucher.

Elle descendit de la table et se rendit au paravent, derrière lequel se trouvait la baignoire. Utilisant sa magie, elle fit sortir l'eau du puits, dans la cour, et la conduisit jusqu'au grand récipient, puis la fit chauffer d'un seul regard. Le bébé rechigna lorsqu'elle le submergea jusqu'au cou, mais elle parvint à le calmer en le frottant doucement pour le nettoyer.

Atlance adressa un regard désespéré au Prince de Zénor, qui lui fit signe de sortir avec lui. Il avait cessé de pleuvoir depuis quelques heures, mais le sentier qui menait jusqu'à la porte était détrempé.

– Qu'est-ce que j'ai vu ? demanda le nouveau papa, fort inquiet.

– Je ne suis pas certain que ce soit un démon ou un élémental, mais ce n'était pas une créature ordinaire. À mon avis, il s'agit d'un pouvoir de métamorphose qu'il ne maîtrise pas encore.

– Mon fils est donc un grand mage ?

– Ou un grand sorcier. Vous ne le saurez qu'avec le temps.

– Merci, Majesté, d'être passé par chez nous, cette nuit.

– Vous êtes le fils d'Onyx, n'est-ce pas ?

– Oui, mais je préférerais que ça ne se sache pas. Mon père et moi ne voyons pas les choses du même œil, alors j'ai décidé de mener ma vie à ma façon.

– Vous avez abandonné tous vos privilèges à cause d'une altercation avec l'indomptable Roi d'Émeraude ?

– Il s'agissait plutôt d'une kyrielle de reproches et d'injures.

– Je vois. Ne craignez rien. Je ne divulguerai pas votre secret. Si j'ai un seul conseil à vous donner, c'est d'imposer une stricte discipline à cet enfant, qui est beaucoup plus puissant que vous.

– Ça, c'est le style de mon père, pas le mien.

– Si vous laissez votre fils agir à sa guise, vous en subirez les conséquences. Maintenant, je dois rentrer au palais. Toutes mes félicitations aux nouveaux parents.

Atlance le regarda s'éloigner dans l'obscurité en direction de l'océan, mais ne le vit pas se changer en jaguar afin de courir plus rapidement sur les galets.

– Atlance, tu es sain d'esprit et tu as le plus beau fils du monde, se répéta plusieurs fois le jeune homme avant de rentrer chez lui.

Katil, qui avait enfilé une nouvelle chemise de nuit, était en train d'envelopper son nouveau-né dans ses langes.

– C'est à toi qu'il ressemble, fit-elle en voyant son mari approcher.

« Vraiment ? » ne put s'empêcher de penser Atlance.

– Montre-moi tes mains, exigea Katil.

Elle referma aussitôt les griffures et l'embrassa sur les lèvres.

– Je sais que nous avions convenu de l'appeler Malachite, mais je trouve qu'il a plutôt le visage d'un petit Lucca, lui dit-elle.

– Tu peux l'appeler comme tu veux, ma chérie. Tu sais bien que je l'aimerai quand même.

Elle cueillit le poupon dans ses bras et l'approcha de son père. Ce dernier se crispa.

– Lucca de Zénor, je te présente ton père, Atlance d'Émeraude.

Curieusement, elle sentit tressaillir le petit être lorsqu'elle prononça le nom de son père. Elle le colla prudemment contre la poitrine d'Atlance, lui conseillant de placer une main sous ses minuscules fesses et une main sous sa tête. Cette fois, pas une seule protestation de la part du petit. De ses yeux à demi ouverts, il semblait observer le visage de son géniteur avec beaucoup d'intérêt.

– Il suffisait seulement de lui dire qui tu étais, on dirait, nota Katil avec satisfaction. Il ne semble pas avoir faim, mais je vais tenter de l'allaiter quand même.

– Tu y arriveras, même si tu n'as jamais fait ça ?

– Il y a une première fois à tout. Et puis, ma mère m'a donné de bons conseils. Nous verrons bien s'ils s'appliquent à moi.

La nouvelle maman alla s'asseoir dans le fauteuil à bascule. Atlance lui remit l'enfant et prit place sur le sol. Pendant que sa femme donnait le sein à leur premier fils, il alluma un feu dans l'âtre.

– Tu as tellement souffert tout à l'heure que je me demande si nous devrions avoir d'autres enfants, lâcha-t-il.

– Ces douleurs font partie de l'enfantement, mon amour. Quand on voit ce qu'elles ont produit, je recommencerais n'importe quand.

Tandis que son fils tétait lentement, Katil offrit un magnifique sourire à l'homme de sa vie.

– Es-tu heureux, Atlance ?

– Beaucoup, bien qu'un peu honteux de m'être évanoui au lieu de te venir en aide.

– J'aurais probablement eu la même réaction que toi.

– Tu as été d'une bravoure exemplaire...

– Je n'avais plus le choix, mon amour. Il fallait qu'il sorte de moi.

– Je suis contraint d'avouer que les femmes sont bien plus courageuses que les hommes.

– Je vais te changer en Fée et te laisser porter les prochains, le taquina Katil.

Atlance se releva sur ses genoux et alla chercher un baiser sur ses lèvres.

– Attendons un peu avant de parler des suivants...

❋ ❋ ❋

Au Château d'Émeraude, le seul à ne pas dormir était Onyx. Couché sur le côté, il regardait sommeiller sa femme. Kira et Mali avaient mis leurs enfants au monde des semaines avant la date prévue de leurs accouchements. Il se demanda alors s'il pourrait lui aussi écourter la gestation de Nemeroff. Il n'avait pas l'intention d'avouer à Swan qu'il avait procédé à un rituel aussi dangereux sur elle. Il ne serait probablement pas difficile, toutefois, de la persuader de donner à cet enfant le même prénom que leur aîné, qui lui manquait beaucoup à elle aussi. S'il n'avait pas réussi à ramener Cornéliane au bercail, il aurait au moins fait revenir Nemeroff dans leur vie. «Cela suffira-t-il à nous réconcilier?» se demanda-t-il.

Il y aurait évidemment le problème du retour de ses fils adultes au palais. La meilleure solution était sans doute de leur imposer un strict code de conduite tandis qu'ils étaient chez lui. S'ils refusaient de s'y conformer, il les obligerait à aller faire la mauvaise tête ailleurs, en leur trouvant des princesses à marier.

Onyx posa doucement la main sur le ventre de Swan et sentit l'énergie qui y tourbillonnait. Ce qu'il ignorait, c'est que personne, même pas Abussos, ne pouvait rappeler un seul dieu du grand hall céleste. Tout dans l'univers survenait avec son contraire...

25

ABUSSOS

Si les humains n'avaient rien éprouvé lors du rituel de nécromancie accompli par Onyx, le monde des dieux avait pour sa part été violemment ébranlé. Pour la première fois depuis que le ciel avait été divisé en trois sections distinctes, tous les panthéons avaient ressenti ce qui ressemblait à un séisme. Les colonnes de plusieurs rotondes des dieux reptiliens s'étaient effondrées, semant la panique parmi les enfants de Parandar, persuadés qu'Abussos mettait finalement ses menaces à exécution. Chez les félins, les terriers avaient encaissé une brutale secousse, faisant fuir leurs habitants dans la forêt, tandis que chez les rapaces, plusieurs nids avaient été décrochés des arbres.

Cependant, l'univers paisible des dieux fondateurs fut le plus touché. La rivière magique qui coulait devant leur grand tipi était sortie de son lit, obligeant Lessien Idril à abandonner son logis. Malgré le tremblement du sol sous ses mocassins, elle avait réussi à atteindre la partie de la forêt où son époux construisait ses canots. Ce dernier était debout, appuyé contre le tronc d'un solide bouleau. Ses yeux étincelaient de colère.

– Que se passe-t-il ? demanda la déesse en s'accrochant à son torse musclé.

– Le portail du hall céleste a été façonné pour ne s'ouvrir que dans un sens, soit lorsqu'il accueille les dieux qui ont perdu la vie, expliqua-t-il en faisant l'effort de se contenir. Il ne peut pas être déployé en sens inverse.

– C'est pourtant ce qui vient de se produire, n'est-ce pas ?

– Personne ne possède suffisamment de puissance pour réussir un tel exploit.

– Es-tu en train de me dire que quelqu'un s'en est échappé ?

– Ceux qui s'y trouvent ne pourraient jamais fomenter une telle révolte, car ils baignent dans la douceur, la joie et le contentement.

– Le portail a donc été ouvert de l'extérieur.

Abussos hocha la tête.

– Dès que les gardiens auront réussi à le refermer, je m'y rendrai pour tenter de comprendre ce qui s'est passé. Je veux que tu restes ici.

– Mais...

– Ne proteste pas, femme. Si je refuse de t'emmener, cette fois, c'est que je ne veux pas que tu cherches à tempérer mon courroux.

– Que vas-tu faire ?

– Je vais trouver le coupable et le châtier.

– Pas s'il s'agit d'un de nos enfants.

– Voilà exactement pourquoi tu devras rester ici.

– Abussos, je t'en conjure !

– Si tu m'avais laissé sévir au bon moment, ce grand choc ne se serait pas produit. Ne comprends-tu pas ce qu'il signifie pour l'équilibre du monde ? Laisse-moi agir à ma guise et contente-toi de rassurer ceux qui feront appel à toi, car je me doute qu'ils seront nombreux.

– Ne punis personne avant de connaître non seulement tous les faits, mais aussi toutes les raisons qui ont poussé le coupable à agir ainsi.

Lorsque le séisme cosmique prit fin, Abussos embrassa les cheveux de sa compagne. Déjà, les dieux fondateurs étaient bombardés de requêtes en provenance de tous les coins du ciel.

– Ça, c'est ton travail, lui rappela le dieu-hippocampe.

Il s'évapora sous ses yeux, sans qu'elle puisse le retenir. Abussos flotta dans l'Éther en direction de l'entrée de l'équivalent des grandes plaines de lumière réservé aux dieux et aux Immortels qui avaient terminé leur mission ou qui avaient été anéantis. Les gardiens étaient justement en train de réparer les gigantesques charnières.

– Comment est-ce arrivé ? demanda Abussos.

Les deux créatures, semblables à des pieuvres, commencèrent par s'incliner devant lui. Si les dieux fondateurs leur avaient donné autant de pattes, c'était justement pour empêcher tout assaut contre cette entrée.

– Une force externe a tiré sur les portes avec une telle violence que nous n'avons pas pu les retenir.

– Externe... répéta Abussos, songeur.

– Nous n'avons vu personne et nous n'avons pas reconnu cette terrible énergie.

– Quelqu'un a-t-il réussi à s'échapper du hall ?

– Nous avons ressenti le passage de deux divinités aspirées contre leur gré vers l'extérieur.

– Qui ? tonna le dieu-hippocampe en espérant qu'il ne s'agissait pas d'Akuretari.

– Deux de vos enfants : Lazuli et Nayati.

Abussos ne comprenait pas pourquoi quelqu'un aurait voulu s'emparer de ces dieux, qui avaient depuis longtemps été oubliés tant par les hommes que par leurs pairs.

– Consolidez le portail, ordonna-t-il. Que cela ne se reproduise plus jamais.

– Il en sera fait selon votre volonté, vénérable Abussos.

Le dieu-hippocampe retourna dans la partie habitée de son domaine afin de découvrir celui qui avait commis cette faute grave. Puisque le monde des rapaces était en plein bouleversement, c'est auprès d'eux qu'il commença son enquête. Abussos transforma ses nageoires en ailes de papillon en entrant dans la grande forêt des oiseaux et se rendit directement chez Lycaon. Ce dernier se tenait sur le bord de son nid intact, encore troublé par ce qui venait de se produire.

– Vénérable Abussos ? s'étonna-t-il.

– Un membre de ton panthéon a-t-il invoqué un dieu ayant franchi le portail des morts ? l'interrogea le dieu fondateur, sans détour.

– Si mon fils Azcatchi détenait ce pouvoir, il l'aurait sans doute fait, mais personne ici n'est assez puissant pour accomplir une telle prouesse.

– Si tu apprends quelque chose à ce sujet, je te somme de m'en informer sur-le-champ.

– Cela va sans dire.

Abussos visita ensuite le monde des félins. Puisque les terriers étaient creusés dans le sol, il emprunta sa forme humaine pour se rendre à celui d'Étanna. En sentant son approche, la déesse-jaguar apparut dans l'ouverture ronde que ses serviteurs avaient déblayée après le grand choc.

– Vénérable aïeul, le salua-t-elle.

– Je cherche celui ou celle qui a failli détruire l'univers.

– Il ne s'agit ni de moi, ni de mes enfants. De toute façon, vous savez comment je règle le cas des traîtres. Avez-vous questionné les insatisfaits rapaces ?

– Ce sont les premiers que j'ai interrogés.

Le dieu-hippocampe ne captait pas la moindre trace du délit dans le domaine des félins. S'il ne s'agissait pas de la descendance de Lycaon ou d'Étanna, les reptiliens étaient-ils responsables de cette perturbation ? Abussos avait du mal à le croire, car Parandar et Theandras étaient les plus pacifiques de ses enfants, après Aufaniae et Aiapaec. Néanmoins, il devait en avoir le cœur net. Il fonça donc vers les grands espaces où ces divinités plus raffinées avaient élevé des édifices de marbre blanc, entourés de ruisseaux et de fontaines.

Prévenu de l'arrivée de son grand-père, Parandar l'attendait dans les marches qui menaient à sa rotonde. Il était le plus âgé des petits-enfants des dieux fondateurs et, bien souvent, le plus sage.

– Si vous êtes ici, c'est que l'heure est grave, honorable Abussos, fit le chef du panthéon reptilien. Ce n'était donc pas un phénomène naturel.

– Non et c'est pour cette raison que je cherche le coupable.

– Vous ne le trouverez pas ici. Aucun de mes enfants ne possède une âme aussi belliqueuse.

Il ne restait plus au dieu-hippocampe qu'à se tourner vers ses propres enfants. Les dieux dragons Aufaniae et Aiapaec étaient aussi inoffensifs que leur mère, tout comme Nahélé et Naalnish. Il ne restait plus que Nashoba et Napashni sur la liste des suspects. Tous les deux étaient assez puissants pour arracher les gonds du portail du hall des disparus et tous les deux étaient de nature agressive. Abussos se laissa donc flotter jusque dans le monde des mortels.

Il survola Enlilkisar sans ressentir la présence de Napashni. C'était pourtant bien là qu'il l'avait vue la dernière fois. Afin de poursuivre ses recherches, le dieu-hippocampe se posa sur la cime du plus haut des volcans qui séparaient les deux mondes. Cette chaîne de montagnes l'irritait beaucoup, car elle avait été créée par Lycaon qui voulait stopper le progrès de son frère Parandar sur ce continent. Abussos n'aimait pas les divisions et les querelles. Tout comme Lessien Idril, il prônait l'harmonie et la paix. Seules ses méthodes pour les obtenir différaient de celles de sa compagne.

Tayaress apparut alors près de lui. Ses vêtements sombres passèrent immédiatement au blanc en la présence du dieu fondateur.

– Vénérable maître, puis-je vous être utile ? le salua l'Immortel.

– Pourquoi n'es-tu pas auprès de mon fils, comme nous te l'avons demandé ?

– Pour une fois, Nashoba se repose tranquillement chez lui.

– Est-ce lui qui a forcé le portail ?

– Oui, maître, et je n'ai pas pu l'en empêcher.

Abussos savait bien qu'un Immortel ne pouvait rien faire contre un dieu qui avait décidé de se livrer à un rituel de nécromancie.

– Pourquoi a-t-il agi ainsi, Tayaress ?

– Puisque ses enfants l'ont déçu, il cherche des héritiers qui penseront comme lui. Il s'imagine que Nayati l'aurait aveuglément secondé s'il avait survécu à l'attaque de l'empereur des Tanieths.

– Je crois plutôt qu'ils auraient fini par s'affronter.

– Et je partage votre avis, maître.

– Où sont les énergies qu'il a libérées ?

– Celle de Nayati est déjà entrée dans le corps d'un enfant qui est né il y a quelques heures à peine. Quant à celle de Lazuli, elle erre à Émeraude. Voulez-vous que je les ramène dans le hall des dieux ?

– Non, mon fidèle serviteur. Je le ferai moi-même.

– En ce qui concerne Nashoba ?

– Je m'occuperai également de lui.

– Comment puis-je vous être encore utile, vénérable maître ?

– Veille sur Napashni. Je la sens inquiète et triste.

– Vous pouvez compter sur moi.

– Va.

Tayaress baissa la tête et se dématérialisa. Avant d'intervenir dans la vie de son fils rebelle, Abussos prit le pouls de cette planète créée par les dieux-dragons, puis peuplée par Parandar. Il sentit beaucoup plus de tourments à l'est des volcans. L'Ouest faisait preuve d'un grand courage après toutes les épreuves qu'il avait subies. Il aurait préféré que ses enfants règlent seuls leurs problèmes, mais Lessien Idril avait raison : parfois, un père devait intervenir, même si ce n'était que par de judicieux conseils. Abussos se rendit donc au Château d'Émeraude, où il pouvait sentir la présence de son quatrième enfant.

Les yeux fermés, Onyx se détendait dans son immense bain privé. Le rituel de nécromancie avait affaibli ses facultés surnaturelles, mais la seule pensée de revoir Nemeroff lui faisait oublier le danger auquel il s'était exposé. Il sentit alors un mouvement dans l'eau. Croyant que c'était Swan qui avait décidé de l'y rejoindre, il ouvrit les paupières. Il sursauta en apercevant un homme devant lui et chargea ses paumes. L'étranger releva doucement l'index. Incroyablement, la lumière incandescente disparut dans les mains d'Onyx. Privé de sa magie, ce dernier voulut s'en prendre physiquement à celui qui violait son intimité, mais une puissante force le cloua contre la paroi du bassin.

– Relâchez-moi tout de suite ou je vous tuerai ! hurla le roi.

– Écoute-moi, fit l'homme aux longs cheveux noirs et aux yeux aussi sombres que la nuit.

Sa voix était grave, mais nullement menaçante. En fait, elle eut plutôt un effet apaisant sur Onyx.

– Certaines lois de l'univers ne doivent jamais être transgressées, sous peine de voir tout ce que nous aimons disparaître, poursuivit l'étranger.

– Qui êtes-vous ?

– Je suis Abussos, ton père.

– Mon père s'appelait Saffron. Il était meunier.

– C'était le mari de la femme que la foudre a frappée avec ma semence.

Se rappelant les paroles de Wellan, Onyx sentit des frissons d'horreur courir sur sa peau.

– Pourquoi n'acceptes-tu pas qui tu es, Nashoba ?

– Je déteste les dieux et tous leurs vils serviteurs, gronda-t-il comme un loup.

– D'une certaine façon, je peux comprendre la méfiance que tu entretiens envers les panthéons qui ont perdu de vue leur véritable mission. Je m'occuperai d'eux en temps utile.

Les dieux ne sont pas des êtres égocentriques qui exigent des sacrifices humains pour dispenser leurs bienfaits. Ils ne reculent pas non plus devant les efforts lorsque leurs créatures sont en danger. Le seul but de leur existence est de semer l'entente et la paix partout où ils passent. Ce devrait aussi être le tien.

– Il est un peu tard pour venir me faire la morale.

– Tu as raison, j'aurais dû intervenir il y a fort longtemps. Je ne savais pas ce qui se passait dans ce monde. Tout comme ma femme, je croyais que nos enfants avaient hérité de notre propension à faire naître l'harmonie sur leur passage. Nous pensions que vous étiez heureux.

– Les humains ne sont que des marionnettes entre vos mains. Ma seule raison de vivre a toujours été de mettre fin à cette domination.

– Sur ce point, tu me ressembles. Toutefois, il y a des règles à respecter même lorsque notre rêve est celui d'un conquérant. Tu as enfreint l'une d'elles et relâché dans l'univers des forces qui ne devraient pas s'y trouver.

– C'est donc le sortilège que j'ai réussi hier qui vous irrite.

– Sache que je partage ton amour pour ce fils que tu as perdu, mais rien n'arrive pour rien. As-tu déjà pensé que s'il est mort, c'est parce qu'il devait partir ?

– Je ne suis pas fataliste.

– Je ne le sais que trop bien. Si je suis ici, aujourd'hui, c'est pour t'avertir que je réparerai ton erreur et que tu devras l'accepter.

– Vous m'en demandez beaucoup.

– Fais l'effort de comprendre que la tâche d'un dieu est de faciliter la vie des créatures inférieures et de semer de l'amour dans leur cœur.

Abussos s'avança vers Onyx, qui ne put même pas bouger le moindre muscle pour se défendre. Le dieu-hippocampe attacha une cordelette autour du cou de son fils, puis recula en souriant.

– Bientôt, je te montrerai comment te servir de ce talisman, affirma-t-il en s'évaporant.

Onyx sursauta en ouvrant les yeux. Il était seul dans la pièce. « Ce n'était qu'un rêve », se rassura-t-il.

26

UNE ÉTRANGE PRÉSENCE

Après s'être regardée dans tous les miroirs de ses appartements, Kira commençait à s'habituer à sa nouvelle coupe de cheveux. D'une certaine façon, elle la trouvait fort utile, puisque les jumeaux ne pouvaient plus tirer sur ses longues mèches et que le temps requis pour les laver avait grandement diminué. Quant à Marek, depuis qu'il lui avait fait tomber le pot de miel sur la tête, elle ne le voyait presque plus avant le repas du soir. Kira avait d'abord cru qu'il s'était assagi et qu'il assistait de nouveau à ses cours, jusqu'à ce que Kaliska lui apprenne qu'il ne s'y était pas présenté depuis l'incident.

– Mais que fait-il toute la journée ? s'étonna la mère.

– Il joue dans le grenier avec ses dragons.

Marek avait installé les petites bêtes dans une vaste salle remplie de vieilleries, où personne n'allait plus, afin qu'elles aient de l'espace pour courir et grimper. Alors, après s'être acquittée de ses tâches quotidiennes et avoir déposé ses bébés dans le berceau pour une petite sieste d'après-midi, Kira demanda à Kaliska de veiller sur eux et grimpa au grenier. La dernière fois qu'elle y était allée physiquement, c'était dans le but de trouver une cage pour les faucons de Sage...

Le dernier étage de l'immeuble royal était aussi vaste que le palais lui-même. Au fil des ans, les serviteurs y avaient entassé pêle-mêle tout ce qui ne servait plus aux souverains. La Sholienne s'avança lentement en contournant les meubles, les coffres, les chandeliers sur pied et les rideaux poussiéreux. Elle entendit un murmure et se servit de ses sens magiques pour en repérer la source. Il s'agissait bel et bien de Marek. Kira se fia donc à ses oreilles et finit par découvrir son fils dans un coin reculé du grenier. Elle demeura à moitié dissimulée derrière une grosse commode pour l'épier. Il était en compagnie de deux petites bêtes, l'une rouge et l'autre bleue, et devant les dragons était ouvert un grand livre.

– La mission des Sholiens a toujours été de faire la paix, affirma Ramalocé.

– Ce ne sont pas des magiciens et encore moins des sorciers, ajouta Urulocé.

– Devenir moine exige une grande discipline, et un grand courage aussi.

– Car celui qui rejoint les rangs des Sholiens ne revoit plus jamais sa famille. Il se concentre sur son travail de préservation des vieux ouvrages magiques.

– Et médite toute la journée pour que s'installe une paix durable dans le monde.

– C'est plutôt moche comme travail, non? laissa tomber l'enfant.

« S'ils réussissent à lui enlever cette idée de la tête, je vais les nourrir personnellement jusqu'à la fin de leur vie », songea Kira.

– Tu dois savoir, jeune homme, que les Sholiens ne sont pas des humains comme toi, répliqua le dragon bleu. Ils ont des ancêtres chez les Fées et les Elfes, ce qui en fait des créatures prédestinées à la réclusion.

– Mais ma mère en a aussi, protesta Marek.

– Ton père est humain, lui rappela le rouge.

– Nous pouvons t'apprendre les grands principes qui régissent la vie des Sholiens, si tu le veux, offrit le bleu.

– À quoi ça servirait, si je ne peux pas en devenir un ?

– Urulocé et moi sommes d'accord sur ce point : les humains ont besoin de développer un plus grand degré de discipline. Les Sholiens peuvent être cités en exemple en ce qui a trait au respect des règles de conduite.

– Il est vrai que je ne suis pas très obéissant, avoua Marek, mais ce n'est pas de ma faute. Je sais ce que je dois faire, mais il arrive toujours une autre idée dans ma tête qui me le fait oublier.

– Alors, ce dont tu as besoin, c'est davantage de concentration, suggéra Ramalocé. Commençons par-là.

« J'adore ces petites bêtes », se dit Kira en reculant sans faire de bruit. Elle ne voulait surtout pas les empêcher de mettre un peu de plomb dans la tête de son fils. Elle redescendit à l'étage royal en se demandant pourquoi les petits garçons écoutaient les conseils des dragons et pas ceux de leur mère. En remontant le couloir qui séparait ses appartements de ceux d'Onyx, elle aperçut Swan tout au bout, accoudée à la fenêtre percée dans le mur qui faisait face à la Montagne de Cristal. Habituée à sonder l'humeur de tout le monde depuis qu'elle avait des enfants, Kira sentit tout de suite que quelque chose n'allait pas.

– Swan, est-ce que ça va ?

La reine se retourna. Elle était triste et affreusement pâle.

– Onyx est revenu à la maison, lui dit-elle, d'une voix étranglée.

– N'est-ce pas une bonne nouvelle ?

– Je ne sais plus si je l'aime...

Kira entoura les épaules de sa sœur d'armes et l'entraîna chez elle. Elle la fit asseoir dans le salon et déposa une couverture sur ses épaules pour la réconforter pendant qu'elle demandait à Kaliska de préparer du thé.

– Tu es enceinte de lui, Swan, lui rappela Kira.

– C'est justement ce qui me déchire.

– Tu ne veux pas mettre l'enfant au monde ?

– Oui... mais si je décide de rompre mon mariage avec Onyx, qu'arrivera-t-il à ce bébé ?

– Ce soudain état d'âme aurait-il quelque chose à voir avec le retour de tes fils au château ?

– Peut-être bien. J'en ai assez de me retrouver coincée entre Onyx et mes enfants. Toi, si tu étais à ma place, que ferais-tu ?

– Si Lassa était aussi intraitable qu'Onyx, je serais certainement obligée de déployer plus d'énergie pour le convaincre de faire les premiers pas.

Swan baissa la tête avec découragement.

– C'est justement là le problème, soupira-t-elle. Je n'ai plus envie de me battre.

– Chaque fois que j'ai porté un bébé, j'ai eu des réactions émotives intenses que j'ai ensuite regrettées. Le seul bon conseil que je peux te donner, c'est de ne pas prendre de décision tandis que tu es dans un tel état.

– Tu as raison.

La reine étreignit sa bonne amie.

– Je vais attendre d'avoir accouché avant de jeter Onyx à la porte, ajouta-t-elle.

Swan retourna chez elle et déambula d'une pièce à l'autre dans sa section du palais. Ses fils et sa fille y avaient grandi, espéré, pleuré et ri. Elle s'arrêta dans la chambre de Cornéliane. « Pourquoi est-ce que je reproche à mon mari de ne l'avoir pas ramenée alors que c'est un dieu qui la retient ? » se demanda-t-elle. « Onyx aime cette enfant plus que tout au monde. S'il est revenu les mains vides, c'est qu'il ne pouvait plus rien faire. » Swan s'assit sur le lit.

– Arrivera-t-il la même chose à celui-là ? murmura-t-elle en mettant la main sur son ventre.

Il lui sembla alors que quelqu'un se tenait derrière elle. Swan se retourna vivement, mais il n'y avait personne. Depuis son réveil, elle se sentait épiée. Attentive, elle tendit l'oreille, mais n'entendit rien. Pour en avoir le cœur net, elle sonda ses appartements avec ses sens magiques. Elle était vraiment seule.

S'efforçant de rester calme, elle poursuivit sa ronde et ramassa les armes de bois d'Anoki qui traînaient sur le plancher au milieu de sa chambre. Les Ressakans étaient des gens infiniment pacifiques, mais ce petit bout d'homme ne voulait qu'une chose : ressembler à Onyx. « Ils ont tous passé par-là », songea la reine. « Même Atlance... ». Elle revint à sa chambre et regarda dehors à travers les carreaux de la porte qui donnait sur le balcon. Le ciel était maussade et il pleuvait toujours. La tour d'Armène attira alors son attention. Swan avait à peine eu le temps de voir le bébé qu'Onyx avait ramené à Émeraude. Puisqu'il s'agissait du fils d'Azcatchi et que ce dernier ressemblait beaucoup à son irréductible mari, elle avait cru que c'était un enfant illégitime qu'il avait conçu durant ses escapades dans le nouveau monde.

– Il a simplement voulu lui sauver la vie, tenta de se persuader Swan.

Au fond, c'est un homme bon... La voix que la souveraine venait de percevoir dans ses pensées lui était inconnue. Mais puisque tous les Chevaliers étaient reliés entre eux, ce message ne s'adressait sans doute pas à elle. Ce n'était qu'une coïncidence qu'il lui parvienne au moment même où elle tentait de justifier le geste de son mari.

Swan sortit une cape de la penderie et quitta ses appartements. Elle descendit le grand escalier, se couvrit et sortit dans la cour en se demandant pourquoi les premiers monarques de la forteresse avaient séparé deux des quatre tours du palais. Elle marcha dans la boue et s'empressa d'entrer dans l'antre d'Armène.

– Majesté, la salua la gouvernante, qui venait tout juste de donner un bain au Prince Jaspe.

– C'est fou ce qu'il ressemble à Nemeroff et à Atlance au même âge, s'étonna Swan en s'approchant du bébé.

– Je me disais justement la même chose. Pourtant, votre mari affirme que c'est un petit orphelin du nouveau monde.

– Il m'a parlé de lui, mais il ne m'a pas appris son nom.

– Il s'appelle Jaspe.

Swan repoussa les mèches noires de l'enfant derrière ses petites oreilles. Son regard se figea sur les yeux bleus très clairs du bébé.

– Mama... chuchota Jaspe en tremblant.

– Je ne connais pas les épreuves par lesquelles il est passé pour arriver jusqu'ici, mais c'est l'enfant le plus inquiet qu'il m'a été donné de garder, avoua Armène.

– Onyx est allé le chercher chez les Itzamans avec l'intention de le confier aux Sholiens, mais ils n'ont pas voulu de lui, alors il l'a ramené ici. Selon lui, ce bout de chou est Tepecoalt. Ça fait bien des environnements différents en très peu de temps.

– À mon sens, votre mari a bien fait de l'emmener ici, où il pourra connaître une certaine stabilité.

« Jusqu'à ce qu'Azcatchi le réclame », songea Swan. Mais pour l'instant, ce bambin, qui avait à peine plus d'un an, était aussi inoffensif qu'un oisillon. *Les enfants sont des cadeaux du ciel.* « Encore cette voix... » se troubla la femme Chevalier. Jaspe lui tendit les bras, lui faisant instantanément oublier son angoisse.

Swan cueillit le petit prince et le serra sur son cœur. Ce n'était pas Nemeroff... ce ne pouvait pas être lui, mais pourtant, en fermant les yeux, elle aurait juré que c'était lui.

– Puis-je le prendre avec moi au palais ? demanda-t-elle.

– Évidemment.

La reine protégea Jaspe sous sa cape et retourna chez elle. Il y avait bien longtemps qu'elle n'avait pas pris soin d'un bébé, mais puisqu'elle allait en mettre un autre au monde dans quelques mois, elle jugea qu'elle était aussi bien de se refaire la main tout de suite. Elle assit l'enfant sur son lit et s'allongea près de lui en étudiant son visage sérieux.

– Je sais que tu ne comprends pas tout ce qui t'arrive, petit homme, mais tu n'as rien à craindre.

Jaspe tendit la main et toucha le visage de Swan du bout des doigts. « Comme Nemeroff... », se rappela celle-ci. « Comment peut-il être né de l'autre côté des volcans et lui ressembler à ce point ? » Sans s'en rendre compte, Jaspe était en train de refermer la plaie béante laissée dans le cœur de Swan par la mort de son aîné. Anoki entra alors dans la chambre, ayant terminé ses cours du matin.

– Toi as déjà eu le bébé ? s'étonna-t-il.

– Mais non, mon chéri, répondit Swan en riant. C'est un enfant qui, comme toi, n'a plus de parents.

L'enfant Tepecoalt avait tellement grandi qu'Anoki ne devina même pas qu'il était le fils de la grande prêtresse Nayaztlan.

– Un autre frère ?

– Je pense bien que oui.

– Comment s'appelle ?

– Jaspe.

Anoki grimpa sur le lit et se coucha à plat ventre devant le bébé, qui l'observait en silence.

– Lui ressemble à Atlance. Cornéliane va aimer Jaspe quand elle reviendra.

– C'est vrai qu'il est attachant.

Swan et Anoki jouèrent avec le nouveau prince toute la journée, puis le firent manger dans le hall pour le présenter à la famille. Fabian le trouva bien mignon, mais ne se préoccupa pas de lui, tandis que Maximilien, qui était adopté lui aussi, lui manifesta sur-le-champ de l'affection.

– Je suis en âge d'avoir des enfants, moi aussi, déclara-t-il à sa mère.

– Il faut se marier d'abord, répliqua Anoki.

– Et si je vous disais que je suis amoureux ?

– De la belle Madidjin ? le taquina Fabian.

– Nous avons beaucoup de choses en commun.

– C'est une servante.

– Non, mon frère. Elle l'a fait croire à tout le monde pour protéger sa vie. En réalité, c'est une princesse.

– Peut-elle le prouver ?

– Tiens donc, on dirait papa, se rebiffa Maximilien.

– Du calme, les garçons, les avertit Swan. Tout se vérifie.

– Atlance a épousé la femme qu'il aimait et ce sera la même chose pour moi.

Swan passa la soirée avec sa famille, puis monta à sa chambre. Pour montrer à son mari qu'elle acceptait de jouer le rôle de mère auprès de Jaspe, elle coucha le bébé avec elle dans leur grand lit, mais Onyx ne rentra pas de la nuit.

27

LA RIVALE

Lorsque Swan ouvrit les yeux, Jaspe dormait toujours, collé contre elle. Elle caressa ses cheveux et écouta battre son petit cœur en savourant son nouveau bonheur. Elle se rappela ses jeunes années, la naissance de son premier enfant, alors que son mari n'était pas encore Onyx, mais le paysan Farrell. Ils habitaient sur une ferme non loin de la forteresse. Ses frères et ses sœurs d'armes l'avaient aidée à construire sa maison.

Maman! hurla la voix d'Atlance dans son esprit. *Que se passe-t-il?* s'alarma la mère en se redressant. *Lucca a disparu! Mon bébé a disparu!* À ce moment précis, Swan regretta de ne pas posséder les immenses pouvoirs de son mari, car elle se serait instantanément transportée à Zénor pour venir en aide à son fils. D'ailleurs, où était Onyx ? De toute évidence, il n'avait pas passé la nuit dans son lit...

Calme-toi et raconte-moi ce qui s'est passé, exigea-t-elle. Malgré son état de détresse, Atlance lui raconta que Katil avait allaité Lucca pour la dernière fois au milieu de la nuit, mais qu'en se levant, au matin, elle n'avait pas trouvé l'enfant dans son lit. Il expliqua qu'il plaçait des barres en bois le soir sur la porte et les volets des fenêtres et qu'aucune d'entre elles n'avait été déplacée. *Il est évident que celui qui a pris mon fils possède des pouvoirs magiques,* pleura Atlance. Swan pensa à Azcatchi, mais n'osa pas l'accuser avant d'avoir des preuves. Elle promit à son fils de se mettre en route pour Zénor afin de mener une enquête.

Onyx choisit ce moment précis pour apparaître au pied du grand lit, faisant sursauter la pauvre femme.

– As-tu entendu ce qu'Atlance vient de m'annoncer ?

– Aucune communication n'est possible dans un vortex, s'excusa-t-il.

Swan lui relata la conversation qu'elle venait d'avoir avec leur fils. Son mari n'afficha aucune émotion, ce qui la mit aussitôt en colère.

– Tu ne dis rien ?

– Maintenant, il comprendra mieux ce que j'ai vécu quand on nous a enlevé Cornéliane, lâcha-t-il en se dirigeant vers leur salle de bain.

Swan bondit du lit et lui bloqua la route.

– Où étais-tu, cette nuit ?

– J'ai eu besoin de refaire mes forces.

– Et qu'avais-tu fait pour les affaiblir ?

– Pourquoi me questionnes-tu comme ça ?

– Je sais que tu n'étais pas au palais. Es-tu allé à Zénor ?

– M'accuserais-tu d'avoir pris l'enfant d'Atlance ?

– Avec toutes les sombres pensées qui t'habitent, en ce moment, ce n'est pas impossible.

– Quoi ? Et comment peux-tu prétendre savoir à quoi je pense ? La seule chose qui te préoccupe, c'est de trouver une excuse pour me chasser de mon propre château.

Swan le brûla du regard.

– Ai-je raison ? insista-t-il.

– Plus tu fais des bêtises et plus j'y pense, oui.

– On dirait bien qu'aucun de mes gestes n'est à la hauteur de tes attentes depuis que j'ai recouvré la santé. Est-ce que je suis devenu à ce point un obstacle à la réalisation de tes rêves que tout ce que tu désires, c'est te débarrasser de moi ?

– Je veux juste savoir si tu es allé à Zénor durant la nuit.

Le visage d'Onyx devint si menaçant qu'il effraya Swan, mais au lieu de la frapper, son mari se dématérialisa sous ses yeux. Tremblant de tous ses membres, la reine comprit qu'elle l'avait échappé belle. Ce furent les pleurs de Jaspe qui la ramenèrent à la réalité. Elle se hâta auprès de lui et le cueillit dans ses bras.

– Tu n'as rien à craindre, mon chéri. Calme-toi.

Elle se mit à arpenter la chambre en lui frictionnant le dos.

***

En se matérialisant au Château d'Émeraude avec un homme-lion grièvement blessé et deux guerrières Mixilzins vêtues de cuirasses en peaux de serpent, Wellan et Hadrian avaient causé tout un émoi. Le Pardusse avait immédiatement été transporté à l'aile des Chevaliers, dans une chambre vacante, directement en face de celle de Santo, car il était maintenant le seul à pouvoir le sauver. Ce dernier, qui avait reçu du Magicien de Cristal des pouvoirs supplémentaires de guérison, se mit aussitôt au travail.

Puisque la petite Ayarcoutec refusait de quitter le chevet de son ami Cherrval, Napalhuaca resta avec elle. Les Mixilzins assistèrent donc aux efforts acharnés du guérisseur pour refermer les profondes entailles causées par les griffes du tigre et arrêter les hémorragies internes. Après s'être assurés que Santo avait la situation bien en main, Wellan et Hadrian étaient retournés dans le Désert tandis que la piste de Mahito était encore fraîche.

La nouvelle du sauvetage de Cherrval se propagea rapidement au château et la rumeur arriva aux oreilles de la Reine Swan, une heure à peine après la fugue d'Onyx. «Combien de tuiles vont me tomber sur la tête aujourd'hui ?» ragea cette dernière en descendant le grand escalier avec Jaspe dans les bras. Elle se rendit à la section du palais autrefois réservée aux soldats magiques et se fraya un chemin parmi les curieux qui s'étaient massés devant la porte de la salle d'opération de fortune.

Swan avait elle-même soigné suffisamment de blessures sur le champ de bataille pour évaluer la gravité de celles de Cherrval. Concentrée sur le travail de Santo, elle ne remarqua pas immédiatement la petite fille et sa mère qui avaient accompagné le blessé. Napalhuaca, au contraire, avait deviné l'identité de cette femme aux longues boucles brunes, qui tenait un Onyx miniature dans ses bras.

– Maintenant, souhaitons qu'il ait une forte constitution, souffla Santo en reculant de quelques pas.

À bout de forces, le guérisseur tituba sur ses jambes. Sans perdre de temps, Liam le mena jusqu'au lit voisin et l'y fit coucher. Une intense lumière blanche entoura Santo, afin de lui permettre de reprendre ses forces. Liam se dirigea ensuite vers la porte et dispersa l'attroupement. Bientôt, il ne resta plus que la reine, son petit prince, Bridgess et les Mixilzins auprès du Pardusse.

– Est-ce qu'il va guérir ? s'enquit Ayarcoutec.

Swan tourna les talons et quitta aussi la pièce afin d'aller s'occuper du bébé.

– Venez manger chez moi, offrit Bridgess en faisant signe aux Mixilzins de la suivre.

– Je veux rester avec Cherrval, gémit l'enfant.

Mais Bridgess ne comprenait pas ce qu'elle disait.

– J'habite juste en face, poursuivit la femme Chevalier. Tu pourras revenir t'asseoir près de lui lorsque tu auras avalé quelque chose.

Elle mima le geste de manger et tendit la main à Ayarcoutec, qui hésita un moment avant de la saisir. Napalhuaca n'allait certainement pas laisser une étrangère partir avec sa fille, alors elle les suivit dans les appartements de l'autre côté du corridor. Regardant autour d'elles avec curiosité, les Mixilzins prirent place à table avec un adolescent de seize ans et deux petites filles du même âge qu'Ayarcoutec.

– Merci d'avoir gardé un œil sur tes sœurs, dit l'inconnue au garçon.

Elle se tourna ensuite vers ses invitées.

– Voici mes enfants : Famire, Djadzia et Élora. Je suis Bridgess.

Napalhuaca pencha doucement la tête de côté, signe évident qu'elle ne comprenait pas ce qu'on lui disait. Heureusement, Kira frappa et entra dans le logis.

– C'est bien vous ! s'exclama la Sholienne. J'ai refusé de le croire quand on m'a fait votre description. Je suis heureuse de vous revoir, Napalhuaca, bien que j'aurais aimé que ce soit en d'autres circonstances.

– Et moi de même, Kira, répondit la guerrière.

– Tu comprends ce qu'elle dit ? s'étonna Bridgess.

– Oui, grâce à un sort que nous a jeté Anyaguara lorsque nous sommes allés dans le nouveau monde.

– Alors, tu nous serviras d'interprète.

Napalhuaca raconta ce qui leur était arrivé dans le Désert. Avant qu'elle termine son récit, Ayarcoutec s'était esquivée pour retourner auprès de Cherrval.

– Il s'est formé un lien très fort entre la petite et le Pardusse, expliqua la guerrière. Pourriez-vous la garder à l'œil ?

Kira traduisit sa requête à Bridgess, qui accepta volontiers de reporter ses cours du matin au lendemain afin de veiller sur Ayarcoutec. Puis, Napalhuaca se tourna vers la Sholienne.

– Dites-moi où je peux trouver la reine.

– Le mieux serait que je vous accompagne jusque chez elle. Si vous lui parlez, elle ne comprendra pas un mot de ce que vous lui direz.

Napalhuaca accepta d'un geste sec de la tête. Kira remercia Bridgess en son nom et l'emmena au troisième étage du palais. Les serviteurs firent passer les deux femmes dans le salon de la reine et allèrent prévenir cette dernière. Swan les rejoignit quelques secondes plus tard. Elle tenait toujours l'enfant dans ses bras.

– D'où vient ce beau bébé ? s'égaya Kira.

– Je te l'expliquerai plus tard, répondit sèchement Swan, à la grande surprise de son amie. Qui est cette femme ?

– Napalhuaca est la princesse des Mixilzins.

– Que vient-elle faire chez moi ?

– Je cherche Onyx, répondit Napalhuaca, une fois que Kira eut traduit la question. Il a promis de m'aider en retour de ce que j'ai fait pour lui.

– Il n'est pas ici. J'imagine qu'il est à votre recherche.

– Swan, je pense que tu es en train de te faire des idées, intervint Kira.

– Dis-lui qu'elle n'est pas la bienvenue chez moi.

La reine leur tourna froidement le dos et quitta le salon, car elle avait une expédition à monter afin de se rendre auprès d'Atlance. Bien à regret, Kira dut traduire sa réponse à la Mixilzin.

– Laissez-moi la raisonner, ajouta la Sholienne. Swan est enceinte et elle a du mal à gérer ses émotions, en ce moment.

La Mixilzin, qui avait mémorisé la route qu'elle avait empruntée pour se rendre jusqu'aux appartements royaux, la refit à l'envers pour retourner près de sa fille.

– Ayarcoutec, viens ! ordonna-t-elle à la petite.

Napalhuaca était bien trop orgueilleuse pour pleurer en public, mais elle avait le cœur en pièces.

– Mais Cherrval n'est pas guéri.

– Nous nous informerons de sa santé.

– Pourquoi faut-il partir ?

– On ne veut pas de nous, ici.

– Mais Onyx ?

– Il n'est pas là. Obéis-moi.

Ayarcoutec embrassa le visage de Cherrval et murmura à son oreille qu'elle serait bientôt de retour, puis saisit la main que sa mère lui tendait. La tête haute, Napalhuaca quitta le palais sous la pluie.